ANNIE BURROWS

Comtesse malgré elle

LES HISTORIQUES

éditions Harlequin

Titre original : THE EARL'S UNTOUCHED BRIDE

Traduction française de ENID BURNS

HARLEQUIN®
est une marque déposée par le Groupe Harlequin

LES HISTORIQUES®
est une marque déposée par Harlequin S.A.

Photo de couverture
Sceau : © ROYALTY FREE / FOTOLIA
Salle de bal : © ROBERT HARDING IMAGES / MASTERFILE
Réalisation graphique couverture : V. ROCH

83/85 boulevard Vincent-Auriol 75646 PARIS CEDEX 13.
Service Lectrices — Tél. : 01 45 82 47 47
www.harlequin.fr

ISBN 978-2-2808-1469-0 —ISSN 1159-5981

1

Giddings ouvrit la porte et ne put réprimer un frisson d'angoisse devant le visage contracté de Sa Grâce le comte de Walton. Par chance, celui-ci parut ne pas même le voir tandis qu'il lui tendait son chapeau et son manteau pour filer vers le salon. Par chance encore — et Dieu devait en être remercié — le jeune Conningsby avait eu la bonne idée de passer la nuit dans ce salon, recroquevillé sur un sofa, au lieu de rentrer chez lui en titubant : lui au moins pourrait répondre et se défendre, quand Giddings, lui, n'étant que le majordome, n'avait d'autre choix que de subir, le visage impassible, sans rien dire, la mauvaise humeur de Sa Grâce.

Charles Algernon Fawley, neuvième comte de Walton, ne vit pas plus Conningsby que son majordome. Traversant le salon dans toute sa longueur, il s'arrêta devant une desserte, ouvrit un flacon de cristal et en versa tout le contenu dans un grand verre.

Conningsby souleva la tête et s'enquit d'une voix aimable, quoique éraillée :

— Petit déjeuner chez Tortoni ?

Charles avala son verre en une seule lampée et souleva de nouveau le flacon.

— On dirait que la journée commence mal, reprit Conningsby, en essayant péniblement de s'asseoir.

Ayant constaté que le flacon était vide, le comte en serra le goulot comme s'il voulait l'étrangler, avant de répondre :

— Oui. Et ne vous avisez pas de raconter partout que je vous l'ai dit.

— Je n'y penserais même pas, milord ! Ce que je pourrais dire, en revanche…

— Non ! J'ai écouté hier soir tout ce que vous aviez à me dire, et si je suis touché de l'intérêt que vous portez à ma cause, ma décision reste inchangée. Il n'est pas question que je quitte Paris en catimini, la queue entre les jambes, comme un quelconque corniaud craignant le fouet, ni que je laisse raconter qu'une petite rouée m'a plaqué et que j'en souffre. J'occuperai cet appartement jusqu'à expiration du contrat de location, et je ne partirai pas une heure plus tôt. Est-ce clair ?

Conningsby porta une main lasse à ses sourcils pour s'en faire une visière.

— C'est lumineux. Vous prouverez au monde entier que la fuite de votre fiancée avec un artiste sans le sou vous est indifférente. Serait-ce trop vous demander que de nous faire avoir un peu de café bien fort ?

— Un graveur ! s'exclama le comte en tirant sur le cordon comme pour l'arracher.

— Un graveur, répéta Conningsby. Voyez-vous ça ! Si j'en juge par vos renseignements et par votre expression, les échotiers sont déjà au travail. La vie ne sera pas facile pour vous au cours des prochains jours. Votre humeur…

— Mon humeur n'est en rien affectée par une quelconque Mlle Bergeron. Si je devais partir, ce serait à cause des Français, qui font de Paris une ville impossible, pour retourner avec bonheur à Londres, où l'ennui concentré est la plus violente émotion qu'on puisse connaître.

— N'est-ce pas pour échapper à l'ennui, précisément, que vous êtes venu à Paris ?

Certes, la vie à Londres, avec son demi-frère gravement mutilé, était devenue intenable. Cherchant refuge à Wycke, il n'y avait pas trouvé la paix : c'était une injustice qu'il en fût l'héritier, et l'opulence de ce vaste domaine campagnard le lui rappelait quotidiennement. Paris lui avait alors semblé une solution parfaite. Depuis l'abdication de Napoléon, la mode voulait que l'on franchît la Manche pour visiter la capitale de la France.

Charles Fawley, comte de Walton, ignora toutefois la remarque de son ami et changea de sujet. Appuyé d'un coude sur le manteau de la cheminée, il lança :

— Savez-vous qu'un nouveau meurtre a été commis ?

Conningsby s'écria aussitôt, la mine attristée :

— Mauriac, encore, je parie !

Cet officier français s'était taillé une vilaine réputation en provoquant en duel de jeunes Anglais, qu'il expédiait rapidement dans l'autre monde grâce à une science des armes acquise au cours de ses nombreuses années de service militaire. Il célébrait rituellement sa victoire chez Tortoni en dînant de rognons grillés.

— Qui est la victime, cette fois ? Pas quelqu'un que nous connaissons, j'espère ?

— Hélas, si. Le malheureux était un sous-officier nommé Lennox.

— Je ne vois pas..., murmura Conningsby.

— Bien sûr, il n'y a pas de raison que vous le connaissiez ; mais cet obscur soldat britannique a servi dans le même régiment que mon demi-frère. Il appartenait au petit groupe qui venait chez moi à Londres, pour tenter de distraire le malheureux.

Il semblait parfois à Charles qu'un régiment tout entier défilait chez lui pour rendre les honneurs à son frère, un homme qui avait été jadis un vaillant soldat, mais qui désormais se laissait dépérir. D'ailleurs, très peu de ces hommes tentaient une seconde visite après avoir été fort mal reçus par le capitaine Fawley, lequel refusait catégoriquement de devenir un objet de pitié pour quiconque.

Pitié ! Il ne connaissait pas la chance qu'il avait, ce militaire estropié et défiguré !

Si Charles Fawley, neuvième comte de Walton, avait connu la même détresse, personne ne serait venu à son chevet dans l'espoir de lui faire oublier un moment son sort funeste ; mais les vautours n'auraient pas manqué de tournoyer autour de lui, en se jaugeant les uns les autres pour deviner lequel d'entre eux hériterait du titre et de la fortune qui l'accompagnait.

— Ce Lennox était donc un soldat…

— Oui, mais il n'avait aucune chance en face de Mauriac, et ce forban le savait bien. Il a ri tout son soûl en disant que le pauvre garçon ne devait pas avoir besoin de se raser plus d'une fois par semaine, en se moquant de son teint blême. Le pauvre devait être malade de frayeur, et on peut le comprendre… Ah ! Si seulement il avait eu la présence d'esprit de me demander comme témoin. J'aurais peut-être pu empêcher ce massacre.

Conningsby eut pour son ami un regard de surprise. De lui il ne savait qu'une chose lorsqu'il était arrivé à Paris : il avait causé un grand émoi en chassant ses tuteurs de sa maison ancestrale, et par là même avait rompu tous liens avec cette branche de sa famille. En France, il ne connaissait personne. C'était donc Conningsby, jeune attaché d'ambassade, qui lui avait déniché un appartement rue de Richelieu et l'avait introduit chez les Britanniques établis à Paris.

Supposant à son ami une exceptionnelle force de caractère, Conningsby s'était fort étonné, la veille au soir, de le voir réagir comme un homme du commun en apprenant que la jeune fille dont il venait de demander la main s'était enfuie avec un autre, son véritable amoureux : le comte avait disparu après avoir clamé son intention de noyer son chagrin dans l'alcool. Du chagrin, lui ?

Revenant à l'infortuné tué en duel par Mauriac, Conningsby déclara :

— Franchement, il ne pouvait pas se désister, au risque de vivre jusqu'à la fin de ses jours avec une fâcheuse réputation de lâche.

— Un tiers aurait pu trouver un moyen de lui sauver la mise, insista le comte. Si seulement…

Il ne put en dire davantage car le majordome entrait dans le salon pour annoncer :

— Une visiteuse pour vous, Milord.

— Je ne reçois pas, grommela Charles.

Giddings toussota, jeta un coup d'œil inquiet en direction de Conningsby avant de reprendre, sur un ton mal assuré :

— La jeune personne prétend que vous seriez très content de la voir… Elle dit s'appeler Mlle Bergeron.

Charles eut l'impression de recevoir un coup de poing dans l'estomac. Comme il reprenait son souffle, Conningsby se leva en disant :

— Elle vient, selon toute probabilité, implorer votre pardon.

— Elle peut toujours implorer ! fit Charles qui se cramponnait des deux mains au manteau de la cheminée.

Il n'est pas question que je lui pardonne. Puisqu'elle me préfère quelque artiste à la manque, qu'elle parte avec lui et grand bien lui fasse.

— Il s'agit peut-être d'un regrettable malentendu. Réfléchissez, Milord. Il régnait un tel affolement chez les Bergeron ! Qui pourrait dire ce qu'il s'est réellement passé, hier soir ?

Hier soir, il était question d'accompagner Félicie à un bal au cours duquel les fiançailles seraient proclamées ; mais quand les deux hommes s'étaient présentés chez les Bergeron, ils avaient trouvé le chef de famille effondré dans un fauteuil et son épouse, allongée sur un sofa, en proie à une authentique crise d'hystérie. De leurs propos confus, il ressortait que Félicie, fille maudite, s'était enfuie avec un moins que rien — « alors qu'elle aurait pu épouser un comte anglais ! », avait hurlé la mère éplorée, entre deux sanglots.

A présent ledit comte anglais était furieux.

— Je ne suis pas en état de recevoir cette personne, déclara Charles, péremptoire. En outre, je risquerais fort de l'étrangler.

— Pas vous ! se récria Conningsby.

Charles eut un rire amer et soupira :

— Non, pas moi, vous avez raison.

Il se dirigea vers un des fauteuils disposés devant la cheminée, s'y laissa tomber et dit au majordome qui attendait, en se faisant tout petit :

— Vous pouvez faire entrer Mlle Bergeron, Giddings.

Si Conningsby avait le sentiment désagréable, depuis un moment, d'être devenu transparent, de ne même plus exister pour le comte, il n'avait aucune envie d'assister à la scène difficile qui allait se jouer dans ce salon. C'était une chose que d'aider un ami à noyer son chagrin, c'en était une autre que de subir — avec ce mal de tête effroyable ! — les inévitables cris de la Française. Il chercha donc autour de lui une issue autre que la porte par laquelle allait entrer Félicie Bergeron ; il n'en trouva pas d'autre que la porte-fenêtre. Il ne lui fallut qu'une seconde pour enjamber le sofa sur lequel il avait passé la nuit pour se faufiler entre les lourds rideaux de velours et passer sur le balcon. Tirant les volets de la fenêtre pour s'isoler, il entendit le majordome annoncer :

— Mademoiselle Bergeron.

Charles connut un moment d'intense satisfaction en voyant la jeune personne s'arrêter sur le seuil, hésitante, sans doute anxieuse ; elle tripotait nerveusement le voile accroché à son chapeau et qui mettait son visage dans l'ombre. Au lieu de se lever, il s'adossa plus confortablement à son fauteuil et croisa les jambes, enveloppant la visiteuse d'un regard plein de morgue et de dédain.

Elle avança d'un pas, un tout petit pas, puis s'élança, traversant le salon pour tomber devant lui, à genoux. Lui prenant la main, elle la porta à ses lèvres et y déposa un baiser au travers de son voile.

Il lui retira brusquement sa main. Il ne ferait preuve d'indulgence que si elle lui donnait une explication convaincante de son comportement de la veille ; et encore… Il avait connu à cause d'elle des émotions si douloureuses que même de très fortes quantités d'alcool n'avaient pu les anesthésier, et il n'entendait pas renouveler l'expérience. Il s'apprêtait à le lui dire, en termes très vifs, quand, relevant le voile qui obscurcissait son visage, elle s'exclama :

— Oh, merci ! Merci, Milord ! Merci de m'avoir autorisée à vous approcher. J'avais si grand-peur. Vous n'avez pas idée du déplaisir qu'une jeune fille éprouve à aller seule par les rues de la ville, sans escorte, alors qu'elle est bouleversée.

Charles n'en croyait pas ses yeux. Il balbutia :

— Vous n'êtes pas… Vous n'êtes pas…

— Félicie ? Non, bien sûr que non. Je regrette de vous infliger cette déception, mais j'ai pensé que vous ne seriez disposé à recevoir qu'elle, aujourd'hui ; c'est pourquoi je me suis fait passer pour elle. Du reste, ce n'est qu'un demi-mensonge, puisque vous attendiez Mlle Bergeron et que je suis une Mlle Bergeron…

— Je ne suis pas d'humeur à jouer sur les mots, repartit Charles d'un ton sec.

Comment pouvait-il s'être laissé abuser ? Comment pouvait-il avoir confondu Héloïse, plus petite et moins jolie, avec la pétillante, la ravissante, la merveilleuse Félicie, sa sœur cadette ? Il ne pouvait trouver une excuse ni dans le chapeau au large bord, ni dans le voile assez épais. En fait, il s'était abusé lui-même. Il avait voulu croire à un malentendu, au terme duquel sa fiancée serait venue lui jurer ses grands dieux qu'elle ne voulait pas d'autre mari que lui. Il avait espéré Félicie Bergeron, donc il avait vu Félicie Bergeron, tout simplement. Voilà où il en était !

Héloïse déglutit péniblement. Elle s'était attendue à une certaine froideur, mais se trouver en face d'un homme dont le cœur venait d'être brisé était une expérience beaucoup plus difficile qu'elle n'avait imaginé.

— Moi non plus, reprit-elle d'une toute petite voix, ferme néanmoins, je ne suis pas là pour plaisanter, vous en conviendrez quand vous saurez ce que je suis venue vous proposer.

— Je ne vois vraiment pas ce que vous espérez accomplir en vous prosternant devant moi, répondit-il avec un rictus amer.

— Laissez-moi vous expliquer ! Je n'en aurai que pour quelques minutes.

Héloïse fureta autour d'elle.

— Puis-je prendre place dans un de ces fauteuils, Milord ? Ce plancher est bien dur, et il me semble que vous aurez du mal à me prendre au sérieux si je n'adopte pas une attitude plus conforme aux usages. Mais avant, il faut que je vous dise. Je me demandais ce qu'il adviendrait de moi si vous me fermiez votre porte. Figurez-vous qu'un contingent de la Garde nationale m'a accompagnée depuis le jardin des Tuileries ! Ces hommes sans manières refusaient obstinément de voir en moi une femme honnête se rendant chez un ami de sa famille, qui se trouve être un comte anglais. Ils m'ont accablée de propos injurieux quand ils ont su cela ! J'ai essayé de les faire partir, sans aucun succès. C'était très décourageant. Enfin ! Ce n'est pas parce que vous êtes anglais que je suis une mauvaise personne ou que je n'aime pas mon pays, n'est-ce pas ? S'ils veulent arrêter des opposants, qu'ils s'en prennent à ceux que j'ai vus se battre au Palais Royal, pas à une malheureuse qui se moque bien que l'empereur soit déchu et remplacé sur son trône par un Bourbon. Ils m'ont suivie jusqu'ici ! Par chance, votre majordome — une personne très aimable, soit dit en passant — m'a permis d'entrer quand il a vu à quoi j'étais soumise. Il m'a dit qu'il y avait une porte à l'arrière de la maison, par où je pourrais repartir discrètement, parce que là, franchement, mes nerfs ont été mis à rude épreuve…

Le comte n'avait aucun moyen de défense contre le flot de paroles qui se déversait sur lui. La jeune fille parlait, parlait à perdre haleine. Elle ne s'interrompit même pas quand le fidèle Giddings entra avec, disposés sur un plateau, une bouteille de madère et deux petits verres.

Elle s'était levée, avait retiré son chapeau et ses gants, et s'était posée sur le bord d'un fauteuil faisant face à Charles, sans cesser de pépier comme un oiseau.

En souriant, elle remercia Giddings qui lui présentait un verre, mais sa main tremblait tant qu'elle répandit plusieurs gouttes de vin sur le devant de son manteau.

— Je suis désolé que vous ayez dû subir tant d'épreuves, s'entendit dire Charles, alors que la jeune fille tamponnait les petites taches. Je vous ferai remarquer, cependant, que vous n'auriez jamais dû entreprendre cette expédition. C'est assez dangereux.

En effet, beaucoup de Parisiens témoignaient à cette époque une franche hostilité à l'encontre des Britanniques, qu'ils accusaient d'inonder les étals de leurs produits manufacturés à bon marché. Il ne fallait pas oublier non plus que les tensions restaient vives entre les Bonapartistes et les tenants de la Restauration. Si des bagarres opposaient ces deux factions aux alentours du Palais Royal, comme elle le prétendait, Mlle Bergeron éprouverait quelques difficultés pour rentrer chez elle.

— Je vais vous faire raccompagner, ajouta Charles.

— Oh, non ! Pas encore ! protesta-t-elle, effarée. Vous n'avez pas encore entendu ce que je suis venue vous dire.

— J'ai hâte de vous entendre, répondit-il avec une ironie marquée. En fait, j'attends depuis le moment que vous avez franchi la porte de ce salon.

Héloïse Bergeron vida d'un trait son verre de madère et le posa sur la petite table que Giddings avait posée à portée de sa main.

— Pardonnez-moi. C'est que je suis si nerveuse, vous comprenez ? J'ai tendance à parler pour ne rien dire, quand je suis nerveuse. En fait, j'étais *seulement* nerveuse quand je suis sortie de chez moi, mais depuis l'incident des Tuileries, je suis complètement paniquée et je…

Charles frappa du plat de la main sur l'accoudoir de son fauteuil.

— Mademoiselle Bergeron ! Voulez-vous, je vous prie, en venir au fait ?

— Oh…

Héloïse se sentit devenir toute rouge. Il n'était pas facile d'en venir au fait avec un homme au visage si sévère. Elle regrettait même d'être venue, et si elle s'était écoutée, elle se serait enfuie sans autre forme de procès. Ce n'étaient pas des yeux qui se fixaient sur elle, mais des glaçons. Chaque fois qu'elle croisait ce regard, elle sentait diminuer le peu de courage qui lui restait. En outre, s'être installée dans un fauteuil au lieu de rester agenouillée n'avait en rien amélioré sa position : elle devait toujours lever la tête pour regarder le comte de Walton — un homme grand, très grand même — dans les yeux.

Elle se sentait démunie en face de lui, n'ayant rien pour contrer l'hostilité qu'il lui marquait : ni beauté, ni charme, ni esprit. Hélas, elle ressemblait à sa mère ! Alors que Félicie tenait de leur père, Héloïse avait hérité du nez maternel, de la petite taille maternelle, et de ce teint indescriptible qui donnait à sa mère un air maladif permanent.

Elle n'avait qu'une idée, mais quelle idée ! Si le comte de Walton voulait bien l'écouter, elle se proposait d'anéantir tous leurs soucis d'un coup. Elle se lança.

— C'est très simple, quand on y pense. Il suffit que vous m'épousiez au lieu de Félicie, et le tour sera joué.

Elle pencha la tête de côté pour attendre la réponse, ce qui la fit ressembler à un moineau mendiant quelques miettes. Puis, avant que Charles eût retrouvé ses esprits et formulé une réponse adéquate, elle ajouta :

— Je sais ce que vous vous dites : c'est ridicule. Mais réfléchissez aux avantages.

— Avantages pour qui ? demanda Charles avec mépris.

Curieux ! Il n'avait jamais imaginé la petite Héloïse en intrigante, en croqueuse de diamants. Il n'avait jamais pensé non plus qu'elle puisse dire plus que quelques mots à la suite, encore moins qu'elle soit capable de prononcer un long discours en anglais. Chaque fois qu'elle avait joué le rôle de chaperon auprès de sa sœur, lors de leurs promenades, elle se faisait si discrète qu'on finissait par oublier sa présence. Il découvrait maintenant qu'il s'était fait d'elle une fausse idée, et il s'en irrita.

Bien qu'il lui ait encore jeté un regard glacial, capable de décourager même l'homme le plus déterminé, Héloïse ne se laissa pas démonter.

— Avantages pour qui ? Pour vous, bien sûr ! A moins que… Vos fiançailles avec Félicie n'ont pas été annoncées en Angleterre, n'est-ce pas ? Elle m'a dit que vous n'aviez pas encore pris contact avec les journaux londoniens. A Paris, c'est évident, tout le monde croit que vous désirez épouser Félicie, mais tout ce que vous aurez à dire, quand on me verra à votre bras, c'est : « Vous faites erreur ! » ou même : « Mêlez-vous de ce qui vous regarde ! » A condition qu'on ose vous poser des questions, ce qui me surprendrait.

— Pourquoi devrais-je dire cela, selon vous ?

— Pour que personne ne puisse imaginer que ma sœur vous a brisé le cœur, bien sûr.

Les mots de la jeune fille, prononcés avec une réelle sympathie, surent trouver le chemin d'une place secrète dont Charles refusait de reconnaître l'existence depuis plusieurs années.

— Je sais quel effet déplorable la conduite de ma sœur peut avoir eu sur votre fierté, poursuivit-elle, faisant preuve ainsi d'une remarquable perspicacité, ce dont Charles s'étonna.

Même Conningsby, qui le connaissait bien, admettait qu'il avait méconnu la profondeur des sentiments que Charles portait à la demoiselle, avant que, la veille au soir, celui-ci, complètement ivre, livre tout ce qu'il avait sur le cœur. Or cette jeune fille, à qui il avait à peine pris garde jusque-là, lisait en lui à livre ouvert ! Elle continuait :

— De cette façon, personne ne devinera jamais. Et puis, vous savez si bien faire votre visage impassible, glacial même, qu'il faudra être bien malin pour percer à jour vos véritables sentiments. Ainsi pourrez-vous aisément convaincre que ma famille poussait Félicie vers vous, mais que c'est moi que vous vouliez, parce que je suis l'aînée, ou alors… Vous verrez bien : je suis certaine que vous trouverez facilement une explication plausible. Je sais, personne ne voudra croire que vous êtes réellement épris de moi. Je m'en rends compte. Cela étant, si des rumeurs concernant une certaine Mlle Bergeron sont parvenues jusqu'à Londres… personne ne se doutera de rien. Si vous m'épousez, vous pourrez vous promener dans tout Paris en gardant la tête haute, et retourner dans votre pays avec un honneur intact.

— Vous dites n'importe quoi ; vraiment n'importe quoi !

Charles s'était levé d'un bond pour se diriger d'un pas rapide vers la desserte. Il avait déjà fait litière de bien des ragots. Il pouvait continuer. Il ajouta :

— Tous liens avec votre famille sont d'ores et déjà rompus.

Ayant empoigné le flacon et constaté qu'il était toujours

vide, il le reposa avec violence. Il n'allait pas fuir Paris comme un voleur sous prétexte qu'une bande de commères n'avaient rien de mieux à faire que de gloser sur ses amours malheureuses ! Personne non plus ne l'amènerait à trahir son accablement, ne fût-ce que par un battement de cils. C'est pourquoi il affirma :

— Mon honneur ne souffrira pas de quelques ragots.

Voyant le petit visage se froisser, et les épaules de Mlle Bergeron s'affaisser, il renonça à lui assener quelques paroles définitives. Elle avait maintenant des larmes plein les yeux… Mais il était dit que la demoiselle le surprendrait encore, car elle se leva alors, et, avec une très grande dignité :

— Alors, lui dit-elle, je vous prie de m'excuser de m'être introduite chez vous ce matin. Il ne me reste plus qu'à partir.

Elle avait atteint la porte du salon et remettait ses gants lorsqu'il la héla.

— Attendez !

Ce n'était pas à elle qu'il en voulait. Jamais elle ne lui avait donné le moindre motif d'agacement durant tout le temps qu'il avait courtisé Félicie. Jamais elle n'avait émis de protestation, quel que soit l'endroit où l'entraînaient les fiancés, alors qu'elle était souvent gênée en leur présence ; il l'avait remarqué. Tout ce qu'elle faisait, en ces moments, c'était se retirer, dans l'ombre, comme pour se faire oublier, comme pour s'effacer, ne plus exister. Mlle Héloïse Bergeron était d'une nature modeste. Lui faire cette ridicule proposition de mariage avait dû lui en coûter.

Non, il n'avait aucune raison et surtout aucun droit de lui faire payer son ressentiment envers Félicie. Et puis, il ne pouvait la laisser s'en retourner seule, par les rues de la ville : ce ne serait pas digne d'un homme du monde.

— Mademoiselle, fit-il d'un ton guindé, je vous ai dit que vous rentreriez chez vous en toute sécurité. Je vous en prie, asseyez-vous le temps que Giddings fasse venir un fiacre.

Elle s'adossa à la porte, soupira.

— Je vous remercie. Ce ne fut pas une partie de plaisir que de venir jusque chez vous. Quand je pense que je me félicitais d'avoir pu sortir de la maison sans être vue ! Papa a sans doute raison quand il dit que je suis une petite idiote. Quand j'ai eu à traverser cette foule, aux Tuileries, j'ai compris à quel point j'avais été sotte. Ensuite, aller frapper à la porte d'un Anglais, toute seule, comme une femme de petite vertu…

La voyant perturbée, très pâle, Charles songea qu'il devait tâcher de la distraire un peu.

— Ne voulez-vous vraiment pas vous asseoir encore un moment ?

Elle marcha vers le sofa qu'il lui désignait et tressaillit en voyant son chapeau oublié parmi les coussins. Elle s'en empara et le fit tourner entre ses mains, comme un objet qu'elle n'eût pas reconnu.

— Quel motif réel vous a poussée à venir frapper à ma porte, Mademoiselle ? Je ne puis imaginer que vous vous sentiez si concernée par mon honneur blessé ou mon…

Il s'interrompit avant de faire allusion à son « cœur brisé ».

La demoiselle Bergeron devint rouge comme une pivoine et parut soudain très occupée à arranger les rubans de son chapeau. Sa gêne devint même si criante que Charles en conçut quelque soupçon.

— Ne me dites pas que vous êtes amoureuse de moi !

L'idée que cette jeune fille, qui n'avait rien d'une beauté, nourrissait pour lui une passion secrète, alors qu'il faisait la cour à sa sœur, le mettait très mal à l'aise.

— Je ne m'en doutais pas, ajouta-t-il. Je pensais que vous me détestiez.

Elle leva la tête, étonnée, semblait-il, d'avoir perçu une once de sympathie dans sa voix.

— Accepteriez-vous de m'épouser si je disais que je vous aime ? demanda-t-elle, les yeux remplis d'espoir.

Mais comme Charles la regardait sans la moindre émotion, le trouble la reprit. Elle se mordilla la lèvre inférieure.

— Cela ne servirait à rien, soupira-t-elle. Je ne peux pas vous raconter de mensonge.

Elle se laissa aller contre le dossier du sofa et parut s'affaisser, en proie à un profond découragement.

— En plus, je ne suis pas assez maligne pour vous le faire croire ; sans compter — il faut bien que je vous l'avoue — que je vous ai pris en grippe dès la première fois que vous avez rendu visite à Félicie. Maman disait que je faisais du tort à la famille en me montrant si peu aimable à votre égard, et Félicie m'accusait de me conduire comme une enfant ; mais je ne pouvais pas m'en empêcher. En fait, ce n'était pas tellement vous que je n'aimais pas, mais plutôt l'idée que je me faisais de vous. Vous voyez ?

Charles ouvrit la bouche pour répondre qu'il ne voyait rien du tout, mais il n'eut pas le temps de prononcer un seul mot.

— Ensuite, reprenait déjà la jeune fille, j'ai appris à vous connaître mieux. J'ai compris que vos sentiments pour ma sœur étaient sincères, mais que vous les cachiez bien. Je me demandais pourquoi, mais sachant cela, je ne pouvais plus vous détester. Au contraire, j'avais de la pitié pour vous, car je savais depuis le début que Félicie ne vous aimait absolument pas.

Voyant le visage de Charles se contracter sous l'effet de la surprise, Héloïse expliqua :

— D'ailleurs, comment aurait-elle pu vous aimer, alors qu'elle est profondément éprise de Jean-Claude ? Papa et maman ont essayé de contrarier leurs amours, Jean-Claude n'ayant pas le sou, mais sans aucun succès. Ce que je n'aimais pas, chez vous, c'est que vous éblouissiez tout le monde avec votre richesse, je pensais que vous en faisiez étalage pour obliger Félicie à se détourner de Jean-Claude. En fait, je me trompais. Félicie vous utilisait pour donner à croire à mes parents qu'elle se rendait à leurs raisons ; et pendant ce temps-là, Jean-Claude préparait leur fuite. Après tout, c'est aussi bien comme ça, non ? Elle a été fidèle à son véritable amour.

La jeune fille se redressa et fixa sur Charles un regard embué par un réel chagrin.

— Elle s'est montrée très cruelle envers vous et vous ne le méritiez pas, même si vous êtes un Anglais.

Charles réprima une forte et subite envie de rire.

— Si je comprends bien, s'enquit-il, vous voulez que je vous épouse pour oublier la cruauté de votre sœur ? C'est bien cela ? Ce qui m'arrive vous navre et vous voulez réparer le tort qu'on m'a fait.

L'espoir fit briller ses yeux pendant quelques secondes, puis ses paupières s'abaissèrent et elle secoua la tête.

— Non, ce n'est pas cela du tout ; pas seulement cela en tout cas. Bien sûr, je devrais me réjouir de vous offrir cette compensation... Oui, je devrais. A cause de ma sœur, vous avez beaucoup souffert. Je sais que vous ne pourrez jamais avoir pour moi les mêmes sentiments que pour elle, mais au moins votre honneur sera intact puisque sa trahison demeurera secrète. Il n'est pas trop tard. Si vous agissiez dès aujourd'hui, si vous obteniez cet après-midi le consentement de papa, nous pourrions nous montrer ce soir ensemble et faire taire les ragots avant même qu'ils n'aient commencé. Ensemble, nous pourrions réparer le mal fait par ma sœur. Vous savez, la désolation s'est emparée de notre maison. Maman ne quitte plus son lit, papa menace de se faire sauter la cervelle. Vous n'auriez qu'à entrer chez nous et dire : « Tant pis pour Félicie, je prends l'autre ! », avec votre air de vous moquer de tout, comme si rien n'avait d'importance pour vous. Je vous parie que papa vous baiserait les pieds, tant sa gratitude serait grande. Même s'ils ont réellement cru que vous vouliez l'épouser, quand ils verront avec quelle allégresse vous vous rabattez sur moi, ils penseront qu'ils se sont complètement trompés sur votre compte.

— Je vois, murmura Charles. Vous voulez sauver votre famille d'une sorte de disgrâce qui la menace et que mon union avec Félicie aurait détournée. C'est admirable, mais…

Il s'interrompit en voyant que la jeune fille avait soudain l'air coupable. Il demanda :

— Ce n'est pas une question d'honneur familial, au moins ?

Elle secoua la tête. Sa voix n'était plus qu'un souffle.

— Non. Mais si tout ce que je vous ai dit est vrai, il n'y a pas que cela. Un mariage avec moi produirait les excellents effets que je vous ai décrits, pour vous, pour ma famille… mais la principale raison de mon offre est très égoïste. Voyez-vous, si vous l'acceptiez, papa serait si content, si soulagé de voir la fin de ses ennuis grâce à vous, qu'il en oublierait l'homme qu'il m'a choisi pour mari.

— Si je comprends bien, vous me considérez comme un mari plus agréable que cet autre homme.

— Oui ! tellement plus agréable ! Vous ne pouvez pas imaginer combien je le hais ! Je jure que je serais pour vous une excellente épouse. Je ne vous donnerais jamais le moindre ennui, je vous le promets ! Je vivrais dans une ferme, à la campagne, j'élèverais des poules, et vous n'auriez même pas besoin de supporter ma présence si vous n'en vouliez pas. Je ne m'occuperais pas de vos affaires, je ne vous empêcherais pas de vivre à votre guise. Je ne me plaindrais jamais, même si vous me battiez !

De nouveau, les yeux de la jeune fille s'embuaient de larmes. Fort déconcerté, Charles demanda :

— Pourquoi supposez-vous que je pourrais avoir envie de vous battre ?

— Parce que je suis très agaçante ! Enfin, c'est ce qu'on dit…

S'il n'avait pas constaté qu'elle était au bord des larmes, Charles aurait éclaté de rire.

— C'est ce que dit papa, ajouta-t-elle ; Gaspard aussi.

— Qui est Gaspard ?

— C'était mon frère. Il est mort. Il disait que l'homme assez fou pour m'épouser serait bientôt obligé de me battre comme plâtre. Mais je suis certaine… que vous me battriez seulement quand je le mériterais vraiment. Vous n'êtes pas un homme cruel. Vous n'êtes pas froid non plus, en dépit de tout ce qu'on raconte sur vous. Vous avez des manières hautaines, mais au fond, vous êtes gentil. Je le sais, parce que je vous ai beaucoup observé. J'ai pu le faire sans aucune difficulté car vous ne prêtiez jamais attention à moi quand je me trouvais dans la même pièce que Félicie. Pour tout dire, je n'aurais pas peur de partir d'ici avec vous, parce que je sais bien que vous ne battriez jamais une femme sans raison, juste pour le plaisir, comme le ferait sûrement…

— Allons, allons ! fit Charles alors que les premières larmes coulaient sur les joues d'Héloïse. Je ne puis croire que votre papa serait assez cruel pour vous marier à un homme aussi méchant que vous le dites.

D'un bond, la jeune fille se mit debout pour s'écrier :

— C'est que vous, les Anglais, vous ne comprenez rien ! Papa me sacrifierait sans hésiter pour préserver le reste de la famille !

Elle tremblait des pieds à la tête, sous l'emprise d'une émotion autre que la peur. C'était l'indignation qui faisait briller ses yeux à présent. Elle s'agitait, incapable de se tenir tranquille. Allant à petits pas rapides entre le sofa et la cheminée et de la cheminée au sofa, elle ne s'apercevait pas qu'elle marchait chaque fois sur son chapeau, tombé quand elle s'était levée.

— En plus d'être méchant, lança-t-elle, il est vieux !

Elle en frissonna d'horreur.

— Vous savez, dit Charles, j'ai trente-cinq ans.

Héloïse s'arrêta devant le comte Walton pour le considérer à la lumière de cet aveu. Ses yeux bleus brillaient : sans doute s'amusait-il beaucoup de l'examen qu'elle lui faisait subir. Elle lui reconnut un physique agréable, un corps en bonne santé, convenablement musclé. Ses cheveux fauves n'étaient pas trop bien peignés ce matin, mais il n'y en avait aucun de gris.

— Je ne pensais pas que vous étiez aussi vieux, finit-elle par dire avec candeur.

Une fois de plus, Charles se mordit la joue pour ne pas rire. Cette petite créature était entrée dans son repaire comme un oiseau se fût glissé entre les pattes d'un lion, picorant des miettes sans se soucier de rien, certain d'être trop insignifiant pour susciter le coup de griffes qui pourrait l'écraser.

Il déclara :

— Allons, mon enfant, admettez-le : vous êtes bien trop jeune pour songer à vous marier.

— C'est possible, fit-elle avec une mine boudeuse ; mais je vous rappelle que Félicie est plus jeune que moi et que vous étiez d'accord pour l'épouser, elle ! Et puis, ne vous faites pas de souci, je vieillirai. Peu à peu, vous vous habituerez à moi. Tenez ! Vous pourriez m'apprendre à me conduire mieux. Enfin... si vous en avez la patience...

Elle se laissa tomber sur une chaise placée en face de Charles et posa ses coudes sur ses genoux avant d'ajouter :

— Je crois avoir toujours su, obscurément, que je n'étais pas une épouse possible pour vous, mais je suis certaine que je m'en tirerais mieux avec vous, parce que même si vous êtes aussi vieux que vous le dites, vous ne...

Son front se plissa sous l'effort de la réflexion, comme si elle éprouvait de grandes difficultés à traduire sa pensée. Elle finit par dire :

— Vous ne sentez pas aussi mauvais que lui.

Contenant son rire au prix d'un suprême effort, Charles repartit :

— Peut-être pourriez-vous conseiller à votre prétendant de prendre un bain de temps en temps.

Un éclair de colère illumina les yeux de la demoiselle. Elle prit une grande inspiration avant de lui répliquer :

— Oh, c'est facile de vous moquer de moi. Vous pensez que je suis une petite idiote, que ce que je dis n'a aucun sens, n'est-ce pas ? Mais moi, je ne ris pas, figurez-vous ! Chaque fois qu'il s'approche de moi, j'ai envie de courir vers une fenêtre pour respirer un peu d'air pur. Avec lui, j'ai toujours l'impression d'être dans une pièce trop longtemps fermée qui sent le moisi. Et avant que vous ne repreniez votre plaisanterie sur l'utilité des bains, permettez-moi de vous dire que c'est par la pensée et non par le nez que je perçois les mauvaises odeurs dont je vous parle. Cet homme a tant de sang sur les mains, vous n'imaginez pas.

Certes, la jeune fille avait un comportement absurde, elle s'exprimait d'une façon très… pittoresque pour ne pas dire plus, mais il ne faisait pas de doute pour Charles que l'homme que son père prétendait lui faire épouser lui répugnait, et il était fort regrettable qu'une créature aussi sensible fût poussée à un mariage qui la dégoûtait à ce point. Bien sûr, Charles ne pouvait concevoir de l'épouser lui-même pour lui éviter ce grave inconvénient, mais il ressentait maintenant de la sympathie pour elle, de la pitié. Il n'avait plus envie de rire, et il demanda :

— Dois-je comprendre que cet homme est un soldat, Mademoiselle ?

— Un véritable héros ! lui répondit-elle avec une sombre ironie. Ma famille estime que ce serait un honneur de s'allier avec un tel homme. Et puis, ce fut une réelle surprise pour papa, et une telle joie, d'apprendre qu'un homme éprouvait de l'intérêt pour une petite souris comme moi. Vous voulez savoir comment je m'en suis aperçue, peut-être ?

Charles acquiesça ; il ne s'engageait à rien en faisant preuve de sollicitude. Tout de même, pourquoi fallait-il tant de temps à Giddings pour trouver un fiacre ?

— Cet homme commandait le régiment de Gaspard, en Espagne. Il était… Il faut que je vous le dise : je n'étais pas censée entendre cela ; mais il arrive souvent que les gens parlent devant moi sans précaution, pensant que je ne prête aucune attention à leurs propos. Il est vrai que c'est souvent le cas. Donc, mon frère parlait souvent de sa campagne d'Espagne. Les ordres que lui donnaient ses supérieurs ! Vous n'avez pas idée des atrocités qui ont été commises là-bas… Alors, je vous le dis tout net, je n'ai pas envie de m'unir à un homme qui se vante d'avoir traité des femmes et des enfants comme du bétail dans une boucherie. Il forçait des Français honnêtes à prendre part à ses fripouilleries ! Et ce n'est pas tout. Pendant que mon frère mourait de faim en Espagne — nos affaires tournaient mal là-bas —, Mauriac a abandonné la partie, il est rentré en France, l'œil vif et le teint fleuri.

— Mauriac ? C'est l'homme à qui votre père veut vous marier ?

— Exactement. Etant commandant du régiment de mon frère, il venait souvent à la maison du temps que ce dernier était encore en vie. Il voulait toujours m'avoir près de lui à table ; il insistait ! C'était moi encore qui devais le servir. Après la mort de Gaspard, il a continué à nous rendre visite. Papa dit que je suis stupide de refuser sa demande en mariage, que je devrais me sentir honorée d'être courtisée par un homme aussi distingué alors que ce n'est certainement pas ma beauté qui l'attire. Ce qu'il ne comprend pas, c'est que mon refus excite Mauriac. Cette canaille se délecte à l'idée que mes parents m'obligeront à me soumettre.

Héloïse s'arrêta de parler, submergée qu'elle était par l'épouvante sans nom que lui inspirait cet homme odieux. Elle se pencha en avant, cacha son visage dans ses mains pour se calmer. Puis, inquiète du silence pesant qui régnait dans le salon, elle leva les yeux vers le comte de Walton. Jusqu'à ce moment, elle pensait qu'il ne faisait que s'amuser gentiment à ses dépens ; mais son regard était redevenu aussi glacial que lorsqu'elle était entrée… sauf que… ce n'était plus vers elle que sa colère était tournée.

— Il est temps de rentrer, Mademoiselle, dit-il en se levant pour tirer le cordon. Nous voici parvenus à la fin de notre entretien.

Inutile d'insister. Le cœur lourd, Héloïse s'avança vers la porte. Elle avait cru s'attirer la sympathie du comte en lui révélant son aversion pour l'homme qu'on voulait la contraindre à épouser.

Elle avait voulu se montrer parfaitement honnête.

Elle avait perdu.

2

A peine la porte s'était-elle refermée sur Héloïse Bergeron que Conningsby apparaissait sur le seuil du balcon.

— Seigneur ! s'exclama-t-il. Si j'avais su que cette porte-fenêtre donnait sur la rue et que j'aurais à passer tout le temps de l'entretien coincé sur un petit balcon, j'aurais cherché à m'enfuir par le jardin.

— Je suppose que les rideaux n'ont pas trop altéré votre ouïe, repartit le comte en soupirant. Puis-je espérer que vous respecterez la confidentialité de cette conversation ?

Conningsby prit un air outragé.

— Je vous rappelle que je suis diplomate ! Je sais garder un secret. Du reste, aucun homme de bon sens n'oserait répéter le moindre mot de l'offre absurde qui vient de vous être faite.

Charles n'en pensait pas moins, mais il lui déplut d'entendre formuler cette opinion par un autre que lui.

— Je pense, dit-il sèchement, que cette jeune fille a fait preuve de bravoure en tentant cette démarche pour sauver sa famille de la ruine.

— Certainement, Milord... Si vous le dites, dit Conningsby sans aucune conviction.

— Je le dis, et j'ajoute que je ne permettrai à personne de dauber sur ma fiancée.

Conningsby ouvrit des yeux ronds.

— Ne me dites pas que vous allez accepter cette proposition grotesque ?

Charles s'absorba dans la contemplation de ses ongles.

— Reconnaissez tout de même que cette demoiselle m'offre de sortir de la situation difficile où m'a mis sa sœur, et que je puis y trouver un motif de consolation.

— J'admets que la demoiselle est fascinante, reprit Conningsby, avec encore un peu d'hésitation. A sa manière, elle est très amusante aussi. Elle a un don d'imitation qui m'a plusieurs fois mis en joie, au point que j'ai dû fourrer mon mouchoir dans ma bouche pour ne pas éclater de rire ; surtout quand elle contrefaisait votre voix.

Le comte s'étonna. Fascinante, vraiment ? Jusqu'à ce matin, il l'avait à peine regardée. Tel un petit animal craintif, elle faisait de son mieux pour qu'on ne la remarque point. Lorsque, par hasard, il avait naguère porté le regard sur elle, il n'avait rien vu qui puisse l'intéresser, lui trouvant un nez un peu trop prononcé, des lèvres trop minces par rapport à leur longueur, un petit menton trop pointu, des cheveux d'une couleur indéfinissable, sans la moindre bouclette pour les rendre plus plaisants. Ses yeux, pourtant… il y avait ses yeux.

Jusqu'à ce matin, Héloïse Bergeron avait toujours baissé les yeux chaque fois qu'il l'avait regardée. Tantôt, en revanche, il y avait décelé une brillance, une vibration, une profondeur qui l'avaient touché et dont les effets se faisaient encore sentir.

— La question n'est pas de savoir si elle est fascinante ou amusante, fit-il sèchement. Voulez-vous savoir ce qui m'incite à la prendre pour épouse ? C'est que ce faisant, j'inflige une cuisante humiliation à Mauriac.

Conningsby eut un rire nerveux.

— Soyons sérieux ! Vous n'allez pas épouser une femme pour le seul plaisir de la souffler à un autre homme !

Il s'attira un regard glacial et comprit que le sujet ne devait plus être traité sur le mode plaisant.

— Elle ne s'attend pas que je l'aime beaucoup, dit le comte. Vous l'avez entendue. Elle ne sera même pas étonnée si j'en viens à la haïr au point de la battre. Tout ce qui lui importe, c'est de se sortir d'une position intenable. Vous ne pensez pas que j'ai le devoir de l'y aider ?

— Eh bien…

Tout rouge, Conningsby introduisit un doigt dans son col de chemise.

— Allons, allons ! reprit Charles d'un ton plus aimable. Vous n'imaginez pas que je vais permettre à son père de la jeter dans les mains d'un boucher ! Elle ne mérite pas de connaître un destin aussi affreux.

Non, pensa Conningsby, elle ne le méritait pas. Cela dit, un mariage fondé sur le seul désir de se venger d'un forban ne risquait-il pas d'être pour elle, à la longue, une épreuve ?

Le crayon de fusain en main, Héloïse se pencha sur son album et tâcha d'ignorer les sanglots de sa mère tandis qu'elle se concentrait sur son dessin et cogitait sur les derniers événements.

Elle n'était arrivée à rien ; rien ! Elle avait bravé les dangers de la rue, subi les insultes de la soldatesque, souffert les moqueries du comte… tout cela pour rien. Pourquoi, pensa-t-elle avec aigreur, pourquoi s'était-elle crue capable de faire entrer le comte dans ses vues ? Et d'abord, pourquoi avait-elle éprouvé de la compassion pour lui ?

Ses doigts s'agitaient furieusement, couvrant la page de grands traits épais.

En plus, il lui avait soutiré tous ses secrets, les grands comme les petits. Il avait fait semblant d'éprouver pour elle un peu de sympathie, puis il l'avait éconduite avec mépris.

Le seul point positif de cette matinée désastreuse était que personne, à la maison, ne s'était aperçu de sa disparition.

Le fusain courait sur la page et bientôt apparut le portrait du comte de Walton, une caricature plutôt, qui le représentait en chat de gouttière à la mine cruelle.

Et si on découvrait où elle s'était rendue ? Elle ne supporterait pas d'être la cible de nouveaux reproches, après ceux dont l'avait agonie sa mère au sujet de la fuite de Félicie… comme si elle avait jamais eu la moindre influence sur sa petite sœur, à qui on avait toujours passé ses moindres caprices !

En quelques traits, Héloïse dessina une petite souris apeurée entre les pattes du chat de gouttière, à qui elle attribua d'énormes griffes acérées. « Folie ! se disait-elle. J'ai commis une véritable folie en allant me prosterner devant cet homme. »

On frappa à la porte d'entrée.

Mme Bergeron se moucha bruyamment avant de gémir :

— Nous ne recevons pas aujourd'hui. Je n'ai plus de forces. Et quel plaisir éprouverions-nous à accueillir des visiteurs qui ne viennent que pour se délecter de notre malheur ?

Héloïse se leva pour aller transmettre les ordres au

valet avant qu'il n'ait ouvert la porte. Placée près de la fenêtre d'où elle recevait assez de lumière pour dessiner, elle jeta un coup d'œil sur le perron. Le crayon de fusain lui échappa et tomba sur le sol.

— C'est le comte ! s'exclama-t-elle d'une voix mourante.

Jusque-là prostré dans un fauteuil, la tête dans les mains, son père se leva d'un bond.

— C'est impossible ! bredouilla-t-il. Que peut-il nous vouloir ? J'aurais dû m'en douter ! Un homme de son rang ne se laisse pas éconduire sans réagir. Il veut nous accabler de son ressentiment. Un procès pour rupture unilatérale des fiançailles, voilà le moindre mal auquel nous devons nous attendre. Eh bien, je vous le dis ! Je me tuerai plutôt que de subir une telle épreuve, et comme ça, il verra !

Héloïse ramassa son fusain, se rassit et se pencha derechef sur son dessin pour dissimuler aux siens l'espoir qui avait dû se peindre sur son visage.

Etendue sur le sofa, sa mère se remit à pleurer.

— Non ! dit-elle à l'adresse de son mari. Vous ne pouvez pas m'abandonner maintenant ! Vous n'avez pas le droit ! Comment pouvez-vous menacer de me laisser, après toutes les avanies que nous avons endurées ensemble ?

Aussitôt repentant, M. Bergeron alla se jeter aux pieds de son épouse, dont il prit la main pour la porter à ses lèvres.

— Pardonnez-moi, ma chère amie. Je ne pensais pas vraiment ce que je disais.

Si Héloïse admirait que ses parents fussent si épris l'un de l'autre, elle les trouvait parfois trop démonstratifs. Elle leur reprochait surtout de se conduire souvent comme si elle n'était pas là.

— Vous savez que je vous adore, mon ange ! poursuivait

le père avec un enthousiasme non feint. Vous êtes trop bien pour moi. Je ne vous mérite pas.

Il pressa la main de sa femme sur son cœur.

Il venait d'aborder un sujet sur lequel Héloïse s'interrogeait souvent. Il était bien vrai que sa mère se situait au-delà des aspirations matrimoniales de son père : fille cadette d'un nobliau, elle avait accordé sa faveur au clerc modeste mais ambitieux qui servait son père, et quand il lui avait proposé de fuir avec lui, avait accepté. Ce choix, scandaleux pour une jeune fille de la noblesse provinciale, s'était avéré plus tard fort judicieux, puisque, mariée à un homme du peuple, elle avait échappé au sort funeste subi par les membres de sa caste aux temps troublés de la Révolution.

Le valet entra et annonça le comte de Walton, interrompant ainsi la touchante scène que se jouaient les époux Bergeron. Se redressant de toute sa hauteur, M. Bergeron prit un masque tragique et déclara :

— Pour vous épargner cette nouvelle souffrance, mon ange, je vais recevoir ce monsieur dans mon bureau.

Mais il n'avait pas eu le temps d'atteindre la porte que déjà Charles entrait dans le salon, ses gants à la main. Il s'inclina solennellement devant Mme Bergeron, qui ne parvenait pas à émerger de ses coussins, puis lança :

— Madame, Monsieur, je vous souhaite le bonjour.

M. Bergeron, qui tentait de l'empêcher d'avancer davantage, prit un air de martyr pour répondre :

— Je suppose que vous désirez me parler, Milord ? Voulez-vous que nous nous retirions dans mon bureau, afin de laisser ces dames en paix ?

Charles, étonné, haussa un sourcil.

— Eh bien… soit, nous y attendrons que Mademoiselle s'apprête. Vous n'avez certes pas oublié que j'avais projeté d'emmener votre charmante fille en promenade ce matin ?

Il se tourna vers Héloïse.

— Mademoiselle, j'ose espérer qu'il ne vous faudra pas trop de temps pour vous préparer ? Je n'aime pas trop laisser mes chevaux seuls dans la rue.

Jusqu'à ce moment, Héloïse n'avait pas osé y croire, mais maintenant, le doute n'était plus permis : Charles Fawley, comte de Walton, avait accepté sa proposition !

M. Bergeron, qui n'y comprenait rien, bredouilla :

— Mais... mais c'est Félicie que vous deviez emmener en promenade... Milord, elle n'est pas ici... J'étais pourtant certain, hier soir, que vous saviez qu'elle avait...

Implacable, Charles lui coupa la parole.

— Je me suis engagé à emmener votre fille en promenade, et je n'ai qu'une parole ! En l'absence de Félicie, Héloïse devra souffrir ma compagnie.

Un lourd silence régna pendant un long moment. Chacun retenait sa respiration.

Soudain, Mme Bergeron jaillit de son sofa et courut vers Héloïse pour lui prendre le poignet et l'obliger à se lever.

— Milord, elle ne vous fera pas attendre plus de dix minutes !

Puis elle se tourna vers son mari.

— A quoi pensez-vous, mon ami ? Vous pourriez offrir un siège à Sa Grâce, et du vin ! Sa Grâce patientera plus agréablement ainsi.

Elle poussa Héloïse vers la porte et se retourna pour préciser :

— Du chambertin.

Sous le regard ébahi de M. Bergeron, Charles se dirigea vers la fenêtre. Là, son regard se posa sur la table où reposait l'album d'Héloïse. Il en tourna quelques pages, dévoilant divers animaux, la plupart fort étranges, prenant des poses aussi peu naturelles que possible. L'un de ces dessins, représentant un oiseau en cage, retint son attention : le pauvre animal aux plumes hérissées semblait bien malheureux sur son perchoir, auquel il était attaché par une petite chaîne. Charles s'interrogea sur la race de cet oiseau, puis la tête un peu penchée lui rappela vaguement quelqu'un. Ce regard angoissé… mais oui : Héloïse telle qu'elle lui était apparue le matin même. Suivant des yeux la chaîne qui entravait le pauvre animal, il découvrit encore qu'elle se terminait par un anneau de mariage.

Emu, il revint quelques pages en arrière pour revoir un dessin qu'au premier coup d'œil il avait pris pour une amusante scène de cirque. Il lui apparut que le lion, couché sur le dos et affichant un sourire assez sot, n'était autre qu'une caricature de lui-même ; et que la jeune fille debout, au visage cruel, posant son petit pied sur la poitrine du lion, ne pouvait être que Félicie.

Charles referma bruyamment l'album et se tourna vers M. Bergeron.

— Je suppose que vous n'avez pas encore fait connaître au public l'attachement que j'éprouve pour votre fille aînée ?

— Hélas non, Milord… Cependant, j'avais plus ou moins laissé entendre qu'un mariage avantageux serait bientôt conclu au sein de ma famille.

— J'imagine que vos créanciers ont eu la primeur de cette annonce.

— Mes cré… Bah ! Laissons cela. Comme on dit chez nous : « Plaie d'argent n'est pas mortelle. »

Devant le regard dubitatif de Charles, M. Bergeron eut un rire sans joie.

— Vous autres, Anglais, n'avez aucune idée de la manière dont nous vivons, en France. Quand le pouvoir change de mains, les partisans de l'ancien régime doivent s'attendre à tout de la part de ceux du nouveau. Pour survivre, un homme sensé doit toujours avoir plusieurs fers au feu, c'est-à-dire se ménager des amitiés dans tous les camps. Il doit aussi sentir le vent, prévoir de quelle manière il va tourner, évaluer le moment le plus propice pour tourner casaque…

Cet homme était une girouette, comme Talleyrand. Il ne s'en cachait pas, il s'en glorifiait plutôt.

Très rouge, M. Bergeron s'effondra sur le sofa que sa femme venait de libérer.

— Si je comprends bien, repartit Charles avec lenteur, conclure une alliance matrimoniale avec un Anglais à une époque où beaucoup de Parisiens proclament leur hostilité à tout ce qui vient de l'autre côté de la Manche, c'était une tentative de…

Il haussa un sourcil inquisiteur, exhortant son interlocuteur à poursuivre. Celui-ci tira un mouchoir de sa poche, s'épongea le visage et s'exécuta.

— C'était une tentative pour mettre au moins une de mes filles à l'abri. Nous voyons venir l'époque où n'importe qui, homme ou femme, pourra être conduit à la guillotine sur le plus mince des motifs. Je le sens, c'est dans l'air. Dites ce que vous voulez de Bonaparte, mais au cours des années précédentes, j'ai réussi à garder une place de responsabilité dans l'administration et à y progresser grâce à mon travail et à mes capacités. Hélas, maintenant que les Bourbon sont de retour, avec la ferme intention de se venger de tous ceux qui se sont opposés à eux, tout cela comptera pour rien.

Pensif, Charles l'étudiait. M. Bergeron se voyait donc

au bord de la ruine. C'est pourquoi il avait tâché d'assurer ses arrières, en encourageant la plus jolie de ses filles à prendre dans ses filets un comte anglais pouvant offrir un asile sûr si des événements dramatiques mettaient sa famille en danger. Il avait par ailleurs favorisé les assiduités d'un ardent bonapartiste épris de son autre fille. Chaque jour, ce dernier buvait à la santé de l'empereur déchu dans des cafés tels que la *Tabagie de la Comète*, établissement fréquenté par les ex-officiers de la Grande Armée. Mauriac était un homme qu'il valait mieux avoir comme allié que comme ennemi.

Se sentant soudain à court de sympathie pour son futur beau-père, Charles s'assit sur une chaise, étendit les jambes et croisa les chevilles.

— Laissez-moi vous faire une proposition, dit-il.

M. Bergeron le dévisagea avec méfiance.

— J'ai de bonnes raisons de ne pas vouloir faire connaître ma... disons... déception. J'aimerais, en fait, agir comme si rien de fâcheux ne s'était produit.

— L'ennui... c'est que Félicie s'est enfuie. Ce n'est pas une nouvelle que nous pourrons garder secrète indéfiniment. Il nous faudra sans doute un peu de temps pour la retrouver, et si vous persistez à vouloir l'épouser...

D'un geste, Charles manifesta son impatience.

— Je n'ai plus rien à faire de Félicie. C'est fini, Félicie. Mais personne ne sait que c'était elle que je voulais épouser, n'est-ce pas ?

— Ma foi... non.

— Donc, plus vite on me verra en public avec votre autre fille, mieux ce sera, car ainsi nous pourrons plus facilement persuader vos amis et connaissances qu'ils se trompaient s'ils me croyaient fiancé à Félicie.

— Que suggérez-vous donc ?

— N'est-ce pas évident ? Puisque Félicie ne figure plus dans le tableau, j'épouse votre autre fille.

— Mais… mais…

— Vous ne pouvez sérieusement prétendre avoir des objections à ce projet. Elle n'a d'engagement avec personne d'autre, n'est-ce pas ?

Charles retint sa respiration. Il avait l'impression de voir des engrenages tourner furieusement dans la tête de M. Bergeron. Héloïse avait parlé de demandes qu'elle avait repoussées, mais si son père et Mauriac avaient rédigé quelque document ayant valeur de contrat, la suite des opérations pourrait s'avérer compliquée.

— Non, Milord, finit par dire M. Bergeron.

Il venait de renoncer à toute alliance avec un homme dont l'étoile pâlissait. Il ajouta :

— Héloïse est libre de vous épouser, mais…

Il se tassa sur le sofa, ferma les yeux, secoua la tête, pétrit le mouchoir qu'il avait dans la main.

— … elle n'est pas très raisonnable, vous savez. Imaginez qu'elle refuse ? Quelle ironie, mon Dieu, que notre sort dépende de cette petite écervelée !

Charles s'indigna *in petto* de l'opinion si peu favorable que ce père avait de sa fille. Il lui semblait que Félicie, et non Héloïse, avait plongé la famille dans l'embarras, or pas un mot sévère n'avait encore été prononcé contre elle. Héloïse, au contraire, bien loin de se montrer sotte, avait échaufaudé un plan rationnel afin de réparer les torts causés par sa sœur.

— Je vous demande pardon ? fit Charles, très froid.

— Il va sans dire que ma famille se doit de laver l'affront qui vous a été fait par ma fille cadette, mais je vous prie de ne pas vous sentir offensé de nouveau si je ne parviens pas à faire entendre raison à mon aînée.

Charles n'éprouvait plus que du mépris pour cet homme veule, et s'il n'avait pas été assuré qu'Héloïse voulait bien l'épouser puisque c'était elle-même qui lui avait proposé le mariage, il aurait tourné les talons pour quitter cette maison, laissant la famille Bergeron se noyer dans son marais.

— Je suis certain que votre fille comprendra où est son intérêt, dit-il du ton le plus neutre possible.

— On voit bien que vous ne la connaissez pas ! Nul ne peut prévoir ce que cette petite sotte va dire ou faire. Elle n'est pas aussi maligne que sa sœur, loin s'en faut.

Il se montrait de plus en plus détestable. N'était-il pas celui qui avait poussé Félicie à appâter un lord anglais alors qu'elle n'avait pas la moindre intention de l'épouser ? Il ne disait que du mal d'Héloïse, déclarée stupide et sans intérêt.

Charles préférait encore la prétendue stupidité d'Héloïse à l'intelligence frelatée de Félicie.

— Un homme ne s'attend pas que sa femme ait l'esprit vif, dit-il avec un mince sourire. Je suis certain qu'Héloïse et moi nous entendrons très bien.

Il se tourna vers la porte du salon, qui venait de s'ouvrir ; Héloïse et sa mère paraissaient. Il reprit :

— La voici, et tout à fait charmante.

Il se dirigea vers elle, lui prit la main et s'inclina.

— Je vous en prie, n'en faites pas trop, murmura-t-elle, en lui coulant un regard inquiet.

Mettant sous son bras la main gantée de la jeune fille, qu'il tapota avec discrétion, afin de la rassurer, il sourit à la mère qui s'était hâtivement équipée d'un manteau et d'un chapeau.

— Vous m'accorderez, Madame, que vous n'avez nul

besoin de nous chaperonner, puisque nos fiançailles ne tarderont plus à être connues du monde.

Mme Bergeron vacilla ; sa bouche s'ouvrit, aucun son n'en sortit. Elle réussit seulement à dire, après quelques secondes :

— Vous voulez épouser Héloïse ?

— Pourquoi pas ? rétorqua Charles. J'ai déjà tout arrangé avec votre mari…

Il s'adressa à Héloïse :

— Avec votre papa, ma chère enfant. Il pense que je mérite réparation pour l'offense que m'a infligée Félicie, et puisque j'avais la ferme intention de retourner en Angleterre nanti d'une épouse, ce sera vous. Avant que vous ne me présentiez je ne sais quelle objection, permettez-moi de vous dire que j'attends de vous une parfaite et entière collaboration. Sachez que je n'ai aucun désir de devenir un sujet de bavardages inconsidérés, encore moins un objet de railleries. Nul ne doit savoir que votre sœur m'a abandonné.

Revenant à Mme Bergeron :

— Vous serez bien bonne de raconter partout que la fuite de Félicie, avec un homme si peu convenable, vous inquiète grandement, mais que cet incident fâcheux n'a aucune incidence sur les tendres sentiments qui me lient depuis longtemps à sa sœur, qui est tellement plus convenable.

La mère se laissa tomber sur le sofa à côté de son mari. Charles poursuivait :

— Au cours des dernières semaines, beaucoup de témoins nous ont vus tous les trois. Félicie était de loin la plus remarquable, mais rien ne nous empêche de prétendre que je n'avais d'yeux que pour Héloïse. Nous le soutiendrons *mordicus*, n'est-ce pas ? Il faudra dire qu'elle est plus digne de devenir ma comtesse, par ses manières modestes et discrètes. Quel homme bien élevé voudrait pour épouse une scandaleuse petite évaporée ?

M. Bergeron prit un air sévère pour s'adresser à sa fille.

— Héloïse, j'espère que vous prêtez la plus grande attention à ce que dit Sa Grâce. En tant que fille consciente de ses devoirs, vous devez tout faire pour préserver l'honneur de votre famille. Je compte que vous m'obéirez, jeune fille ! Pas un mot ne doit sortir de votre bouche concernant les relations de Sa Grâce et de votre sœur. Et vous vous marierez avec Sa Grâce.

Inclinant la tête avec un joli air de soumission, Héloïse répondit :

— Je ferai tout ce que vous voudrez, papa.

Ne voulant pas passer plus de temps avec ces deux opportunistes, Charles entraîna la jeune fille vers la porte.

Silencieuse, Héloïse garda la tête baissée afin de cacher à ses parents sa jubilation, et ne la releva que dehors. Elle admira et reconnut l'élégant cabriolet que Charles avait déjà emprunté une fois à un autre noble Anglais, lequel l'avait amené avec lui dans l'intention de se faire remarquer au bois de Boulogne. Quand il s'était agi de promener Félicie, il avait en plus engagé deux laquais en livrée : nul ne devait ignorer qu'il était quelqu'un, même s'il prenait sa passagère dans un modeste immeuble du quai Voltaire.

Charles jeta une pièce au gamin qu'il avait chargé de tenir les chevaux par la bride, puis prit la main d'Héloïse pour l'aider à prendre place sur la banquette étroite. Il monta ensuite à côté d'elle, prit les rênes et fouetta ses deux chevaux bais. Le cabriolet s'ébranla et s'inséra dans le trafic peu dense.

Héloïse, qui le dévorait des yeux avec une admiration non feinte, lui jeta alors :

— Vous avez été magnifique ! Si je ne craignais pas d'attirer sur nous une attention indue, je vous donnerais un baiser. Je vous jure que je pourrais !

Charles répondit assez froidement :

— Nous attirons déjà assez l'attention, Mademoiselle, en nous promenant tous deux, sans chaperon. Ne nous signalons pas davantage en témoignant de nos émotions.

— Oh…, murmura la jeune fille, déçue.

Elle se détourna de lui, et regarda droit devant elle. Réprimant une forte envie de pleurer, elle se reprocha son langage trop familier, qui dénonçait un véritable manque de tact, ce à quoi un noble aussi distingué que le comte de Walton devait être très sensible. Elle se savait sujette à ces impulsions malheureuses, contre quoi elle luttait, sans toujours y parvenir, comme à présent.

— Vous pouvez placer votre main sur ma manche, si vous l'estimez nécessaire, lui dit Charles, d'un ton très détaché, ce qui montrait bien que cette perspective ne l'enchantait pas mais qu'il consentait à un effort d'amabilité.

Avec précaution, Héloïse posa sa main sur la manche du comte de Walton.

— J'ai mis au point l'histoire que nous raconterons, reprit-il. Nos fiançailles ont résisté au scandale causé par votre sœur Félicie, laquelle s'est enfuie avec un homme fort peu convenable. Je n'ai pas cru devoir rompre tous liens avec votre famille. Après tout, votre mère descend d'une ancienne et fort honorable noblesse de province, ce qui m'a incité à l'indulgence. Quoi qu'il en soit, votre sœur, sans doute infectée par les désastreuses idées révolutionnaires, est partie au bras d'un moins que rien. C'est un fait regrettable, dont ne doivent point pâtir nos relations.

Héloïse sentit refleurir en elle le bonheur un instant flétri. Elle savait, depuis longtemps, que si quelqu'un devait la sauver, ce serait le comte de Walton et personne d'autre ! Ayant compris qu'il fallait agir vite, il s'était emparé du plan plutôt vague qu'elle lui avait fourni et l'avait amélioré, complété ; il l'avait rendu convaincant. Elle le savait intelligent, même s'il ne répugnait pas à parler pour ne rien dire lorsqu'il se trouvait avec Félicie. Plus important encore, il tiendrait toujours la situation bien en mains ; ce n'était pas de lui qu'il fallait craindre la bévue ou le faux pas qui compromettrait leur stratagème. Contrairement à tant d'hommes qui n'ont du sérieux qu'en apparence, il tenait à garder un parfait contrôle en toutes circonstances, et méprisait les capricieux et les frivoles.

Oui, vraiment, le comte de Walton était l'homme qu'il fallait pour assurer le succès de leur opération !

— J'avais l'intention d'annoncer nos fiançailles au cours du bal donné par Lady Dalrymple Hamilton, hier soir.

— Je sais, répondit Héloïse.

C'était, précisément, ce qui avait incité Félicie à s'enfuir plus vite que prévu, alors qu'elle espérait se jouer de Charles pendant une semaine encore. En songeant à sa sœur, Héloïse se mordilla la lèvre inférieure. Celle-ci avait-elle réussi à rejoindre sans encombre son Jean-Claude, parti en avant-garde vers la Suisse où il espérait trouver du travail dans une imprimerie ? Cela fait, il devait revenir en France pour enlever Félicie, mais les événements en avaient décidé autrement.

— Inutile de paraître si déconfite, déclara Charles. Je ne m'attends pas à ce que vous brilliez en société autant que votre sœur. De toute façon, je serai votre mentor, votre guide dans le monde.

— Ce n'est pas cela qui m'inquiète ! répliqua Héloïse avec indignation.

Elle ne « brillait » peut-être pas autant que Félicie, mais elle savait se tenir et avait frayé avec beaucoup de gens très importants, certains appartenant à la plus haute société. Parfaitement ! Elle avait même été présentée à Wellington ! Il fallait cependant admettre — et c'était son chagrin — qu'il n'avait pas paru la voir...

Charles tourna son regard vers la jeune fille et s'attacha au bord du chapeau, tout ce qu'il pouvait voir d'elle maintenant qu'elle avait détourné la tête.

Comme elle était timide ! Comme il lui serait difficile de trouver sa place dans la société ! Eh bien, il ferait tout son possible pour lui faciliter la chose. Il lui devait bien cela. Ne lui permettait-elle pas, avec une admirable générosité, de sauver sa fierté ? Lui-même n'eût jamais pensé à cette audacieuse solution. Il serait éternellement son débiteur et n'en ferait jamais trop pour la remercier. Pour commencer, il l'aiderait à s'habiller mieux.

— Je vais vous faire procurer des couvre-chefs plus flatteurs que celui-ci, le plus laid que j'aie jamais vu. N'est-ce pas cet objet indéfinissable que je vous ai vue massacrer si sauvagement chez moi, ce matin ?

Sous le regard critique du comte de Walton, Héloïse prit une conscience aiguë de ses manques en matière d'élégance ; elle éprouva néanmoins le besoin de se justifier.

— C'est un chapeau très pratique, qui supporte tous les mauvais traitements, et voyez, il a toujours l'air...

— ... affreux. Et j'y pense brusquement : puisque nous en sommes aux emplettes, il faut aussi que je vous achète une bague.

Charles fronça les sourcils : un sentiment de culpabilité affectait soudain les traits si mobiles de la jeune fille. Il ne fallait pas s'étonner qu'elle ne cherche pas à lui mentir, la moindre de ses pensées s'inscrivait sur son visage.

— Qu'y a-t-il ?

— D'abord, lui répondit-elle sur un ton de défi, je dois vous dire que je ne veux pas que vous m'emmeniez dans les boutiques.

Il répliqua :

— Vous devez être la seule femme au monde qui refuse qu'on se mette en frais pour elle.

— Ensuite… il n'est pas nécessaire que vous m'achetiez une bague.

Levant la main pour l'empêcher de protester, elle affirma :

— J'en ai déjà une.

Charles s'agaça.

— Ce n'est certes pas moi qui ai eu l'idée de nos fiançailles, Mademoiselle, mais il est de mon devoir de vous procurer une bague pour sceller notre engagement.

— Mais vous avez déjà… Je veux dire…, reprit-elle en rougissant. La bague dont je parle, c'est celle que vous avez offerte à Félicie. C'est d'ailleurs cette bague qui l'a tout à fait décidée à fuir. En partant, elle me l'a donnée.

— La bague… l'a fait fuir ? s'étonna Charles.

Il l'avait pourtant choisie avec le plus grand soin. La grande émeraude qui brillait sur un lit de petits diamants avait la couleur exacte des yeux ensorcelants de Félicie.

— Oui, car jusqu'à ce moment, ses fiançailles avec vous n'étaient encore qu'une vague hypothèse. Elle pensait même que vous ne cherchiez qu'à vous divertir en sa compagnie. Je ne cessais de la mettre en garde, mais elle ne voulait pas croire qu'elle pourrait vous causer un quelconque chagrin. Elle me répondait que vous aviez un froid — si toutefois vous en aviez un, ce dont elle doutait — et que, pour cette raison, vous étiez l'homme idéal pour donner à nos parents l'illusion qu'elle se conformait à leurs désirs.

Charles grommela :

— Je me demande si je dois souffrir moins du comportement de votre sœur, maintenant que je sais l'idée qu'elle se faisait de mon caractère.

— Peut-être que non ; mais au moins, cela pourrait vous aider à lui pardonner. C'est en recevant la bague qu'elle a compris la réalité des sentiments que vous éprouviez pour elle. Voilà pourquoi elle a fui sans tarder.

— Bref, elle se serait jouée de moi indéfiniment, si je ne lui avais pas proposé le mariage ?

— Quand même pas, car elle souhaitait, depuis toujours, se marier avec Jean-Claude. Cela dit, elle n'avait aucune envie de vous faire du mal. C'est juste qu'elle pensait…

— Que je n'avais pas de cœur, je sais.

Dans son énervement, Charles agita les rênes, faisant croire aux chevaux qu'il voulait les mettre au trot, et ce alors que la rue décrivait une courbe assez prononcée. Pendant un court moment il dut concentrer toute son attention sur la conduite du cabriolet afin d'éviter l'accident.

— Mon Dieu ! murmura Héloïse, consternée, en crispant ses deux mains sur la manche de Charles. Voilà que, malgré moi, je vous ai mis en colère une fois encore. Hélas, il faut encore que je vous en informe : quand nous serons mariés, si vous m'interdisez de revoir ma sœur, je vous obéirai car mon devoir d'épouse me l'imposera ; cependant, sachez que j'ai bien l'intention de lui écrire. Quels que soient vos griefs envers elle, elle reste ma sœur, n'est-ce pas ?

Le moment du danger étant passé, les chevaux remis au pas, Héloïse croisa les bras et se détourna de Charles pour s'intéresser au spectacle de deux petits chiens portant un col en dentelle, qui dansaient sur le trottoir pour l'amusement des badauds.

Charles lui prit la main pour la remettre sur son bras.

— Je veux croire que vous vous plierez à toutes mes volontés, une fois que nous serons mariés. Telle est bien votre intention, vous me l'assurez ?

— Evidemment ! Vous n'aviez jamais songé à m'épouser et c'est moi qui vous ai mis cette idée dans la tête. Le moins que je puisse faire, pour vous témoigner ma reconnaissance, est de devenir la meilleure épouse possible. Quoi que vous me demandiez, je vous le donnerai, sans rechigner, avec la meilleure volonté du monde…

Héloïse tourna vers Charles un regard soudain devenu soupçonneux.

— A ce propos, pourquoi avoir changé si subitement d'avis à mon sujet ? Quand j'ai quitté votre maison, j'étais persuadée que vous étiez opposé à ma proposition.

— C'est qu'elle m'avait pris au dépourvu. Ensuite, j'ai réfléchi.

Héloïse secoua la tête.

— Non. Il est possible que je vous aie pris au dépourvu, mais vous avez très vite pensé que mon idée était absurde.

— Si absurde, en fait, que personne ne voudrait lui donner quelque crédit. Personne ne croirait que j'ai pris pour épouse une demoiselle Bergeron parce qu'une autre demoiselle Bergeron m'a fait faux bond. Pour cette raison, tout le monde devra admettre que je suis épris de vous depuis le début.

Comme la jeune fille semblait peu convaincue par son raisonnement, il décida qu'il était temps pour lui de reprendre le plein contrôle de la conversation.

— Revenons-en à la question de la bague. Puis-je vous demander — quoi qu'il m'en coûte car je sens que je ne vais pas aimer votre réponse… — pourquoi votre sœur vous a donné la sienne ? L'usage veut qu'une jeune fille, lorsque des fiançailles sont rompues, rende la bague au monsieur qui la lui a offerte.

— Je l'avais sur moi quand je suis allée vous rendre visite ce matin, lui répondit-elle. Je voulais vous la rendre si vous n'aviez pas agréé à ma proposition.

— Vraiment ? fit Charles, sceptique. Comment se fait-il, dans ce cas, que vous l'ayez toujours ?

— Parce que vous vous êtes très mal conduit avec moi, puisque vous voulez tout savoir ! Je vous ai ouvert mon cœur, je vous ai fait part de tous mes secrets, et votre seule réaction a été de rire. Vous vous êtes moqué de moi ! J'ai failli perdre mon sang-froid, savez-vous ? Alors je me suis dit que j'allais suivre les conseils de Félicie. Vous êtes si riche que vous vous moquez d'avoir une bague de plus ou de moins, alors que moi…

Elle s'en tint là, et exprima sa pensée par une petite moue pleine de malice, qui amena Charles, pour la première fois, à se demander quel effet cela lui ferait de faire taire d'un baiser une de ses longues tirades. Le baiser, entre parenthèses, devait être le seul moyen de la réduire au silence… Il sentit un petit picotement assez agréable à l'idée de la subjuguer ainsi, mais… non, imposer de la sorte sa volonté ne lui ressemblait pas. Puis il se demanda ce qu'il avait eu à faire jusque-là pour conquérir une femme : agiter le doigt, rien de plus.

— Si je comprends bien, vous comptiez revendre cette bague ?

L'air contrit, Héloïse battit des cils.

— Oui. J'avais besoin de cet argent pour aller à Dieppe.

— A Dieppe ? Pourquoi Dieppe ?

— A cause de Jeannine.

— Quelle Jeannine ? Et quel rôle joue-t-elle dans cette histoire ?

— Tante Jeannine, la sœur de maman. Elle s'est enfuie de chez son père, pour se marier.

— On dirait que la fuite est une tradition familiale.

— Oui, mais ma mère et tante Jeannine sont les deux seules à avoir survécu à la Terreur ; leurs parents, toujours extrêmement cruels envers le menu peuple, sont montés à l'échafaud. Tante Jeannine a épousé un fermier. Je savais qu'elle m'accueillerait volontiers. Avec elle, j'aurais appris à traire les vaches, à faire du beurre et du fromage, ce qui m'aurait permis de vivre ensuite.

— Je croyais qu'il s'agissait de poules.

— Quelles poules ?

— Vous m'avez dit que lorsque nous serions mariés, vous vous retireriez dans une ferme pour élever des poules. Je m'aperçois que vous préféreriez traire des vaches et fabriquer du fromage. Si vous pouviez ne pas changer d'avis sans cesse, ce serait bien.

Héloïse eut l'intuition que le comte de Walton essayait de plaisanter, ce qui ne l'empêcha pas de réfléchir avant de répondre le plus sérieusement du monde :

— Finalement, je n'ai pas envie de traire les vaches.

— Tant mieux, car je n'admettrai jamais que ma femme se livre à des activités aussi plébéiennes. Vous devez oublier ces fantaisies. Quand nous serons en Angleterre, vous vivrez dans les plus hautes sphères de la société et devrez vous conformer aux usages. Ni de près ni de loin vous n'aurez l'occasion de voir du bétail, quel qu'il soit. Est-ce clair ?

Héloïse opina. Le comte de Walton serait intraitable, elle le sentait, ce n'était pas la peine de discuter... Pourtant, prenant son courage à deux mains, elle demanda :

— Même pas un cheval ? D'ailleurs, je vous ferai remarquer que j'en vois déjà deux, et même d'assez près.

— Pour les chevaux, pas d'objection. Il ne s'agit pas, à proprement parler, de bétail. Vous pourrez donc faire des balades à cheval, avec moi ou en compagnie de partenaires convenables.

— Certains chevaux font partie du bétail.

— Pas les miens ! grommela le vicomte.

Il voulait paraître désagréable, mais ce n'était qu'un jeu, songea la jeune fille. En tout cas, cette promenade semblait lui faire le plus grand bien : il était beaucoup moins tendu qu'au moment où il était sorti de la maison. Bien sûr, il ne fallait pas espérer qu'il oublierait Félicie si facilement, mais si elle parvenait à le distraire, si elle allumait assez souvent dans ses yeux cette petite lueur qu'elle avait vue plusieurs fois déjà, elle en serait heureuse.

— Et pour les chiens ? s'enquit-elle. Que devrai-je faire si, au moment d'entrer dans un salon, je m'aperçois que la maîtresse de maison en possède ? Faudra-t-il que je m'interdise cette visite ? Ou que je reste sur le seuil ? Disons que je devrai maintenir une distance respectable, cinq pieds, peut-être six ?

— Il va sans dire que les animaux familiers ne sont pas concernés. Vous en verrez souvent, et je n'ai aucune objection à élever. Vous savez d'ailleurs très bien que ma censure ne s'appliquait pas à eux ! Arrêtez donc de chercher la petite bête ! acheva-t-il, feignant une exaspération qu'il était loin de ressentir.

En réalité, il était sur le point d'éclater de rire.

— Je ne m'étonne plus que votre frère ait affirmé que votre mari se sentirait obligé de vous battre, ajouta-t-il. Avec vous, un ange se mettrait vite dans une colère noire.

— J'essayais tout simplement de définir avec exactitude ce que vous attendez de moi, rétorqua Héloïse, avec un sourire malicieux. J'ai promis de vous obéir en tout, mais encore faut-il que je sache ce que vous voulez !

Charles donna enfin libre cours à son hilarité.

— Mademoiselle, je tiens à vous le dire, ce n'est pas du tout ce que vous essayiez de faire !

Pourquoi n'avait-il jamais décelé chez elle ce subtil sens de l'humour ? Pourquoi n'avait-il jamais soupçonné qu'elle pût être une très agréable compagne quand elle voulait bien s'en donner la peine ? La vérité, reconnut-il avec un léger sentiment de culpabilité, était que naguère il n'avait d'yeux que pour Félicie ; sa beauté radieuse et sa vivacité l'avaient ensorcelé. Elle s'était jouée de lui et il s'était fait avoir… Comme un puceau qui ne connaît rien aux femmes.

L'irritation le reprenant, il agita les rênes, et c'est à vive allure que le cabriolet amorça un demi-tour.

3

Les yeux du comte de Walton, qui, l'instant d'avant, brillaient d'amusement, étaient redevenus ternes et tristes. On eût dit qu'il se retirait dans une pièce obscure, sinistre, et claquait la porte pour ne plus voir Héloïse.

Laquelle se trouvait tout de même très contente d'être de retour chez elle, où sa mère l'accueillit avec enthousiasme.

— Jamais je n'aurais rêvé d'un mariage aussi avantageux pour mon vilain petit canard ! Mais il faut réellement faire quelque chose pour vos vêtements. M. le comte ne veut sans doute pas donner à penser qu'il épouse une jeune fille qui se met des sacs sur le dos… et sur la tête.

Héloïse regarda le chapeau qu'elle venait d'ôter, son seul chapeau, tandis que sa mère la prenait par la main pour la conduire, à l'étage, dans la chambre qu'elle avait partagée avec Félicie ; et là, ouvrant toutes grandes les portes de l'armoire, elle lui dit :

— Nous n'avons pas le temps d'arranger une robe de votre sœur pour vous ce soir. Ah ! si seulement j'avais pu prévoir que ce serait vous qui épouseriez dans la noblesse ! Nous aurions investi plus largement dans votre garde-robe.

Presque toutes les toilettes suspendues dans cette

armoire appartenaient à Félicie. Du jour que les alliés étaient entrés dans Paris, l'été précédent, tout ce que les parents avaient pu économiser d'argent avait été dépensé pour habiller leur fille cadette, qu'ils considéraient comme leur arme secrète. Celle-ci avait donc beaucoup fréquenté les officiers des armées d'occupation, menant avec eux une véritable vie de coquette tout en réussissant l'exploit de conserver sa vertu intacte. Ainsi avait-elle entraîné toute la famille Bergeron avec elle, pour l'installer au cœur de la nouvelle haute société, qui avait rapidement remplacé celle de Napoléon.

— Personne n'aurait pu prévoir un tel événement, répondit Héloïse d'un ton découragé, en s'appuyant d'une hanche contre le bois du lit.

Elle se mordillait la lèvre inférieure. Qu'allait faire sa sœur maintenant ? Elle était partie en emportant un modeste baluchon de ses affaires ; son jeune mari n'aurait pas les moyens de lui procurer des robes aussi distinguées que celles auxquelles elle était habituée ; avec lui, les hautes sphères de la société lui seraient fermées.

Héloïse soupira.

— Et la mousseline lilas ? suggéra-t-elle.

C'était, de loin, sa robe préférée. Il lui semblait qu'elle la rendait plus jolie. Certes, elle était parsemée de violettes brodées : mais, si elle apparaissait au bras d'un Anglais, on ne risquerait pas de la prendre pour une fanatique de Napoléon, dont c'était l'emblème, Bonaparte ayant promis, avant son abdication, de revenir à l'époque où fleurissaient ces fleurs — ses partisans l'avaient de ce fait surnommé « le Caporal Violette ».

— Où Sa Grâce vous emmène-t-elle ce soir ? demanda sa mère d'une petite voix pointue.

— D'abord au théâtre, puis chez Tortoni pour déguster des glaces.

La mère fit un petit bruit de langue.

— De la mousseline au théâtre ? Je ne pense pas ! Quand Félicie allait au théâtre avec lui, elle portait la robe en satin doré.

— Je ne peux espérer soutenir la comparaison avec Félicie, répliqua Héloïse. Je ne crois pas non plus qu'il serait sage de vouloir entrer en compétition avec elle. Ne croyez-vous pas qu'il me mépriserait s'il me supposait ce dessein ?

— J'ignorais que vous aviez une telle connaissance de ce que contient le cœur des hommes, ironisa Mme Bergeron.

Elle raccrocha les robes non retenues, posa les deux mains sur le bois du grand lit que les deux sœurs avaient partagé, et ajouta sur un ton de supplique :

— Je vous en prie, ne faites rien qui puisse le faire changer d'avis à propos du mariage.

— Il me prend uniquement pour sauver la face, répondit Héloïse. Je sais qu'il aime toujours Félicie. Rien de ce que je puis faire ne l'affectera.

C'est avec une réelle inquiétude que la mère observa alors l'air abattu de sa fille.

— Petite sotte, lui dit-elle avec une sorte de tendresse, songez que vous allez devenir sa femme !

Elle contourna le lit pour lui prendre la main.

— Ecoutez-moi. Ecoutez-moi bien ! Vous partirez d'ici, pour vivre dans un pays lointain, chez des étrangers. Vous dépendrez entièrement de votre mari. C'est pourquoi il faudra que vous soyez très gentille avec lui. Bien sûr, il ne sera jamais amoureux de vous, vous devez en être consciente. Après tout, vous êtes la sœur de la femme qui l'a trahi. Même si vous étiez à moitié aussi belle et aussi intelligente qu'elle, il ne faudrait pas espérer. Mais au moins vous pouvez tâcher de ne pas l'importuner. Soyez digne du titre qu'il vous confère. Il voudra que vous vous habilliez convenablement, que vous vous comportiez comme la grande dame que vous serez grâce à lui ; bref, il attend de vous que vous ne lui causiez jamais aucun embarras. Faites-lui honneur en ne montrant jamais aucune émotion en public.

Le comte ayant déjà dit à Héloïse qu'il était vulgaire de montrer ses émotions en public, les mots de sa mère prirent une importance particulière pour elle.

— Par-dessus tout, ne réclamez jamais son attention. Vous accepterez qu'il ait des maîtresses quand il sera lassé de vous. Vous devrez même faire semblant de ne pas savoir, de ne vous apercevoir de rien.

Une grosse boule se forma dans la gorge d'Héloïse. Bien sûr, le comte lui serait infidèle... S'il acceptait de la prendre pour épouse, ce n'était pas parce qu'il la trouvait séduisante. Comment pourrait-elle s'abuser ? Même sa mère, qui l'aimait autant qu'elle pouvait, la désignait souvent comme son « vilain petit canard ».

— Des maîtresses ? murmura-t-elle en prenant conscience de la vie d'humiliations qui s'ouvrait devant elle.

— Bien sûr, des maîtresses, répondit sa mère d'un ton tranquille, en lui tapotant la main. Vous n'êtes pas aveugle, tout de même. Vous savez que les hommes font cela. Tous les hommes... dès qu'ils peuvent se le permettre.

Elle serra ses lèvres, qui blanchirent.

Tous les hommes... En la voyant ainsi, Héloïse comprit ce que signifiaient ses derniers mots. Même son père, qui se comportait toujours comme s'il était très épris, avait dû commettre des écarts de conduite.

— S'il a de la considération pour vous, expliqua encore la mère, il mènera ses affaires avec discrétion. Mais je vous préviens : si vous émettez la moindre protestation, ou même si vous montrez seulement que vous êtes affectée, il sera très agacé, il vous en voudra. Donc, si vous désirez qu'il vous traite toujours le mieux possible, ne lui imposez aucune restriction dans ses petits divertissements.

— Je lui ai déjà fait savoir que je ne l'empêcherais pas de prendre son plaisir où il voudrait, repartit Héloïse d'un ton morne.

Quand elle lui avait dit cela, elle le pensait. Or, maintenant, l'idée qu'il pourrait tenir dans ses bras une autre femme qu'elle, alors qu'il lui permettait seulement de poser la main sur sa manche, lui était intolérable. Enervée, elle se leva et se rapprocha de l'armoire.

— Que diriez-vous de la robe de soie grise ? demanda-t-elle à sa mère, sans la regarder. En voilà une que je n'ai pas portée depuis un certain temps. Je crois même que Sa Grâce ne m'a jamais vue avec.

Héloïse n'aimait pas cette toilette, qui lui rappelait de mauvais souvenirs. La première fois que Mauriac avait sollicité la permission de rendre visite à la fille aînée de la famille, son père avait été si content de voir qu'elle suscitait l'intérêt d'un héros qu'il l'avait envoyée illico chez une couturière avec la mission de se faire faire une jolie robe pour accueillir dignement le prétendant. Elle s'était sentie crucifiée, partagée entre deux désirs contradictoires. Qu'il eût été agréable d'aller voir des robes et de choisir celle qui lui plairait le plus, sans s'occuper du prix. Hélas, il s'agissait de plaire à Mauriac ! Voilà qui lui ôtait toute joie et toute envie. Pour finir, si elle avait été incapable de résister à l'attrait de la soie, elle avait choisi une confection d'un gris assez terne et d'un style très simple, espérant ainsi déplaire à Mauriac en lui signifiant clairement qu'elle ne s'habillait pas pour le séduire.

— Ce n'est pas ce genre de robe qu'aurait portée Félicie, fit remarquer la mère, en secouant la tête. Mais elle sera très bien pour vous. Je vais la faire rafraîchir et elle sera parfaite.

La robe dans les bras, elle passa devant Héloïse, la lassant seule avec ses pensées déprimantes.

Charles songea, avec ravissement, qu'il ne l'avait jamais vue si bien vêtue. La robe de soie grise, d'une coupe exquise, lui évoquait un clair de lune sur une eau calme. Si seulement ses yeux n'avaient pas été aussi hagards !

Il fronça les sourcils, et ne fit pas le compliment qu'il avait aux lèvres.

Pour la première fois il lui apparut qu'elle n'avait pas plus envie de se marier avec lui qu'il n'avait envie de se marier avec elle. Elle lui semblait si fragile, si vulnérable, hésitant sur le seuil, ses grands yeux assombris par l'anxiété…

Elle avait besoin d'être rassurée, pas flattée.

Lui prenant la main, il la conduisit vers le sofa.

— Pourrais-je passer quelques instants seul avec votre fille avant que nous ne sortions ? dit-il aux parents.

Ils quittèrent le salon avec une telle hâte qu'il se demanda s'il devait se réjouir de les voir si bien disposés envers lui, ou les blâmer de ne se soucier nullement de voir leur fille si mal à l'aise.

Héloïse se laissa tomber sur le sofa à côté de Charles ; une main restant sur la sienne, elle regarda son beau visage. Bien sûr qu'il aurait des maîtresses. C'était un homme tellement viril. Elle devrait s'accommoder de l'horrible sentiment d'abandon que lui causerait son infidélité…

apprendre à ne pas désespérer quand elle le verrait se renfrogner à sa vue… et chasser le souvenir de la beauté de son regard, quand naguère il se posait sur Félicie.

— Héloïse ! fit-il avec brusquerie.

Elle sursauta, supposa qu'il devait lui parler depuis un certain temps déjà et qu'il s'agaçait de sa distraction. Aussi rougit-elle et lui prêta-t-elle toute son attention.

— Je disais : avez-vous la bague ?

Il devait la croire aussi sotte qu'elle était peu séduisante. Les épaules affaissées, elle montra sa main gauche.

— Enfer et damnation ! s'écria-t-il. Elle est trop grosse !

— Vous l'aviez achetée pour Félicie, fit-elle remarquer.

— Inutile de me le rappeler ! Je vous en aurais acheté une autre si vous m'aviez dit que celle-ci ne vous convenait pas. Bon Dieu ! Pourquoi me l'avoir caché quand j'ai abordé le sujet, cet après-midi ?

— Parce que je ne savais pas encore qu'elle ne m'irait pas. Bien sûr, j'aurais dû le deviner.

Si Félicie avait les doigts longs et assez forts, Héloïse les avait si fins qu'elle ne pouvait guère tenir d'autres outils qu'une aiguille ou un crayon.

— Dois-je comprendre que vous aviez en votre possession une émeraude de grande valeur et que vous n'avez jamais connu la tentation de l'essayer ? pas même une fois ?

— Oh ? Elle est d'une si grande valeur ?

La jeune fille examina la bague qui pendait à son doigt. Pour ne pas la perdre, elle devrait garder le poing fermé tout au long de la soirée.

— Je n'étais pas du tout convaincue qu'elle me permettrait de financer mon voyage jusqu'à Dieppe. Même si je trouvais un joaillier qui n'essaierait pas de me flouer, je craignais de me retrouver sans ressources quelque part au milieu du trajet.

L'allusion de la jeune fille à son projet de fuite pour échapper à Mauriac transforma l'irritation de Charles en appréhension. Dans son propre intérêt, il ferait bien de se rappeler qu'elle l'épousait non pour lui-même, mais parce qu'elle le considérait comme un moyen d'échapper à une union avec un homme qui lui répugnait.

— Eh bien, dit-il en s'efforçant de prendre un ton badin, vous n'avez plus besoin de prendre la fuite pour Dieppe, maintenant. Inutile, donc, de vous demander si la bague vous en aurait fourni les moyens.

Il espéra que la détresse qu'il lisait sur son visage n'était pas l'indication qu'elle envisageait, toujours, de partir loin de Paris, cette fois pour lui échapper.

Il lui semblait qu'elle était effrayée et que c'était de lui qu'elle avait peur. Comment s'en étonner ? Elle lui avait accordé une confiance assez grande pour mettre son avenir entre ses mains et tout ce qu'il trouvait à faire, c'était de lui parler d'un sujet aussi peu important, aussi trivial qu'une bague.

— Allons, dit-il en prenant un ton conciliant. Nous avons conclu un accord honnête, ce matin. Il est de notre intérêt, à tous deux, de nous y tenir.

Il prit les mains de la jeune fille et les pressa d'une manière qu'il voulait rassurante, avant d'ajouter :

— Nous sommes liés, désormais.

Oui. Elle soupira. A Félicie aussi il était lié. Il ne cesserait jamais de la lui comparer, et toujours en sa défaveur… Il suffisait de voir comment il cherchait à la faire sourire, comme si elle était une enfant irascible.

— C'est plus facile pour vous, commença-t-elle.

Il avait l'habitude de dissimuler ses sentiments derrière

le masque glacial qu'il arborait toujours en public. Elle n'avait jamais réussi à donner le change.

— Pourquoi supposez-vous cela ?

— Parce que je ne saurai pas quoi dire aux gens.

Avait-il déjà oublié qu'elle lui avait avoué ne pas être capable de raconter le moindre mensonge ?

— Allons donc ! fit-il en s'esclaffant. Quand vous êtes entrée dans mon salon, ce matin, vous parliez à perdre haleine ! J'avais du mal à placer un mot de temps en temps.

— Ce n'était pas la même chose ! Oh, et puis, d'abord, je me moque de ce que vous pensez !

Charles essaya d'ignorer la vive souffrance que lui causait cette exclamation. Pourquoi devrait-il se sentir blessé qu'elle se moque de ce qu'il pensait d'elle ? Ce n'était pas comme si elle avait de l'importance pour lui. Elle lui permettait seulement de sauver la face !

— Très bien, fit-il en hochant la tête. Vous n'avez pas besoin de parler. Je ferai la conversation pour nous deux. Je ne vous demanderai qu'une chose en échange : que vous ayez l'air d'être très heureuse.

— Je suis certaine d'en être très capable, répondit-elle en souriant. Mais je le ferai à ma manière.

Elle aimait beaucoup observer le comportement des gens en société. La façon dont ils se tenaient, dont ils parlaient la récréait toujours, et lui donnait des idées qu'elle traduisait dans ses dessins dès son retour chez elle.

Un vague souvenir revint à Charles : la jeune fille assise à une table encombrée de verres vides, le visage concentré, observant la foule turbulente qui s'amusait dans la guinguette où il avait entraîné Félicie, sur les supplications de celle-ci. Il commençait à se sentir un peu plus calme. Il ne pouvait choisir de meilleur endroit que le théâtre pour leur première sortie. Elle serait heureuse de s'asseoir, en silence, pour admirer le spectacle.

Las, voilà qu'elle marmonnait d'un ton funèbre :

— C'était une idée stupide. Personne, en nous voyant, ne croira une seconde que vous avez le désir de m'épouser.

— Personne ne le croira si vous arborez ce visage, en effet ! répliqua Charles.

Il était déjà assez déplaisant que Félicie l'eût trompé. Maintenant, Héloïse donnait l'impression, par son attitude, qu'elle avait envie de renoncer. Qu'avaient donc les sœurs Bergeron ? Pourquoi n'étaient-elles jamais contentes ? Il connaissait au moins une demi-douzaine de femmes qui tueraient père et mère pour se fiancer à lui. Depuis son entrée dans le monde, il ne cessait de repousser des ambitieuses cherchant par tous les moyens à devenir comtesse de Walton.

— C'est vous qui avez concocté ce plan, lui dit-il, pas moi. Vous m'avez obligé à y participer, j'attends de vous que vous y jouiez votre rôle.

— Je vous ai obligé, moi ?

Le désespoir s'empara d'Héloïse. Elle ne l'avait obligé à rien ! Elle lui avait juste exposé son plan, rationnellement, calmement... peut-être pas si calmement que cela, car elle était plutôt nerveuse. Mais il n'avait pas le droit, pas le droit ! d'insinuer qu'elle avait fait pression sur lui.

— Si c'est ce que vous pensez..., dit-elle en faisant glisser la bague le long de son doigt.

— Non, mademoiselle, fit-il en lui prenant les deux mains, pour les maintenir avec fermeté et remettre la bague en place.

Elle prit une longue inspiration et son front se plissa. Elle chercha un nouvel argument, n'en trouva pas.

Le silence s'étira.

Charles saisit l'occasion.

Héloïse tressaillit quand les lèvres de Charles se posèrent sur les siennes.

Charles en fut agacé. Qu'avait-elle à lui proposer le mariage, si elle n'était pas même capable de supporter un baiser ? Il lui lâcha les mains, la prit par la nuque pour la contraindre à l'immobilité tandis qu'il exerçait ses droits inaliénables : en tant que fiancé, il lui donnerait autant de baisers qu'il voudrait.

Affolée, Héloïse ne savait que faire. Jamais aucun homme ne lui avait donné le moindre baiser auparavant. Mauriac avait essayé, une fois ou deux, mais elle s'y attendait et avait toujours réussi à se soustraire à ses entreprises.

Ici, il en allait autrement. Passé le premier moment de surprise, elle n'avait plus envie de se soustraire. Ce dont elle avait vraiment envie, c'était de mettre ses bras autour du cou de Charles et de lui rendre son baiser. Mais comment faire ? Elle n'en avait pas la moindre idée. Grande était son ignorance en ces matières !

Eh bien ! elle ne savait peut-être pas grand-chose sur l'art du baiser, mais rien ne l'empêchait de mettre ses bras autour du cou de Charles. Exhalant un petit soupir de plaisir, elle éleva ses mains tremblantes et s'agrippa à lui.

— Mon Dieu ! fit-il aussitôt en se libérant. Je ne voulais pas cela.

Il se leva et s'éloigna à pas rapides jusqu'à l'autre bout du salon. Il avait entendu le petit cri de protestation, senti les mains d'Héloïse qui cherchaient à le repousser : voilà qui lui avait rendu ses esprits, quoique avec un peu de retard.

— Je vous prie de m'excuser, fit-il, les dents serrées.

Il s'était fait à l'idée qu'un jour Héloïse lui donnerait des héritiers. Mais s'il fallait en juger par la façon dont elle avait reçu son baiser, cette idée ne lui était pas encore venue.

L'irruption du désir, dont il ressentait encore les effets, était une incroyable surprise pour lui. Quand le temps serait venu, il aurait beaucoup de joie à apprendre à son épouse tout ce qu'il fallait savoir dans l'art d'aimer.

En attendant ce jour, il lui faudrait apprendre à se maîtriser. Ce n'est qu'après l'avoir habituée à sa présence, et longuement, qu'il pourrait aborder le sujet de sa descendance. Il savait à quel point elle était timide ; pour se donner à lui, elle devrait avoir confiance en lui ; or comment le ferait-elle si elle craignait de le voir sauter sur elle à tout moment ?

— Vous n'avez pas à craindre que je vous importune de nouveau, lui dit-il d'une voix grinçante.

Il lui tournait le dos et tâchait de discipliner son corps décidément ému.

Héloïse pressa ses doigts sur ses lèvres encore sensibles. Son cœur rétrécissait aussi vite qu'il avait gonflé quand Charles lui avait donné ce baiser enflammé. Pourquoi avait-il fait cela, s'il affirmait maintenant qu'il ne le ferait plus jamais ? S'était-il seulement livré à une sorte d'expérience ? Pour voir s'il pourrait la toucher comme n'importe quel mari doit avoir envie de toucher sa femme ? Si c'était le cas, il le regrettait manifestement.

Il fallut à Charles un bon moment avant qu'il pût se résoudre à faire de nouveau face à Héloïse. Au moins pouvait-elle mettre à profit cette hésitation pour tamponner les larmes qu'elle n'avait pu empêcher de dévaler le long de ses joues. Jamais elle ne se laisserait aller au point de montrer combien elle était humiliée par la répulsion qu'elle inspirait à son futur mari. S'il ne voulait plus lui donner de baisers, elle ne les mendierait pas. Jamais !

Elle se leva. La détermination suppléait aux forces qui lui manquaient. Jamais elle ne laisserait soupçonner, par le moindre regard abattu, par le moindre soupir, qu'elle…

Elle vacilla, porta sa main à sa poitrine.

Non, c'était trop effrayant. Elle ne pouvait être amoureuse de cet homme. Elle ne *devait* surtout pas l'aimer. Elle était certaine de ne pas lui avoir menti, ce matin même, quand elle avait clamé ne pas l'aimer, et ses sentiments ne pouvaient pas avoir changé du tout au tout en si peu de temps — une seule journée ! C'était impensable.

Et pourtant… Il était entré dans le salon de ses parents et avait illuminé son avenir, en quelques mots, par la grâce d'une simple demande en mariage. Voilà peut-être pourquoi ses sentiments avaient changé ; les gentilles plaisanteries qu'ils avaient échangées durant une trop brève et insouciante promenade en cabriolet, tout cela ne comptait pour rien.

Et pourtant… elle ne pouvait nier que, depuis que sa mère avait abordé le sujet de l'inévitable infidélité de Charles, elle se sentait dévorée par la jalousie.

Non, ce n'était pas de l'amour, cela ; c'était l'orgueil blessé qui lui faisait piquer les yeux — et rien d'autre.

L'air absent d'Héloïse, associé au désir qui se lisait encore dans les yeux de Charles, causèrent un grand émoi quand ils entrèrent dans le théâtre, au bras l'un de l'autre.

Dès qu'ils eurent pris place, Charles déchira un coin de papier dans une page du programme, le plia et le glissa sous le chaton de la bague.

— Voilà qui devrait suffire, provisoirement, pour la faire tenir en place.

— Merci, murmura-t-elle sans vouloir le regarder.

Elle trouvait stupide de lui en vouloir parce qu'il faisait preuve d'esprit pratique. Elle soupira.

— Mademoiselle, répondit-il, je m'apprête à poser mon bras sur le dossier de votre fauteuil, et je vous prie de ne pas tressaillir.

Elle ne tressaillit pas mais un frisson parcourut tout son corps, de sa nuque au bout de ses orteils, quand Charles avança son bras vers elle. A le savoir si près d'elle, à respirer son parfum musqué si viril, elle se sentait très faible, très énervée, terriblement femme.

Charles lui disait :

— Je promets de ne jamais rien faire qui vous déplairait. Simplement, il faudra parfois que je fasse semblant de… comment dire ? Il faudra que nous ayons l'air très amoureux quand nous paraîtrons en public. Mais je n'irai pas au-delà de ce qui sera convenable, je vous en donne ma parole.

Convenable, songea Héloïse avec amertume. Bien sûr ! Il venait de lui donner un baiser et avait jugé l'expérience si déplaisante qu'il se jurait de ne plus jamais recommencer. Cette façon de « paraître très amoureux », comme il venait de le dire, n'était pas plus sincère que le spectacle qui se jouait au même moment sur la scène. Après tout, pourquoi s'en étonner, pourquoi en concevoir du chagrin ? Elle n'était pour lui que le moyen de restaurer son orgueil, blessé par Félicie.

— Vous… faites comme il vous plaira, soupira-t-elle. Je comprends l'importance de cette démonstration pour vous.

Elle se tourna vers lui. Leurs visages se touchaient presque quand elle ajouta :

— C'est pour cette seule raison que vous avez accepté de m'épouser, n'est-ce pas ? Nul ne doit soupçonner qu'on vous a délaissé. Je pense que la pire épreuve, pour vous, serait de voir quelqu'un se moquer de vous.

Elle leva la main, effleura la joue de Charles et dit encore :

— J'ai confiance en vous. J'accepte d'être pour vous un motif de consolation. Jamais je ne regretterai de vous avoir fait cette proposition de mariage, et quoi que vous décidiez de faire, ce soir et par la suite, je l'accepterai.

Charles avait beaucoup de mal à cacher sa souffrance. Elle accepterait, vraiment ! Alors pourquoi se montrait-elle si nerveuse ? Elle devait faire appel à tout son courage pour ne pas trahir le malaise qu'elle éprouvait à se sentir si près de lui. Elle avait tremblé quand il avait passé le bras au-dessus de ses épaules. Elle avait frémi quand il s'était approché d'elle pour murmurer à son oreille.

Le trouvait-elle aussi répugnant que Mauriac ? Telle était la question que Charles se posait, et qui le mortifiait.

Puis il décida de ne plus examiner cette hypothèse, qu'il déclara fausse. Après tout, Héloïse n'était-elle pas venue d'elle-même à lui ? Il n'avait exercé aucune pression sur elle. Elle était timide, et cela seul expliquait son attitude réservée, ses yeux baissés, son regard qui refusait de s'attacher à lui. Peu d'hommes avaient dû lui faire la cour, et moins encore devaient avoir tenté de l'embrasser. Elle était aussi innocente que sa sœur était délurée.

Il murmura :

— Nous devrions profiter de ce moment d'intimité pour mettre au point les modalités de notre mariage, ne croyez-vous pas ?

Plus vite il aurait ainsi assuré l'avenir, plus vite il serait rassuré quant à une éventuelle défection de sa fiancée. Du moins, c'est ce qu'il espérait.

Avant la fin du premier acte, qu'ils avaient passé presque

tout entier à parlementer, à voix basse, penchés l'un vers l'autre, ils s'étaient mis d'accord sur un simple mariage civil. Conningsby, sur la discrétion de qui ils pouvaient compter, serait le témoin de Charles, les parents d'Héloïse remplissant ce même rôle auprès d'elle. Cette cérémonie fort simple ne demanderait pour ainsi dire aucune préparation particulière.

En même temps, ils avaient réussi à donner l'impression qui importait tant à Charles. Les spectateurs, fort curieux, ne cessaient de reporter leur regard sur ces jeunes gens sans chaperon, qui semblaient tellement épris l'un de l'autre qu'ils ne prêtaient aucune attention au spectacle.

Non sans mal, ils obtinrent une table chez Tortoni. Héloïse commanda une glace au citron, qu'elle dégusta sans plaisir apparent. Elle semblait toujours mal à l'aise en la compagnie de Charles. En vérité, se disait-il avec chagrin, les menus faits à partir desquels elle pouvait le juger avaient dû lui donner une bien piètre idée de son caractère.

Il frissonna au souvenir de leur excursion au-delà des fortifications de Paris, vers cette guinguette où le bon peuple aimait à se rendre pour boire, manger et danser. Félicie avait trouvé cette sortie amusante, et sans doute l'était-elle, pour elle. Pour Héloïse, en revanche — et Charles en prenait conscience à ce moment — il n'en avait pas été de même. Elle avait obstinément refusé de participer à la fête ; jamais elle n'eût demandé à se faire conduire dans ce lieu de réjouissances populaires. Sans doute faudrait-il lui jurer que plus jamais il ne lui imposerait ce genre de sortie, véritable épreuve pour elle. Il allait s'y employer sans tarder.

— Depuis que je suis à Paris, dit-il, je me suis adonné à des activités auxquelles je n'aurais pas songé un seul instant à Londres ; des activités qui ne sont pas de très bon goût…

Héloïse se méprit sur ce début et crut que son fiancé considérait leur prochaine union comme une faute de goût. Certes, elle savait déjà qu'elle n'était pas le genre de femme qu'un comte cherche normalement à épouser ; que Félicie eût mieux convenu à la bonne société anglaise, ayant beaucoup de charme et l'esprit vif ; et que nul ne comprendrait pourquoi Charles Fawley s'était entiché d'une petite bourgeoise terne et sans envergure, indigne de s'élever au rang de comtesse — mais enfin…

— Permettez-moi d'être la première à vous féliciter, dit une voix derrière elle.

Reposant trop vivement sa cuiller qui cliqueta sur la table en marbre, Héloïse leva la tête et découvrit Mme Austell, dont les gros yeux globuleux semblaient fascinés par la bague à l'émeraude.

— Pourtant, ajouta celle-ci d'un ton prudent, j'avais cru comprendre…

Elle n'en dit pas davantage et sourit comme une chatte prête à bondir sur une souris.

Héloïse ferma à demi les yeux et s'apprêta aux pires sous-entendus.

— J'avais cru comprendre, reprit Mme Austell, que l'annonce de vos fiançailles devait être faite hier soir, au cours du bal donné par Lady Dalrymple Hamilton.

— Des circonstances imprévues nous ont empêchés d'assister à ce bal, répondit Charles.

— Certainement, j'en ai entendu parler : un événement fâcheux survenu dans votre famille, Mademoiselle ?

Posant la main sur celle d'Héloïse et la pressant légèrement pour la dissuader de répondre, Charles dit encore :

— Mlle Bergeron ne désire pas en parler. Vous pouvez le comprendre, n'est-ce pas ?

— Mais je suis la discrétion même ! se récria Mme Austell. N'y a-t-il rien que nous puissions faire pour votre pauvre petite sœur ? Il est déjà trop tard pour la préserver du déshonneur, je suppose.

Charles, toujours, tâcha de lui river son clou.

— Il est inutile de vous inquiéter, car l'affaire n'est pas de la nature que vous semblez croire. Le jeune homme en cause a la ferme intention d'épouser la sœur de ma fiancée. Ils sont épris l'un de l'autre depuis longtemps, à ce que j'ai cru comprendre. Mais, les parents de la jeune fille s'opposant à cette union, les amants impatients — presque des enfants encore ! — ont éprouvé le besoin de s'enfuir ensemble.

Héloïse s'émerveilla du ton détaché de Charles. Il donnait à penser que cette histoire ne le concernait pas, alors qu'au plus profond de lui-même — elle en avait la certitude — il souffrait encore vivement. Cela ne l'étonnait pas, connaissant son flegme tout britannique ; elle avait d'ailleurs compté sur cette qualité lorsqu'elle avait mis au point sa proposition de mariage. Charles jouait vraiment à la perfection le rôle qu'elle avait écrit pour lui.

— Evidemment, reprit-il avec un petit air soucieux, il est embarrassant pour moi d'entrer dans une famille souillée par un tel scandale ; mais j'y ai réfléchi et je me suis dit qu'à la longue, cette regrettable affaire serait oubliée et que, quoi qu'il arrive, je n'aurais pas à en souffrir.

Avec un sourire qui eût convaincu la plus soupçonneuse des commères, il prit la main d'Héloïse pour la baiser.

Mme Austell répondit :

— Je n'ai jamais cru, contrairement à beaucoup, que vous aviez l'intention d'épouser la plus jeune des demoiselles Bergeron. Pensez donc, un homme de votre importance ! Il m'a toujours paru évident que vous préfériez l'aînée, tellement plus sage et mieux élevée que sa jeune sœur, dont il faut bien reconnaître qu'elle a toujours été un peu légère… sans vouloir vous offenser, Mademoiselle…

Elle se pencha sur Héloïse pour ajouter, sur le ton de la confidence, mais avec un regard luisant de malice :

— Il faut cependant que je vous mette en garde. Quand vous serez à Londres, faites taire votre rancune à l'encontre de Wellington. Mes compatriotes l'idolâtrent ! Si quelqu'un jetait, par inadvertance, un coup d'œil sur le scabreux portrait que vous en avez fait…

Elle éclata de rire.

— Il faut dire que ce dessin est des plus divertissants, tout comme celui de Mme de Staël que vous m'avez montré un jour, la représentant en pigeon boudeur.

— Dois-je comprendre, demanda Charles, que vous avez eu le privilège de feuilleter l'album de ma fiancée ?

— C'est Félicie qui l'a montré, un après-midi, expliqua Héloïse pour sa défense. Nous avions offert le thé à plusieurs dames britanniques en visite chez nous.

— Oh, oui ! reprit la dame avec enthousiasme. Ce fut un tel plaisir de découvrir tous ces personnages célèbres ou moins célèbres transformés en animaux de ménagerie. Le mien était plutôt flatteur, j'ai donc pu m'en délecter sans arrière-pensée, mais certaines personnes que Mlle Bergeron n'aime visiblement pas beaucoup ont été moins gâtées…

Répondant à un regard inquisiteur de Charles, Héloïse souffla, le visage tout rouge :

— J'ai fait de Mme Austell un oiseau dans une volière.

Le visage parfaitement sérieux, il demanda :

— Avec un merveilleux plumage, je suppose ? Mme Austell est toujours si élégamment vêtue…

— C'est cela…

Charles devait savoir en outre — son air le donnait à penser —, même sans avoir vu les dessins, que tous les oiseaux croqués sur cette page chantaient à tue-tête. Mme Austell était réputée pour faire beaucoup de bruit à propos de rien.

— Puis-je savoir comment vous avez dessiné Wellington ? s'enquit Charles.

Mme Austell s'empressa de répondre gaiement :

— Mademoiselle a fait de notre grand Wellington une girafe, s'il vous plaît ! Une girafe au très long cou, qui enjambe les Champs-Elysées et surveille avec dédain un troupeau de petits ânes qui se promènent là.

Héloïse crut devoir se justifier de cette licence.

— C'est parce que je vois Wellington beaucoup plus grand que tous ses contemporains.

— Bien sûr, fit Mme Austell sans conviction. Ceci expliquerait cela… Avez-vous vu votre portrait parmi les petites merveilles que dessine votre fiancée, Milord ?

— Certainement, dit-il, conscient de la nervosité soudaine d'Héloïse. Je suis représenté sous les traits d'un lion dans un cirque, figurez-vous.

— Oui-da ! Le roi des animaux ! s'écria la dame d'une voix suraiguë. Bien ! Je ne vous importunerai pas davantage. Les tourtereaux préfèrent être seuls pour roucouler !

Elle eut un hennissement strident qui pouvait passer pour un rire.

— Dès que vous aurez terminé votre glace, dit Charles

quand ils furent seuls, je vous reconduirai chez vous. Grâce à Mme Austell, la nouvelle de nos fiançailles se répandra dès demain matin dans tout Paris. Vous voyez, nous n'aurons pas même à travailler.

Il garda le silence durant tout le trajet de retour. Ce ne fut qu'au moment de tendre la main à Héloïse pour l'aider à descendre de voiture qu'il lui dit :

— Je pense qu'il faudrait détruire votre album avant qu'il ne nous cause d'autres ennuis.

— Des ennuis ? répondit-elle. Je pense que mon album a prouvé son utilité.

— Il contient pourtant certains dessins qui, tombés en de mauvaises mains, pourraient se révéler fort pernicieux.

Charles le pensait réellement, n'ayant aucune envie de voir circuler le portrait qui le dépeignait en animal idiot, se vautrant sous le talon d'une femme que d'aucuns pourraient facilement reconnaître. C'est pourquoi il insista :

— Puis-je compter sur vous pour brûler cet album, ou dois-je demander à vos parents qu'ils me le remettent ?

Héloïse faillit s'étouffer d'indignation. Elle n'avait qu'un seul talent : le dessin. N'était-il pas monstrueux d'exiger d'elle qu'elle détruisît tout son travail ?

Elle avait été fort imprudente de laisser son œuvre sur une table alors qu'elle montait se changer avant de partir en promenade avec Charles. Elle ne s'était pas absentée plus de quelques minutes, mais d'évidence Charles avait feuilleté l'album, s'était reconnu dans ce lion avachi sous le talon de Félicie, et cette image ridicule avait blessé sa fierté.

Il n'était pas homme à endurer les avanies ; pour s'en convaincre, il suffisait de voir avec quelle promptitude il avait chassé Félicie de sa vie. Pourtant, il l'avait aimée, cela ne faisait aucun doute.

Héloïse déglutit difficilement en songeant que son avenir reposait dans les mains de Charles, et qu'elle n'avait aucun moyen de pression sur lui. Si elle lui déplaisait, il la rendrait très malheureuse ; sa vie d'épouse pourrait même devenir un véritable enfer. De plus, n'avait-elle pas promis de lui obéir en tout, dans les petites choses aussi bien que dans les grandes ? Si elle décevait sa première exigence, il ne manquerait pas de lui reprocher de rompre ses engagements et de l'en punir d'une façon ou d'une autre.

— Je brûlerai mon album, murmura-t-elle, les larmes aux yeux. N'ai-je pas promis que je serais une épouse docile, la meilleure que vous puissiez espérer ? Je ferai tout ce que vous me demanderez, toujours.

Il lui en coûterait de détruire une œuvre qu'elle avait mis des heures à composer, son seul objet de fierté dans une vie par ailleurs plutôt morne, mais elle avait donné sa parole, elle n'avait plus qu'à s'exécuter.

— Héloïse, non ! Attendez ! s'exclama Charles en essayant de la rattraper.

Il se reprochait déjà la brutalité de sa demande, son manque de tact. Il aurait dû demander à examiner l'album, avant d'exiger une mesure aussi radicale, regarder tous les dessins et décider si l'un ou l'autre, vraiment trop leste, méritait d'être réduit en cendres quand d'autres pourraient être préservés. Il aurait pu se montrer plus subtil encore, demander s'il pouvait recevoir cet album en dépôt, soi-disant pour l'admirer, et le mettre sous clé afin de s'assurer qu'aucune personne mal intentionnée n'y jetterait jamais les yeux. En réclamant cet autodafé, il s'était comporté comme un seigneur du Moyen Age, pire, comme un vrai barbare !

Hélas, il était trop tard. Héloïse avait gravi les marches du perron, la porte se refermait déjà derrière elle. Il entendait encore ses sanglots, qui le remplirent de confusion et de fureur contre lui-même.

La soirée qui avait si bien commencé se terminait fort mal. Il avait voulu rasséréner Héloïse. Or il n'avait réussi qu'à l'effaroucher davantage, à donner de lui le portrait d'un homme ombrageux et tyrannique. Elle rentrait chez elle des larmes plein les yeux.

Il n'avait qu'à continuer ainsi, et elle prendrait décidément la route de Dieppe.

Il serait bien avancé !

4

Héloïse regardait, avec des yeux ronds, la salle tapissée de miroirs, dans un des restaurants les plus chers de Paris, donc fréquenté par une clientèle raffinée.

— Les gens viennent chez Véry Frères pour goûter les plats aux truffes, avait dit Charles comme ils prenaient place à une table de marbre, dans un alvéole qui leur offrait une intimité convenable.

Héloïse consulta le menu et craignit de ne pouvoir choisir, tant il était varié. Elle finit par déclarer :

— Je prendrai le poulet à la Marengo.

Puis elle se pencha vers Charles pour chuchoter :

— Les *Trois Frères Provençaux* sont bien meilleur marché.

— Que ces questions de prix ne vous tourmentent pas, fit Charles sur le même ton. Je suis un homme très riche.

Héloïse toussota. Cette remarque la mettait mal à l'aise, et elle crut devoir préciser :

— Je ne me marie pas avec vous à cause de votre fortune.

— Je le sais bien. Reconnaissez tout de même qu'elle rendra votre situation beaucoup plus tolérable, non ?

— Vous croyez ? répondit-elle d'une toute petite voix.

Elle ne voyait pas en quoi la fortune de son mari pourrait l'intéresser quand ledit mari était épris d'une autre femme, une femme qui à jamais lui serait inaccessible ; elle resterait une épouse de substitution, une femme de second choix.

— Evidemment ! dit-il d'un ton enjoué.

Il avait décidé de gâter sa fiancée, pour se faire pardonner — si c'était possible — son attitude inqualifiable de la veille. Il voulait aussi lui démontrer qu'il était enclin à prendre ses sentiments en considération. C'est pourquoi il reprit :

— Je suis conscient que vous puissiez trouver certains aspects de notre mariage plus déplaisants que je ne les jugeais moi-même.

S'il ne voulait pas la voir filer vers Dieppe, il devrait la persuader qu'un mariage avec lui ne ressemblerait en rien à l'idée qu'elle avait transcrite en se représentant en oiseau enchaîné par Mauriac.

— Je n'entends pas vous interdire vos plaisirs habituels, affirma-t-il avec conviction. N'imaginez pas que je serai sans cesse derrière votre dos, à vous surveiller. Je n'exigerai pas que vous vous pendiez à mon bras. Rien de ce qui vous répugnerait ne vous sera imposé.

Il avait réfléchi à ce discours pendant une bonne partie de la nuit, et pris les engagements qu'il exposait maintenant. Il ne la forcerait pas à assister à des soirées ou des événements mondains qui lui déplairaient, sachant qu'elle avait une nature plutôt timide et que les gens rencontrés dans le monde n'étaient pas toujours favorablement disposés envers lui, donc envers elle ; n'avait-il pas croisé plusieurs fois le fer avec certains d'entre eux, qui restaient ses ennemis jurés ?

Cela dit, il devrait faire preuve de tact, ne pas lui donner à penser qu'il considérait sa timidité comme une insuffisance. C'est pourquoi il ajouta judicieusement :

— Il n'est pas d'usage qu'on voie un mari partout avec sa femme. J'ajoute que nous vivrons dans la même maison, ce qui est normal, mais cela ne nous empêchera pas, si nous le désirons, de vivre deux existences séparées, sans nous gêner.

Le cœur d'Héloïse s'affola ; la panique la prenait. Charles prenait des dispositions pour la placer dans une partie retirée de sa maison ; c'était une sorte d'exil qu'il lui promettait. Elle se sentit abandonnée.

— Vous… vous ne voulez plus donner l'impression que nous sommes un vrai couple ?

Charles sourit : elle s'inquiétait de le voir renoncer aux avantages qu'il pouvait retirer de ce mariage de convenance ! Il se sentit touché par tant de sollicitude, d'autant plus qu'elle devait éprouver les plus vives appréhensions quant à la vie qu'il lui préparait.

— Il faudra qu'on nous voie ensemble, c'est certain, mais de temps en temps seulement, ce sera suffisant. Point trop n'en faut, croyez-moi. Disons une soirée par semaine.

Héloïse se mordit la lèvre. Elle pouvait difficilement se plaindre que son mari n'envisage pas de passer avec elle plus d'une soirée par semaine. N'avait-elle pas déclaré être prête à aller vivre dans une ferme, s'il la considérait comme un fardeau par trop insupportable ? Elle pouvait même s'estimer gâtée !

— Avez-vous une maison de campagne, Milord ?

— Tss, ne me donnez plus du milord, s'il vous plaît. Songez que nous devons nous marier sous peu. Appelez-moi « Walton », ou mieux : « Charles. »

Il se demandait en même temps pourquoi elle changeait si abruptement de sujet de conversation. Les poules exerçaient-elles sur elle un attrait si puissant ?

— Ch… Charles, balbutia-t-elle, avec une gêne évidente.

— Et moi, puis-je vous appeler Héloïse ?

Elle hocha la tête.

— J'espère que vous aimerez Wycke.

— Wycke ?

— Bien que j'aie une maison à Londres, où je réside pendant les sessions du parlement, Wycke est mon domaine principal et c'est là que…

« Là que naissent traditionnellement les héritiers dans notre famille » avait-il failli dire. En considérant le petit visage soucieux de la jeune fille, il se demanda s'il serait un jour à même d'évoquer avec elle un sujet aussi délicat.

Quoique, légalement, il eût déjà un héritier…

— Il y a un autre sujet d'importance dont je désire vous entretenir, reprit-il d'un ton décidé.

Il n'était pas bon, lui semblait-il, de tenir sa fiancée à l'écart de toutes ses préoccupations. Elle devrait même en accepter certaines et les faire siennes.

— Quelqu'un habite chez moi, à Londres.

Dans le poulet que le serveur venait de poser devant elle, Héloïse planta sa fourchette avec une violence inutile. Elle s'était demandé combien de temps il faudrait à Charles pour aborder la délicate question des maîtresses… eh bien ! on y était. Certes, elle n'élèverait aucune objection s'il allait rendre visite à des dames ; mais s'il prétendait en faire cohabiter une avec elle, c'est qu'il ne la connaissait pas ! Elle ne l'accepterait jamais.

— Vraiment ? fit-elle d'un ton glacial.

— Oui. Il n'est pas facile à vivre et je n'attends pas de vous que vous essayiez de l'apprivoiser.

Il ? Dieu merci, il ne s'agissait pas d'une maîtresse !

Mais alors, pourquoi ne tenterait-elle pas de se faire l'amie de cet hôte ? A moins que… Bien sûr ! Elle n'était pas assez distinguée, et cet homme dont lui parlait son futur mari était quelqu'un dont l'avis comptait pour lui. Elle ne devrait pas commettre d'impair et pour cette raison sans doute, il préférait ne pas la voir avec lui.

— Comme vous voudrez, répondit-elle sur un ton de morne conciliation.

Elle prit son verre et but une gorgée de l'excellent meursault.

— Puisque nous en sommes à ce sujet, reprenait Charles, je dois vous parler de plusieurs personnes avec qui je ne veux absolument pas vous voir.

— Dites, soupira-t-elle avec résignation.

Sa première impression se confirmait : Charles ne l'estimait pas digne de frayer avec ses amis et connaissances. Quelles autres humiliations entendait-il lui infliger ?

— Il faudra me donner une liste, dit-elle avec l'ironie du désespoir.

— Cela serait une bonne idée, en effet, répondit-il d'un air absent.

Il réfléchissait. En l'épousant, Héloïse deviendrait une cible pour ses ennemis, un moyen par lequel ils essaieraient de l'atteindre. Il ne serait pas loyal de l'exposer à ces dangers quand, en la mettant en garde, il pouvait si facilement la protéger. Il connaissait des gens qui prendraient un immense plaisir à la rendre malheureuse, simplement parce qu'elle était française. D'autres la haïraient parce qu'elle aurait anéanti leurs projets matrimoniaux.

— Certains de ceux dont il faudra vous méfier le plus appartiennent à ma propre famille.

Elle le savait ! Il avait honte d'elle à ce point-là ? Elle

n'avait plus besoin d'autres preuves, sa religion était faite : Charles l'épousait certes, mais la tiendrait à l'écart de sa propre famille. Elle devait s'attendre à une vie de solitaire, pour ne pas dire de recluse.

— Voyez-vous, disait-il, je n'ai plus aucune relation avec plusieurs d'entre eux.

La voyant interloquée, il se mit à rire.

— Prenez garde, Héloïse ! Votre futur mari est réputé pour avoir si peu le sens de la famille que même ses parents les plus proches ne sont pas à l'abri de son ire.

S'il ne voulait pas la voir frayer avec certains membres de sa famille, ce n'était donc pas parce qu'il avait honte d'elle. Héloïse en éprouva un tel soulagement qu'elle passa sur l'avertissement — peut-être la menace — qu'il fallait saisir dans les dernières paroles de Charles. Quoi qu'il se fût passé dans cette famille, cela ne la concernait pas ! Seule sa conduite future devait entrer en ligne de compte.

— Il va sans dire, déclara-t-elle avec force, que je ne voudrai jamais rien avoir à faire avec des gens qui sont vos ennemis, même s'ils sont de votre famille.

— Votre loyauté est… touchante, repartit-il, non sans un certain cynisme.

— Je serai votre épouse, ajouta-t-elle avec un haussement d'épaules, comme si la loyauté matrimoniale allait de soi.

A cela, Charles ne sut que répondre.

A la fin du repas, il proposa :

— Si nous marchions un peu ?

Héloïse accepta le principe d'une promenade. A cette heure déjà avancée de la soirée, le Palais Royal serait animé par une foule nombreuse de Parisiens et de touristes à la recherche de divertissements variés. Dans les restaurants du sous-sol, dans les boutiques installées sous la colonnade, dans les casinos et dans les maisons de plaisir aux étages, chacun pouvait trouver ce qu'il voulait.

Ils venaient de sortir du restaurant et n'avaient fait que quelques pas sous la colonnade quand Héloïse s'entendit héler par une voix qu'elle ne connaissait que trop bien.

— Héloïse ! Arrêtez-vous !

Elle se retourna avec hésitation. Mauriac accourait vers elle. Avec son grand nez busqué et son regard aigu, il avait l'air d'un vautour fonçant sur sa proie.

Consternée, Héloïse vit que Charles, au lieu de battre en retraite et de rentrer dans le restaurant, continuait d'avancer tranquillement, comme si de rien n'était, alors que l'homme le plus dangereux de Paris approchait.

Il les dépassa et se planta devant eux pour s'adresser à Héloïse.

— Eh bien, quoi ? Vous n'entendez pas quand je vous appelle ?

Sa moustache noire frémissait dans son visage rendu rouge par la colère et l'abus de vin.

Embarrassée, Héloïse essaya de se détacher de Charles. Fallait-il espérer l'aide des gens alentour, si Mauriac devenait agressif ? Les serveurs de chez Véry ne s'y risqueraient pas, mais plusieurs des clients étaient des Anglais qui auraient sans doute à cœur d'assister un compatriote en danger.

Charles ne voulut pas lâcher Héloïse ; il lui reprit la main et la plaça sur son bras. Toisant Mauriac avec un froid mépris, il lui dit :

— Ma fiancée ne répond pas à des étrangers qui l'interpellent de façon discourtoise.

— Fiancée ? hurla Mauriac.

Ignorant l'Anglais, il tourna sa rage contre Héloïse, qui se sentait sur le point de défaillir.

— Vous êtes fiancée à cet homme ?

— Oui, réussit-elle à dire, d'une toute petite voix.

— Ne vous laissez pas impressionner, ma chérie, fit Charles. Je vais m'occuper de cet importun.

Mauriac se mit à hurler de plus belle.

— Votre chérie ? Mlle Bergeron n'est pas votre chérie ! Tout le monde sait que vous êtes fiancé à sa sœur. Héloïse n'est rien pour vous. Et d'abord, qu'aurait à faire un homme comme vous avec une petite souris comme elle ?

— Puisque vous parlez de Mlle Bergeron d'une manière si peu convenable, dit sèchement Charles, il apparaît que vous n'avez aucun sentiment pour elle. Alors, dites-moi, quel est votre souci ?

Mauriac s'emporta sous le regard intéressé des badauds.

— Vous n'avez aucune idée de ce que je ressens pour Mlle Bergeron. Elle devait être ma femme ! C'est facile pour vous de me la prendre, avec votre titre et votre argent, mais elle est à moi ! Et si elle avait une once de loyauté à mon égard, elle serait mon épouse depuis quelque temps déjà. Ah ! ces femelles ! Elles sont toutes pareilles. Elles jouent les modestes, mais l'ambition et la convoitise les dévorent.

La querelle entre l'officier à l'uniforme miteux et le riche Anglais attirait de plus en plus de monde autour d'eux. Ils se trouvaient au milieu d'un cercle compact de curieux.

Jusque-là, Charles avait tenu la main d'Héloïse comme dans un étau pour l'empêcher de s'éloigner, mais il la relâcha pour s'adresser à Mauriac sur un ton très dégagé.

— Si j'interprète correctement vos vociférations, vous avez autrefois convoité la main de Mlle Bergeron ?

Héloïse éprouva un tel choc à entendre ces mots qu'elle songea à prendre la fuite, et sans doute l'aurait-elle fait si la foule n'avait pas été un obstacle infranchissable. Charles n'ignorait rien de ses relations passées avec Mauriac ; alors, pourquoi présentait-il cette fable ? Puis la lumière se fit dans son esprit. Bien sûr, il fallait dissimuler le rôle qu'elle avait pris dans leurs fiançailles ! Charles la soustrayait à la fureur du prétendant évincé.

Le cœur d'Héloïse battit plus fort. Elle s'émerveillait : Charles prenait soin d'elle, il avait des égards, il la protégeait.

En même temps, elle s'alarmait : Charles savait-il que Mauriac pouvait très facilement lui loger une balle dans la poitrine, qu'il avait déjà tué beaucoup d'hommes pour se venger d'affronts cent fois moins graves ?

— Je comprends très bien, soupira Charles d'un ton las, que vous vous sentiez déçu. Sachant d'autre part que vous êtes français et que vous vous emportez donc très facilement, je pardonnerai votre déplorable manque de courtoisie. Il va sans dire que si vous étiez anglais, j'exigerais réparation.

Mauriac partit d'un rire moqueur.

— Comment ? J'insulte votre promise et vous ne faites rien ? Lâche ! Que dois-je faire pour que vous ayez enfin une conduite honorable ? Faudra-t-il que je vous soufflette ?

Le comte de Walton donna l'impression d'y réfléchir.

— Vous pourriez me souffleter, en effet. Voilà qui vous aiderait peut-être à calmer votre ire. Mais je devrais ensuite vous faire arrêter pour agression.

— En somme, vous êtes un tel couard que vous refusez de me rencontrer sur un pré ?

Héloïse en eut le souffle coupé. Traiter quelqu'un de couard, en public, était une si terrible insulte qu'elle ne pouvait que se terminer par un duel à mort.

Pourtant, Charles parut simplement s'étonner. Il reprit,

avec un grand sourire qui exprimait de la pitié pour son interlocuteur :

— Vous ne voulez pas insinuer, tout de même, que vous voudriez vous battre en duel avec moi ? Vous plaisantez ! A ce que l'on m'a dit, votre père était poissonnier. Je suis navré de vous l'apprendre, mais seuls les gentilshommes peuvent vider une querelle au moyen d'un duel.

— Je suis un officier de l'armée française ! mugit Mauriac.

— C'est possible. Bien des parvenus paradent en uniforme, ces temps-ci, en France. Il se trouve que je ne partage pas les idéaux républicains. Un homme est gentilhomme par sa naissance et par ses manières, et franchement, Monsieur, vous n'avez ni l'une ni les autres.

Mauriac, hors de lui, fit un pas en avant et leva la main pour donner le soufflet qui eût rendu le duel inévitable ; mais il en fut empêché par le poing gauche qu'il reçut dans le ventre avec une force incroyable et qui le plia en deux. Puis, sans lui donner le temps de reprendre son souffle, l'Anglais le redressa d'une droite au menton et l'étendit sur le gravier, les bras en croix.

— Héloïse, je suis désolé de vous avoir fait le témoin de cette scène regrettable, dit-il en faisant jouer ses phalanges, avec un sourire satisfait. Cela dit, ce coupe-jarret attendait une leçon depuis longtemps et je suis heureux de la lui avoir donnée.

Un tourbillon d'émotions contradictoires agitait Héloïse. Si elle s'était réjouie de voir Mauriac se faire rosser si efficacement, elle savait qu'il n'était pas homme à laisser passer une blessure aussi grave pour son amour-propre. Charles ne risquait rien tant que ce butor serait inconscient, mais ce répit ne durerait pas longtemps ! Dès qu'il reviendrait à lui, il écumerait de fureur et mettrait tout en œuvre pour obtenir réparation ; et s'il ne pouvait le faire de façon légitime, c'est-à-dire en assassinant son adversaire au cours d'un duel qu'il était certain de remporter, il n'hésiterait pas à employer des moyens beaucoup moins honorables — un couteau planté dans les côtes, par-derrière, ou un coup de fusil tiré depuis une cachette. Bouleversée, elle voyait déjà Charles répandant son sang dans une rue de Paris, et elle le tenant dans ses bras pour recueillir son dernier souffle.

Elle fondit en larmes.

Charles l'enlaça pour l'aider à traverser la foule toujours dense, qui commentait l'événement avec animation.

Dans le fiacre, il reconnut qu'il avait commis une erreur en affrontant Mauriac sous ses yeux. Les gentilshommes, lui dit-il, ne se collettent pas en présence des dames, sachant que celles-ci ont horreur de ces démonstrations de force brutale. Il avoua cependant que l'occasion lui avait semblé trop bonne et qu'il n'avait pas voulu la laisser passer. Wellington avait interdit aux officiers des forces d'occupation de se livrer à des combats aux poings dans les endroits publics, l'épée et l'épée seule étant l'arme des gentilshommes. C'est en prenant avantage de ce règlement que Mauriac avait froidement assassiné plusieurs jeunes Anglais les uns après les autres. Seul un homme comme Walton, non placé sous les ordres de Wellington, avait la liberté nécessaire pour donner au gredin la leçon qu'il méritait.

Il n'en restait pas moins qu'Héloïse avait dû prendre son futur mari pour une brute et que cette découverte l'avait profondément affectée. Elle s'enferma dans un silence que Charles n'osa rompre. Il en souffrit, mais il ne put se résoudre à parler davantage pour se disculper ou se justifier. Quand ils atteignirent la maison du quai Voltaire, il la reconduisit jusqu'à l'appartement, la confia à sa mère et s'en fut à la recherche de quelque alcool fort.

Héloïse tomba dans les bras de sa mère en sanglotant.

— Il va le tuer, Maman ! Et ensuite, il se vengera de moi. Que faut-il faire ?

Mme Bergeron partageait les préoccupations de sa fille.

— Nous allons avancer le mariage, répondit-elle. Il aura lieu dès demain. Vous quitterez Paris aussitôt après la cérémonie.

— Mais s'il nous poursuit ? fit Héloïse en hoquetant, le mouchoir sur le nez.

— Comptez sur moi pour l'en empêcher, dit la mère d'un ton décidé. Il a suffisamment d'ennemis qui seront peut-être très contents de trouver un motif pour s'allier et marcher contre lui. Ainsi pourrons-nous le retenir assez longtemps pour vous donner le temps de fuir la France.

— Mais je pensais que vous vouliez me voir l'épouser !

L'air absent, Mme Bergeron repoussa une mèche qui barrait le front de sa fille.

— C'est ce que je voulais, oui, ma chérie ; je pensais que vous n'auriez jamais d'autre prétendant, et je pensais aussi qu'avec les guerres de Napoléon, Mauriac ne serait pas souvent à Paris, qu'il ferait la guerre dix mois dans une année. Mais jamais je n'aurais accepté de vous voir le suivre dans ses campagnes… Ce raisonnement est caduc, à présent. Napoléon est déchu. Alors, dites-moi, de quelle utilité est un militaire quand il n'a plus d'empereur pour qui combattre ?

Quand Charles entendit Mme Bergeron suggérer que, en raison de l'état nerveux d'Héloïse, il était préférable d'avancer la cérémonie du mariage, il oublia complètement sa détermination proclamée de ne pas quitter Paris tant que son bail ne serait pas échu. Rien ne comptait plus pour lui que de rassurer sa fiancée.

— Je vais immédiatement ordonner qu'on commence l'empaquetage de mes affaires, déclara-t-il en se levant et en mettant ses gants sur ses doigts tuméfiés.

Il faudrait un certain temps pour préparer le déménagement des affaires, mais il pouvait partir tranquille en confiant cette responsabilité à Giddings, un homme capable. Quant à lui, il quitterait Paris dès la fin de la cérémonie, en emportant un bagage léger.

Il avait pensé qu'il se sentirait l'esprit plus léger, une fois les vœux prononcés et tous les documents signés. Mais il n'en alla pas ainsi. Chaque fois qu'il tournait son regard vers Héloïse au visage tout pâle et aux traits tirés, il se demandait si elle en était toujours à considérer la ferme de Dieppe comme un sort plus enviable que le mariage avec un homme dont elle avait de plus en plus peur. Il ne se faisait pas des idées : Héloïse avait admis, aussitôt après leur départ de Paris, qu'elle y avait abandonné une de ses meilleures robes, parce qu'elle lui rappelait de mauvais souvenirs.

Cette robe, c'était celle qu'elle portait le soir où il lui avait donné un baiser !

Il ne lui fallut pas longtemps pour comprendre qu'il ne serait pas tranquille avant d'embarquer pour l'Angleterre. Tant qu'elle serait encore en France, Héloïse connaîtrait la tentation de fuir, et pourrait trouver d'innombrables moyens d'échapper à Charles ; et si elle disparaissait, comment la retrouverait-il ?

Il connut un vif soulagement quand, à environ dix lieues de Paris, la tête de sa femme tomba sur son épaule. Elle n'avait sans doute pas fermé l'œil de la nuit, pour dormir maintenant si profondément dans la voiture qui cahotait. Elle avait dû s'effrayer à l'idée de quitter sa famille, son pays, pour vivre le reste de sa vie chez des étrangers… Elle n'émit aucune protestation lorsqu'il l'installa plus confortablement contre lui, et une fois qu'il fut bien certain qu'elle dormait à poings fermés, il prit la liberté de passer un bras autour d'elle pour l'attirer encore plus près. Il avait envie de la protéger ; elle était si petite, si fragile.

Il y avait sûrement un moyen de lui prouver qu'il n'était pas un monstre, juste un homme qui voulait être son ami et son protecteur. Oui, mais comment ? Jusque-là, il n'avait réussi qu'à l'intimider et à l'effrayer.

Elle ne se réveilla qu'en fin d'après-midi. Elle bâilla et se redressa.

— Où sommes-nous ?

— A Abbeville. Vous dormiez si bien que j'ai fait presser l'allure. Nous avons ainsi parcouru une plus longue distance que si nous avions dû nous arrêter souvent pour votre confort.

Son ton très détaché ramena Héloïse à la réalité. Pendant un moment délicieux, alors qu'elle s'éveillait dans les bras de Charles, elle avait cru qu'il la serrait contre lui par tendresse : grave erreur.

— Vous aurez un appartement indépendant ce soir, ajouta-t-il sur le même ton, la plongeant dans l'accablement.

Bien sûr, il ne supportait aucune intimité avec elle ! Leur mariage n'était qu'apparence, une comédie pour leurs contemporains : elle devrait apprendre à s'en souvenir et à ne plus s'en affliger.

Elle n'éprouva aucun sentiment de surprise quand son repas lui fut apporté dans son petit salon. Elle dut dîner seule. De toute la journée, Charles lui avait adressé une douzaine de mots en tout et pour tout. En voyant le tout petit tas des bagages qu'elle emportait, au lieu de la féliciter de savoir voyager léger, il avait eu un commentaire sarcastique sur le bon moyen qu'elle avait trouvé pour se faire conduire chez les meilleures couturières de Londres. Puis, sans doute satisfait de sa plaisanterie, il avait tourné le dos pour regarder par la fenêtre et s'absorber dans le spectacle de la rue, tellement plus intéressant qu'elle, sans doute.

L'hôtel était naturellement de première classe ; la servante mise à son service pour l'aider à se mettre au lit était efficace et amicale. Mais Héloïse savait que le sommeil se refuserait à elle, le lit fût-il des plus confortables. Elle avait somnolé dans les bras de son mari pendant presque toute la journée et maintenant elle était en pleine forme.

En pleine forme ? Quelle dérision ! Elle se sentait si malheureuse. Mais elle était la seule responsable de son malheur... Elle n'avait pas le droit de se sentir offensée du peu de considération que Charles lui témoignait. Il n'avait pas voulu se battre en duel contre un homme qui l'insultait alors qu'elle était à son bras, dans un lieu public ? La belle affaire ! De toute façon, elle n'eût pas voulu qu'il prît les armes pour elle. Elle n'aurait pas supporté de le savoir tué, ou seulement blessé à cause d'elle. Non, vraiment, elle n'avait pas à se plaindre...

Ce lamentable incident, elle ne cessait d'y penser et de s'en tourmenter. Elle ne se sentirait vraiment rassurée que lorsqu'elle serait en Angleterre, où Mauriac n'oserait pas la poursuivre.

Elle avait longuement réfléchi à cette affaire, au cours de la nuit précédente, qui n'avait été qu'une longue et laborieuse insomnie. Elle avait fini par décider que la querelle du Palais Royal ne la concernait pas, même s'il avait semblé que les deux hommes parlaient d'elle. Elle n'avait été qu'un prétexte. Charles avait montré qu'il en savait beaucoup plus sur Mauriac que ce qu'Héloïse lui en avait dit ; sinon, aurait-il pu le moquer sur ses origines ? D'autant qu'il ne lui avait pas échappé que Charles avait commencé à prendre sa proposition au sérieux quand elle lui avait dit que le prétendant à qui elle voulait échapper était ce même Mauriac.

Elle frémit en prenant pleine conscience du comportement froid et calculateur dont avait fait preuve son mari. Il avait dû étudier le cas de Mauriac, afin de pouvoir lui infliger le traitement le plus humiliant : lui souffler la femme qu'il convoitait, refuser de le reconnaître comme un homme estimable, et enfin l'envoyer rouler dans la poussière, en faisant ainsi la risée des badauds et, au-delà, de tout Paris !

Héloïse tira la couverture jusqu'à son menton, sans pouvoir lutter contre le froid qui la glaçait jusqu'aux moelles et affectait jusqu'à son âme. Félicie lui avait dit que Charles n'avait pas de cœur. Lui-même l'avait prévenue qu'il était d'une nature si froide et si susceptible qu'il pourrait, sans aucune hésitation, couper les ponts avec sa propre famille.

Non ! Elle secoua la tête. Félicie avait tort ! Et quand Charles lui avait tenu ce discours sur sa nature diabolique, il y avait dans ses yeux une lueur enjouée, comme s'il s'amusait à charger le portrait qu'on faisait de lui.

Il avait traité Mauriac avec froideur et détermination, exercé sa vengeance. Rien de plus vrai ; mais Mauriac était un homme infâme qui méritait de telles vexations. Quant à savoir s'il était capable de renier sa propre famille… Evidemment, cela semblait terrible, mais, connaissant son mari comme elle commençait à le connaître, elle ne serait pas surprise d'apprendre que ladite famille s'était montrée odieuse envers lui et que, plutôt que de la dénoncer, il l'avait tout simplement abandonnée aux faiseurs de commérages.

Héloïse sursauta ; la porte de sa chambre, en s'ouvrant soudain, la tira de ses méditations. Elle se trouvait peut-être dans une auberge de grande classe, mais certaines personnes y manquaient de manières. Elle s'apprêta à manifester hautement son déplaisir de voir son intimité ainsi envahie, mais le visiteur n'était autre que Charles venant, non du corridor, mais de la chambre d'à côté.

— Je ne suis pas un monstre, Héloïse, lui dit-il en venant vers elle à grands pas. Inutile de remonter vos couvertures jusqu'à votre nez comme si j'avais l'intention de vous violenter. Je vous assure que je ne médite rien de semblable.

Soulagée de ne pas se trouver confrontée à un étranger animé de mauvais desseins, Héloïse se laissa couler dans ses oreillers. Pourtant, les mots de Charles la chagrinaient. La prenait-il pour une idiote ? Elle savait trop bien que lorsqu'il aurait envie d'une femme, il irait trouver une de ses maîtresses.

— Je venais seulement vous informer que je n'aurai pas d'exigences de ce genre, lui dit-il, prouvant ainsi sa faculté de lire dans ses pensées. Je vous ai dit, dès le début, que vous étiez trop jeune pour vous marier, sans parler de maternité.

Il se pencha pour déposer un rapide baiser sur son front.

— Bonne nuit, Lady Walton.

— Bonne nuit, Charles, lui répondit-elle, trahissant seulement par un léger tremblement de la lèvre inférieure l'humiliation qu'elle éprouvait à se sentir abandonnée.

Elle ne pleurerait pas tant qu'il n'aurait pas quitté la chambre. Il n'aimait pas les épanchements. Quelle répugnance ne lui avait-elle pas inspirée, la veille, en montrant si peu de force de caractère ! Voilà qui expliquait sans doute son attitude si distante depuis. Elle ne devrait plus commettre la même erreur, ne plus jamais montrer sa faiblesse. Même s'il ne lui manifestait jamais une grande tendresse, elle ferait tout son possible pour être la plus gentille et la plus aimable des épouses, la plus docile et la plus discrète.

Pour se prouver qu'elle en était capable, elle esquissa un timide sourire. A vrai dire, elle éprouvait aussi un vif soulagement. Elle ne se sentait pas prête pour vivre une nuit de noces avec un mari qui la considérait comme un mal nécessaire ; encore moins pour endurer une défloration pratiquée avec sang-froid par un homme qui faisait tout avec froideur.

Charles retira sa cravate en entrant dans sa chambre et la jeta sans se soucier de l'endroit où elle tomberait. Il lui semblait qu'il ne pouvait plus respirer. Dieu ! Comme elle avait semblé effrayée en le voyant ! Et soulagée quand elle avait compris qu'il ne prétendait pas exercer ses droits d'époux.

Il s'arrêta devant la table et se versa une ample rasade de brandy. Puis il se laissa tomber dans un fauteuil et considéra pensivement le liquide ambré qui dansait dans son verre. Il n'y trouverait pas la consolation qu'il cherchait, se dit-il en le faisant tourner lentement, le réchauffant avant d'en humer la puissante fragrance. Une seule fois il avait cherché à user de l'alcool comme d'un anesthésiant, et il avait misérablement échoué. Ivre, il n'en avait été que plus malheureux. Il s'était ridiculisé en pleurnichant dans le giron d'un parfait inconnu, et au matin s'était réveillé avec un atroce mal de tête.

Il aurait besoin d'avoir l'esprit clair demain matin. Si le départ avait lieu de bonne heure, Héloïse et lui pourraient atteindre Calais avant la fin de la journée et s'embarquer pour l'Angleterre avec la marée du soir.

Si Héloïse ne profitait pas de la nuit pour s'enfuir ; cela allait sans dire.

Charles se leva pour aller à la porte qui communiquait avec l'autre chambre. Il posa la main sur le bouton, hésita.

Et s'il devait, tout simplement, la laisser reprendre sa liberté ?

Héloïse méritait d'avoir un mari aimant et protecteur, pas une brute qui la bousculerait et l'effraierait tant et plus.

Pourquoi lui était-il impossible de se conduire raisonnablement en la présence de cette jeune femme ?

Il passa une main sur son front fiévreux.

En voyant Héloïse assise dans son lit, se rongeant les ongles comme une petite fille apeurée, il avait eu envie de la prendre dans ses bras pour la réconforter ; mais il savait qu'il n'y aurait pas réussi, car il était le dernier dont elle eût attendu un quelconque réconfort. Pire, il était son principal souci. En outre, ce corps gracile avait éveillé en lui des appétits qui n'avaient rien de désintéressé. Encore maintenant, il la désirait avec une rage qui le dégoûtait.

Qu'avait-il fait ?
Que devait-il faire ?

Déterminée à prouver qu'elle était capable de se conduire correctement, Héloïse resta assise, très droite, bien sagement, pendant tout le voyage vers Calais. Bien qu'elle eût passé la plus grande partie de la nuit à pleurer dans ses oreillers, elle ne voulait pas renouveler l'erreur de la veille en succombant à la fatigue et en tombant sur l'épaule d'un homme qui semblait considérer tout attouchement comme une atteinte à sa dignité.

Elle avait eu son utilité en permettant à Charles de prendre une revanche signalée sur Mauriac en même temps qu'il escamotait son amour déçu pour Félicie. Maintenant, il ne savait plus quoi faire d'elle. Elle l'encombrait.

Il l'évitait du mieux qu'il pouvait. Déjà il la délaissait. A Calais, il l'abandonna dans la voiture, le temps d'organiser la traversée de la Manche. Puis il l'installa dans un salon privé pour attendre l'embarquement, et s'en alla se promener, seul. Dans les rares occasions où il daignait lui adresser la parole, il employait un ton froidement poli qui montrait bien à quel point il regrettait de l'avoir épousée.

Et qui pourrait l'en blâmer ? Aucune femme n'était moins digne qu'elle d'être l'épouse d'un homme tel que lui.

Quand il revint lui dire qu'il était temps de monter à bord, elle tremblait si fort qu'elle eut besoin de s'accrocher à son bras pour marcher.

Comme ils allaient mettre le pied sur la passerelle, un messager les rejoignit au pas de course. A bout de souffle, il s'enquit :

— Comtesse de Walton, précédemment Mlle Bergeron ?

Elle hocha la tête. Il plongea la main dans sa poche et en tira une lettre.

— Dieu merci, reprit-il, je vous ai trouvée à temps. On m'a dit que cette lettre était urgente, que je devais à tout prix vous la remettre avant votre départ.

Sa mission ainsi accomplie, le messager salua et se perdit dans la foule.

— Vous devriez la lire sans tarder, dit Charles.

Il invita Héloïse à se mettre de côté pour ne pas gêner l'embarquement des autres passagers. Elle décacheta, ouvrit, lut les quelques lignes de la missive, et déclara :

— C'est de ma mère. Elle dit que Mauriac est mort. « Les officiers royalistes envoyés pour l'arrêter déployèrent un zèle si intempestif que plusieurs Bonapartistes lui prêtèrent main-forte, traduisit-elle de son mieux. S'ensuivit une échauffourée, au cours de laquelle Mauriac fut poignardé. L'enquête n'a pas permis de découvrir le coupable. »

Elle replia la lettre et la serra contre son cœur en fermant les yeux. Dieu merci, Charles ne risquait plus rien.

— Quelle époque ! murmura ce dernier.

Il avait eu l'impression que le quai se mettait à danser sous ses pieds. Héloïse ne l'avait épousé que pour échapper à Mauriac ; si elle avait eu la patience d'attendre quelques jours seulement, elle aurait été tout aussi bien délivrée, et sans avoir à sacrifier sa vie.

— Regrettable précipitation, lui dit-il avec une ironie qu'elle parut ne pas comprendre.

5

Oh, pauvre Charles ! Il regrettait déjà d'avoir dû prendre pour épouse une femme qu'il ne voulait pas, et maintenant il apprenait qu'un de ses deux motifs était devenu caduc ; mais, au lieu de montrer sa contrariété, il faisait contre mauvaise fortune bon cœur, offrait son bras et disait de sa voix certes glaciale, mais toujours si distinguée :

— Voulez-vous monter à bord, maintenant, Madame ?

Tant de contrôle de soi ! Héloïse en eut le souffle coupé. Quelle envie devait être la sienne de la laisser là, sur le quai, sans autre forme de procès, et rentrer chez lui, seul, libre ! Mais Charles Fawley était homme d'honneur, il ne pouvait descendre à de telles ignominies, il devait même s'interdire d'y penser.

Posant sa main sur le bras offert, Héloïse suivit son mari sur la passerelle, le cœur si douloureux qu'elle redoutait qu'il s'arrête de battre.

Charles la conduisit à sa cabine, puis l'informa qu'il resterait sur le pont pendant la traversée. Son visage fermé, son attitude rigide trahissaient son accablement. Héloïse en souffrait avec lui, et plus encore de s'en savoir la cause.

*
* *

Charles retint sa respiration jusqu'au moment où, le dernier filin ayant été levé, le navire s'éloigna du quai pour se diriger vers la sortie du port. Héloïse n'avait pas tenté de le fuir, de reprendre sa liberté. Cela ne signifiait pas qu'elle s'accoutumait à lui. Elle restait enfermée dans sa cabine, ne prenait pas le prétexte d'une promenade sur le pont pour se rapprocher de lui.

Elle l'évitait.

Charles marchait de long en large sur le pont, sans se soucier des embruns qui l'éclaboussaient.

Il pensait avoir la conscience tranquille. Après une nuit passée à réfléchir et à se tourmenter, il avait, délibérément, donné à Héloïse plusieurs occasions de le quitter, si elle le souhaitait. Ces occasions, elle ne les avait pas saisies. Pourquoi ? Elle ne restait pas avec lui par intérêt ; il était certain aussi qu'elle n'éprouvait aucune fascination pour son titre nobiliaire.

La seule explication plausible était qu'elle avait donné sa parole et qu'elle ne voulait pas se parjurer. Cela avait-il donc tant d'importance pour elle ? Charles se représentait encore les yeux qu'elle avait, brillant de conviction, lorsqu'elle lui avait promis d'être la meilleure épouse possible. Il la croyait capable de s'appliquer, pour faire de son mieux.

Héloïse — Charles en prenait peu à peu conscience — ne ressemblait à aucune des femmes qu'il avait déjà connues.

Dans sa cabine, Héloïse geignait, souhaitant la mort comme une délivrance. Charles serait tellement bouleversé… Elle hoqueta, se pencha sur le seau judicieusement placé près de sa couchette. Serait-il bouleversé, vraiment ? Mais non ! Il hausserait simplement les épaules en disant que c'était malheureux, tout en pensant déjà à sa prochaine épouse, qu'il tâcherait de choisir mieux. Elle ne l'intéressait pas le moins du monde. Il l'abandonnait dans sa cabine, pour souffrir, seule, pendant qu'il se promenait sur le pont et devisait sans doute avec des gens beaucoup plus plaisants qu'elle.

Quoique… Avait-elle envie qu'il la vît dans cet état lamentable ? Tout compte fait, il était très bien à se distraire sur le pont, songea-t-elle en se penchant sur son seau, pour la centième fois peut-être.

Quand ce cauchemar cesserait-il ? Combien de temps encore devrait-elle souffrir dans cette cabine qui sentait le renfermé ? Quand pourrait-elle sortir pour respirer un peu d'air frais ?

Jamais, se dit-elle avec désespoir. Le temps semblait s'étirer et promettre une éternité de souffrance dans un bateau conçu comme un instrument de torture. Les grincements de la coque contre le quai, les vociférations des officiers, les cris des marins s'activant à la manœuvre d'accostage lui parvenaient, mais elle était trop faible pour se lever, quitter sa cabine, aller voir. La tête si lourde qu'elle ne pouvait pas même l'extraire de ses oreillers, elle restait allongée sur sa couchette, prostrée, anéantie.

— Allons, Madame, venez donc.

Elle ouvrit les yeux. Son mari arrivait et il n'avait pas l'air content de la voir encore couchée.

— Nous avons accosté, et il est temps de débarquer… Seigneur !

Il avait pris la mesure de son malaise.

— Partez ! réussit-elle à murmurer.

Qu'avait-il à se pencher sur elle ainsi, le regard sévère, voire méprisant ? Quelle brute il faisait, à vouloir l'obliger à se lever quand elle n'avait plus de forces ! Plus tard, lorsque le bateau serait resté stable pendant plusieurs heures, elle pourrait — peut-être — se laisser tomber au bas de sa couchette et ramper jusque sur la terre ferme. Pour le moment, il n'en était pas question.

— Laissez-moi mourir.

— Allons, allons, on ne meurt pas du mal de mer.

Il se pencha derechef pour la prendre dans ses bras et la soulever. Il se sentait ému, et soulagé de découvrir qu'une indisposition avait tenu Héloïse enfermée dans sa cabine, alors qu'il avait cru, durant tout le voyage, qu'elle se tenait éloignée de lui volontairement, en pleurant amèrement sur sa liberté perdue.

— Je n'ignore pas que ce voyage a été désagréable pour vous, ajouta-t-il avec gentillesse, mais vous vous sentirez aussi bien que possible dès que vous aurez posé le pied sur la terre ferme.

— Désagréable ! s'exclama-t-elle. Je n'ai jamais été aussi malade de toute ma vie. De quel droit m'avez-vous fait naviguer dans une tempête ? Je pense… je pense que je vous hais.

Elle hoqueta, se pencha sur son seau.

— Je suis certain que vous exagérez, répondit-il en souriant, bien qu'il n'en fût pas certain du tout. La mer était un peu agitée, je vous le concède, mais nous étions loin d'avoir une vraie tempête.

Il se consolait, non sans cynisme, en songeant que même si son épouse le haïssait à la folie, elle n'oserait pas entreprendre une nouvelle traversée pour rentrer en France.

Il avait eu l'intention de pousser jusqu'à Londres, mais il ne pouvait décemment pas obliger Héloïse à voyager dans cet état de grande faiblesse. C'est pourquoi il ordonna au cocher de s'arrêter devant le premier hôtel convenable.

Là, il la laissa à elle-même aussi longtemps qu'il put, mais à la tombée de la nuit, il se sentit de nouveau si inquiet qu'il ne put s'empêcher de frapper à sa porte. Il entra sans attendre de réponse.

Il la trouva assise dans son lit, très droite. Elle semblait mieux déjà. Elle avait meilleure mine, et plus il s'approchait du lit, plus elle lui semblait avoir les joues bien roses.

Evidemment !

Il s'arrêta au milieu de la chambre, et prit sur lui pour ne pas exprimer l'irritation qui le gagnait. Le croyait-elle ignoble au point de faire valoir ses droits conjugaux dans l'état où elle se trouvait ? La retenue dont il avait fait preuve la nuit précédente ne la rassurait-elle pas ? Il allait prendre la parole pour faire savoir son sentiment, mais Héloïse prit les devants.

— Je suis si désolée, Charles. Je n'aurais pas dû dire cela.

— Euh… Qu'avez-vous dit de si regrettable ?

Il tira une chaise près du lit et s'y installa, pour écouter.

— J'ai dit que je vous haïssais. Je pensais alors que vous vouliez me voir descendre de ce bateau et me conduire comme une grande dame, or je me sentais si mal que j'avais envie de mourir. Jamais je n'aurais pensé que vous alliez me prendre dans vos bras pour me porter. Ayant passé toute la traversée à vous maudire, il était difficile pour moi, vous comprenez, de m'ôter de l'idée que tout était votre faute. Il est vrai qu'à certains moments je vous ai haï, vraiment. Maintenant que je vais mieux, que je me suis calmée, je suis capable de faire la part des choses et de comprendre que vous n'étiez pas responsable de mon mal de mer, que ce n'est pas par cruauté que vous m'avez fait embarquer sur ce bateau. Vous auriez été cruel si vous aviez pu prévoir que je serais malade, et comment auriez-vous pu le savoir, puisque moi-même je ne le savais pas ? C'est vrai, je n'étais jamais allée en bateau, auparavant.

— Et vous n'irez plus jamais, affirma Charles.

— Certainement pas, fit-elle en frissonnant.

Après une pause, il reprit :

— Vous vous rendez compte, naturellement, de ce que cela suppose : que vous ne retournerez plus en France.

Ils se dévisagèrent avec gravité, chacun mesurant l'importance des paroles qui venaient d'être prononcées, chacun se persuadant que l'autre déplorait la vérité qui venait d'être dite, chacun également décidé à cacher sa souffrance intime.

Ils ne savaient plus que dire.

Charles, enfin, mit un terme au malaise. Il s'adossa confortablement, croisa les jambes et dit avec amabilité :

— Puisque vous ne me haïssez pas en ce moment, il serait peut-être opportun de discuter pour mettre au point les modalités de notre vie future.

Se rappelant qu'il lui avait dit ne pas vouloir la contraindre à prendre part à sa vie mondaine sans doute fort agitée — façon pour lui de signifier qu'il la tiendrait à l'écart —, Héloïse hocha la tête en se demandant quelle nouvelle humiliation il lui avait préparée.

Il commença :

— Je ne veux pas susciter le doute à propos de mon mariage en vous expédiant à la campagne aussitôt que nous serons arrivés, comme si je vous détestais.

Elle devrait vivre avec lui à Londres, au moins dans les débuts, pour couper court aux spéculations hasardeuses. Il se moquait parfaitement de ce qu'on pouvait dire et penser de lui, mais il ne voulait pas exposer sa femme à des commentaires malicieux, voire malveillants, dont elle souffrirait. Il poursuivit :

— La saison n'a pour ainsi dire pas commencé, nous pourrons ainsi vous procurer sans nous presser une garde-robe convenable, et vous installer dans votre nouveau rôle. Il vous faudra un peu de temps pour prendre vos marques : quoi de plus normal ? Puis, quand vous commencerez à vous faire connaître, que vous aurez déjà des relations, peut-être même quelques amies, je veillerai à ce que vous ayez toujours quelques personnes dignes de confiance pour vous accompagner là où vous aurez envie d'aller.

Il s'interrompit, sourit à son épouse qui opinait, puis continua :

— Naturellement, je ne vous demande pas de comprendre le système politique anglais. Ce que je souhaite, c'est que vous fassiez bonne figure à ceux que je vous présenterai comme mes alliés politiques, et que vous vous montriez plus réservée envers mes adversaires. J'invite souvent les membres importants de mon parti dans l'une ou l'autre de mes résidences, et je compte aussi que vous serez charmante avec eux et avec leurs épouses, même si vous n'appréciez pas certains d'entre eux, comme il est probable que ce sera le cas. Cela dit, ne vous alarmez pas. Votre rôle d'hôtesse ne vous accaparera pas trop. J'ai du personnel stylé dans toutes mes maisons, et aussi une secrétaire particulière, une véritable perle à qui vous pourrez vous en remettre chaque fois que vous vous trouverez en difficulté.

Héloïse écoutait ce discours paternaliste avec une indignation grandissante. Il la chapitrait sur ses futurs devoirs d'hôtesse, alors que, s'il n'avait pas peur de susciter des commérages sans fin, il expédierait sans tarder, dans une de ses nombreuses résidences campagnardes, l'épouse dont il avait trop honte, la pauvre fille incapable de comprendre les subtilités du remarquable système politique anglais. Elle n'aurait pas même le droit de dire son mot sur l'organisation de la maison où elle serait exilée, puisqu'il y aurait là un personnel compétent et dévoué, agissant selon les volontés du Maître et n'autorisant aucune fantaisie. Et si elle avait des questions à poser, elle n'aurait qu'à s'adresser à la secrétaire particulière, afin de ne pas importuner M. le comte, qui avait d'autres chats à fouetter !

— Héloïse ?

Murée dans le silence depuis plusieurs minutes, elle ne semblait pas l'avoir entendu. Charles soupira. Evidemment, l'idée d'être une figure importante de la vie mondaine la perturbait. Il convenait de la rassurer.

— Vous devez me dire si votre éducation comporte des lacunes qui vous inquiètent. Nous pourrions y remédier.

Loin de lui l'intention de la pousser en avant et de l'abandonner à son triste sort.

— Des lacunes ? fit-elle, d'un air si indigné qu'il n'était pas possible de s'y tromper.

— Ne montez pas tout de suite sur vos grands chevaux ! répliqua-t-il, agacé de la voir s'énerver quand il faisait son possible pour l'aider. Si vous ne savez pas danser, il faut bien que je le sache, afin que je puisse engager un maître de danse. Si vous ne savez pas monter, il ne servira à rien que je vous achète un cheval, je vous offrirai plutôt un landaulet et j'engagerai quelques laquais pour aller avec.

Les joues de nouveau rouges, Héloïse secoua la tête et se fit aussi humble qu'elle pouvait pour répondre :

— Je vous demande pardon, Milord.

Si elle voulait être honnête, elle devait admettre qu'il s'acquittait du mieux qu'il pouvait d'un emploi qui lui répugnait, celui d'époux. Il était prêt à embaucher du personnel supplémentaire pour l'aider, elle, à remplir aussi bien que possible un rôle qui la dépassait, il s'en rendait très bien compte. Tout ce qu'il demandait, c'était de ne pas avoir à s'impliquer personnellement.

— J'ai appris à danser, fit-elle d'un ton sec. Evidemment, vous ne m'avez jamais vue faire montre de mes talents lorsque nous allions au bal à Paris, parce que personne ne m'invitait jamais. Vous, bien sûr, vous ne pouviez pas, parce que je jouais le rôle de chaperon, alors cela n'aurait pas été convenable. En ce qui concerne le cheval, il est vrai que je ne sais pas monter.

— Aimeriez-vous apprendre ?

— Voulez-vous que j'apprenne ?

— Je ne m'opposerai jamais à ce que vous pratiquiez des activités vous procurant un plaisir légitime, Héloïse.

Il se désolait de la tournure qu'avait prise l'entretien. Il aurait tant voulu avoir une conversation aimable ! Certes, il ne gagnerait pas la confiance de sa femme en une seule nuit. A la façon dont elle venait de lui rappeler comment il la négligeait du temps qu'il courtisait Félicie, il se rendait compte qu'elle avait accumulé les vexations et qu'il faudrait du temps pour les lui faire oublier. Pour ce soir, mieux valait sans doute en rester là. Il se leva.

— Madame, je vous souhaite une bonne nuit.

Il lui donna un chaste baiser sur le front et fit une retraite rapide afin de ne pas envenimer davantage la situation. Elle avait peut-être déclaré ne plus le haïr, mais elle avait recommencé à lui donner du « Milord », ce qui n'était pas bon signe.

Tout ce qu'il pouvait faire, c'était se tenir à distance, et pendant assez longtemps, pour bien montrer qu'il n'était pas un tyran. En même temps, il ne cesserait de veiller sur elle, serait là chaque fois qu'elle aurait besoin de lui.

Ainsi l'apprivoiserait-il peu à peu, ainsi apprendrait-elle à lui faire confiance.

Du moins l'espérait-il…

Londres ne ressemblait pas du tout à Paris. La voiture passait par des rues et traversait des places nettes et très propres, qui donnaient à la ville un air de grande prospérité. Londres, vraiment, était une grande et riche capitale.

Puis Héloïse plissa le front et s'avisa que son mari habitait sans doute dans le meilleur quartier — comment pourrait-il en être autrement — mais qu'il y avait certainement des zones beaucoup plus déshéritées où elle ne mettrait jamais les pieds puisqu'elle était une comtesse, l'épouse d'un des hommes les plus riches d'Angleterre.

La voiture s'arrêta devant Walton House, une demeure d'impressionnantes dimensions, à la façade percée de nombreuses fenêtres et d'une entrée dont le portique était soutenu par deux colonnes de style corinthien. Un laquais en livrée bleu à galons argentés accourut pour ouvrir la portière. Charles descendit le premier, tendit la main à Héloïse. Puis elle entra dans sa nouvelle maison, au bras de son mari.

S'efforçant d'ignorer les regards curieux des serviteurs rassemblés pour accueillir leur nouvelle maîtresse, elle fureta autour d'elle et s'étonna des dimensions imposantes du vestibule, au bout duquel un escalier à double volée montait vers une galerie, d'où d'autres escaliers partaient vers deux autres étages. Ce vestibule prenait la lumière par une vaste coupole de verre coloré qui lui donnait des airs de cathédrale.

Le vestibule de Walton House rappelait à Héloïse certains des meilleurs hôtels parisiens et elle jugeait étonnant, presque choquant, que cette demeure fût encore à l'usage d'un seul homme. A Paris, lui semblait-il, une maison telle que celle-ci aurait été partagée par son propriétaire, noble désargenté qui y aurait aménagé plusieurs appartements à l'usage des touristes, se réservant l'étage supérieur, le plus convenable. Mais la France venait de connaître dix ans de Révolution, épreuve qui avait été épargnée à l'Angleterre...

Un serviteur de rang supérieur, probablement le majordome, s'approcha de Charles et s'inclina devant lui.

— Je vous prie de me pardonner, Milord, mais le capitaine Fawley sollicite l'honneur d'être présenté à Mme la comtesse.

— Il sollicite, vraiment ? fit Charles en donnant ses gants et son chapeau. Comment est le capitaine, aujourd'hui ?

— Agité, Milord, répondit le majordome au visage impassible.

— Milady, dit alors Charles en prenant Héloïse par le coude, puis-je avoir un mot en privé avec vous, je vous prie ?

Il l'entraîna vers un petit salon et ferma la porte derrière eux pour assurer une parfaite intimité.

— Il me faut vous demander une faveur. J'entendais vous soustraire aux humeurs du capitaine Fawley, mais... à l'occasion de votre arrivée ici, j'aimerais vous avoir avec moi. Approuvez seulement tout ce que je dirai. Puis-je compter sur vous ?

— Ce capitaine Fawley... c'est l'homme que vous ne vouliez pas me présenter, n'est-ce pas ? Il vit chez vous et...

— Je n'ai pas le temps de rentrer dans les détails, mais voici l'essentiel de ce que vous devez savoir : le capitaine Fawley est mon frère et il me hait. Il me hait parce qu'il est revenu de la guerre gravement blessé et qu'il est invalide, ce qui l'oblige à dépendre de moi. Je crains qu'il ne prenne prétexte de votre arrivée pour vouloir s'en aller, mais il ne faut absolument pas le lui permettre.

Charles prit Héloïse par les épaules et darda sur elle un regard intense, qu'elle ne lui avait jamais vu. Il martela ces mots :

— Le capitaine doit rester à Walton House !

— Il va sans dire que je ferai tout mon possible pour qu'il ne s'en aille pas, dit Héloïse, déconcertée.

Cette scène lui semblait étrange ; elle ne la comprenait pas. Quelle était la nature du conflit qui opposait les deux frères ? Avait-il un quelconque rapport avec les demi-confidences faites par Charles concernant la faculté qu'il avait de couper les ponts avec sa famille quand cela s'avérait nécessaire ? Celui-ci expliquait :

— Robert — le capitaine Fawley — occupe une suite à l'arrière de la maison, au rez-de-chaussée, et ce pour une raison évidente : amputé d'une jambe en Espagne, il est incapable de monter ou de descendre des escaliers. En outre, je pensais qu'en l'installant dans ces pièces un peu à l'écart, avec une entrée particulière, il pourrait aller et venir à sa guise, qu'il se sentirait libre de ses mouvements.

Charles rouvrit la porte et invita Héloïse à sortir du petit salon. Ils traversèrent le vestibule, prirent des corridors et parvinrent à une porte à laquelle Charles frappa. Au grand étonnement d'Héloïse, il n'entra pas, mais attendit qu'on ouvrît pour lui. Apparut un serviteur corpulent, vêtu d'une redingote militaire et d'une culotte de cheval.

— Ah, Linney ! lui dit Charles. Je crois savoir que le capitaine Fawley désire rencontrer ma femme.

— C'est exact, Milord, répondit l'homme, qui semblait tout aussi flegmatique que le comte.

Il fallut à Héloïse un petit moment pour s'accoutumer à la relative obscurité où on la fit pénétrer. Eclairée seulement par le grand feu qui brûlait dans la cheminée, cette pièce était le domaine d'un homme qui se moquait de ce qu'on pouvait penser de lui. Elle fronça le nez, car des odeurs désagréables de sueur fermentée et de linge négligé l'assaillaient. Il régnait là, plus qu'un grand désordre, un immense sentiment d'abandon. Attristée, Héloïse grimaça et hocha la tête.

C'est alors qu'elle aperçut la silhouette allongée sur un sofa désarticulé, placé à côté de la cheminée. Son cœur s'arrêta de battre. L'homme qui la regardait avec des yeux perçants, hostiles, ressemblait tant à son frère Gaspard qu'elle laissa échapper un cri angoissé et joyeux à la fois, avant de courir vers lui, les mains en avant. Se penchant sur lui, elle lui mit un baiser sur chaque joue, avant de s'asseoir à côté de lui ; et, le voyant s'agiter, elle s'écria :

— Mon Dieu ! Je n'aurais pas dû faire cela. Je vous ai mis dans l'embarras, je m'en rends compte. Mais il se trouve que vous ressemblez tellement à mon pauvre frère, que je n'ai pas pu m'empêcher…

Ses yeux s'emplirent de larmes. D'une voix brisée par l'émotion, elle ajouta :

— Mon frère, je ne le reverrai plus jamais. Mais puisque mon mari a un frère, j'ai un frère aussi, n'est-ce pas ?

Bouleversée, elle ouvrit son réticule pour y chercher un mouchoir. Tandis qu'elle se mouchait, elle suivit des yeux Charles qui la rejoignait.

— Vous ne m'avez pas embarrassé autant que je vais le faire, dit le capitaine Fawley d'une voix grinçante. Linney, mon brave, seriez-vous assez aimable pour ouvrir les rideaux ?

Le serviteur se hâta d'obtempérer. Les rayons du soleil

envahirent la pièce, jetant une lumière cruelle sur les brûlures qui défiguraient le capitaine ; ses longs cheveux mal peignés cachaient mal des cicatrices atroces sur le cou et le crâne. Vide, la manche gauche de sa redingote militaire, fort élimée, pendait lamentablement. Il avait également perdu sa jambe gauche.

Perplexe, Héloïse demanda :

— En quoi le fait d'ouvrir les rideaux devrait-il m'embarrasser ?

Le capitaine Fawley eut un rire amer.

— Vous venez d'embrasser un infirme ! Vous ne vous sentez pas malade ? La plupart des jolies femmes se crispent quand elles me voient, elles refusent de donner des baisers à ceci.

Avec une sorte de fierté morbide, il montrait la moitié de son visage, dégradée par les brûlures.

Mais le visage d'Héloïse s'éclaira, car de son discours ce n'était pas ce qu'elle avait retenu.

— Vous me trouvez donc jolie ? Alors, je vous aimerai encore plus !

Eberlué, le capitaine l'était, mais certainement moins que Charles, qui découvrait son épouse sous un nouveau jour : ses traits illuminés par une joie presque enfantine, Héloïse semblait en effet très jolie. Il ne pensait pas s'être fait cette remarque une seule fois auparavant. Certes, elle ne pouvait se prévaloir des séductions si insolentes de sa jeune sœur, mais elle était loin d'être la créature sans charme qu'il ne voulait même pas voir du temps qu'il faisait la cour à Félicie. « Captivante », avait dit d'elle Conningsby. Captivante, oui, elle l'était. Elle le serait encore plus quand elle serait convenablement vêtue. Charles pensait à certaine couturière de Bond Street dont les confections iraient à ravir à la jeune femme.

— Vous ne parlez pas sérieusement ! grommela le capitaine Fawley.

Après quelques minutes seulement, l'entretien l'agaçait au plus haut point. Sous peu il sortirait de ses gonds et exigerait qu'on reconduisît Héloïse dans ses appartements en clamant qu'il ne voulait plus jamais la revoir.

— Mais si, je parle sérieusement ! rétorqua la jeune femme sans se démonter.

Elle dénoua les rubans de son chapeau informe pour l'enlever et le poser sur ses genoux. Charles éprouva la tentation de le lui arracher des mains pour aller le jeter dans la Tamise avant de le remplacer par une jolie chose en velours cramoisi, avec une bordure en duvet de cygne.

— Vous ne pouvez pas m'aimer ! s'indignait le capitaine. Je ne suis plus qu'une moitié d'homme !

Héloïse pencha la tête pour l'examiner, et Charles pensa, une fois de plus, qu'elle ressemblait ainsi à un moineau effronté. Elle le regarda de la tête au pied droit et s'arrêta, sans sourciller, aux brûlures qui avaient mangé la moitié gauche du visage.

— Bah, vous n'avez perdu qu'un morceau de jambe et un petit bout de bras ; c'est-à-dire qu'il ne vous manque qu'un dixième de votre personne, pas plus. Songez que beaucoup d'hommes n'ont pas la chance de rentrer chez eux après une guerre. C'est le cas de Gaspard, mon frère. Vous savez, j'aurais tant aimé le voir revenir… Je lui aurais sauté au cou pour l'embrasser, ne lui serait-il resté que le tronc.

Toujours pas convaincu, le capitaine haussa les épaules.

— Vous dites n'importe quoi, je ne sais pas pourquoi. Vous avez sûrement envie que je quitte cette maison au plus vite.

Il se tourna vers Charles pour ajouter, en roulant des yeux terribles :

— Dès que vous aurez mis un héritier en route, vous n'aurez plus aucune excuse pour me retenir ici.

Charles ouvrit la bouche pour répondre. Héloïse lui ravit la parole.

— Est-ce parce que je suis française ? s'enquit-elle avec hauteur.

— Que dites-vous ?

— Je dis que vous ne voulez pas de mon amitié parce que je suis française. Vos blessures et vos infirmités ne sont qu'un prétexte. Vous ne voulez pas de moi pour sœur.

Ainsi confronté à une femme outragée, le capitaine Fawley ne pouvait plus que battre en retraite, en marmonnant des excuses.

— Ce n'est pas votre faute si vous êtes française. Vous n'y pouvez rien. J'ose même ajouter que ce n'est certainement pas votre faute si vous êtes la femme de mon demi-frère. Vous n'avez pas pu lui résister, n'est-ce pas ? Il sait se montrer très brutal pour obtenir ce qu'il désire.

Le visage d'Héloïse s'éclaira de nouveau.

— Alors, vous allez pouvoir m'aider ! Vous savez ce que dit Charles ? Qu'il n'est pas convenable pour un mari et une femme d'être accrochés l'un à l'autre sans arrêt. A Paris, il n'a pas arrêté de me parler de la Saison à Londres, des bals masqués, des pique-niques, des feux d'artifice, disant qu'il ne m'y emmènerait pas, même si je n'étais pas sa femme, parce que c'est très frivole selon lui, et même de très mauvais goût. Moi, j'ai envie de voir tout cela, vous comprenez ? Il a dit que je le pourrais, à condition de trouver une compagnie convenable. Or je vous le demande, quelle compagnie serait plus convenable que celle de mon frère ? Il a dit aussi que je dois apprendre à monter à cheval…

— Je ne peux pas vous apprendre à monter ! Vous n'avez pas vu ? Je n'ai qu'une jambe !

Héloïse regarda la jambe gauche d'un air pensif.

— Il ne vous en manque qu'un petit bout. La cuisse, vous l'avez toujours, et c'est ce qui est le plus important pour monter, n'est-ce pas ? Je n'y connais pas grand-chose, mais je crois savoir que les messieurs serrent les cuisses sur l'échine de leur monture. Alors que moi, il faudra que j'apprenne à monter en amazone, et j'aime autant vous dire que cela ne m'amuse pas du tout. Imaginer que je devrai me cramponner aux rênes et essayer de garder mon équilibre pendant que la bête fera des bonds…

— Vous êtes avantagée par rapport à moi, fit remarquer le capitaine avec un petit air de triomphe. Vous avez vos deux mains, alors que je n'en ai plus qu'une.

— Ne me dites pas que vous avez peur de tomber ! fit Héloïse d'un ton moqueur.

Charles prit soudain conscience qu'il retenait sa respiration depuis un moment.

— Un brave soldat comme vous ? disait Héloïse. Vous êtes plein de… plein de… Enfin ! Il ne serait pas poli de mentionner de quoi vous êtes plein.

Le capitaine Fawley se tourna vers son demi-frère pour quêter son soutien.

— Dites-lui, Charles. Dites-lui que je ne peux pas…

D'un mouvement assez sec de la main, Charles lui coupa la parole.

— Vous feriez mieux d'accepter, Robert ; ça vaudrait mieux pour vous comme pour moi. Une fois qu'Héloïse est lancée… Vos arguments ne pourront rien contre sa logique. Vous savez bien que nous autres, pauvres hommes, ne pouvons rien contre la logique féminine.

Robert Fawley était encore plus avachi dans les coussins du sofa, échevelé, l'air effaré, comme s'il avait été abattu par quelque tornade. Héloïse l'observait toujours, la tête penchée, avec espoir. Soudain, l'infirme éclata de rire.

— Je comprends, maintenant, pourquoi vous l'avez épousée, Walton.

— Vous avez compris, en effet. Elle ne m'a pas laissé le choix.

Le capitaine Fawley se renfrogna.

— Très bien, Madame. Comme il vous plaira. Je vous accompagnerai quand vous commencerez vos leçons d'équitation ; mais puisqu'il faut s'attendre à ce que nous tombions l'un et l'autre avec une désolante régularité, je suggère que nous nous exercions très tôt le matin, quand personne ne pourra nous voir.

Héloïse battit des mains. Ses yeux riaient.

En la voyant ainsi, Charles sentit la détresse lui tordre les entrailles. Rien de ce qu'il avait pu dire à Héloïse, ou faire avec elle, n'avait causé un tel plaisir à la jeune fille. C'est pourquoi il prit un air assez désagréable pour déclarer :

— Je pense que vous désirez voir vos appartements, Madame, et vous rafraîchir aussi un peu, sans doute ?

Héloïse fit une grimace à Robert et lui dit :

— Voulez-vous que je vous traduise ses propos ? « Vous faites pitié à voir et je dois de toute urgence vous chapitrer sur vos affreuses manières. »

— Je m'inscris en faux, Madame ! protesta le capitaine, le regard tourné vers Charles qui faisait grise mine. Vos manières sont exquises, et des plus rafraîchissantes.

Héloïse partit d'un bel éclat de rire qui se prolongea

le temps de quitter les quartiers du capitaine Fawley et ne cessa que lorsque la porte se fut refermée. Alors elle tourna vers son mari un regard empreint d'anxiété.

Charles ne parla pas tant qu'ils n'eurent pas atteint les appartements qu'il avait fait préparer pour sa femme. Celle-ci, en les découvrant, poussa maintes exclamations de surprise et d'émerveillement. Elle disposait d'un salon, au plancher couvert d'un magnifique tapis d'Aubusson bleu pâle, sur lequel étaient disposés divers sofas et fauteuils. Sa chambre témoignait du même luxe raffiné. En souriant, Héloïse s'imagina au lever, posant ses pieds nus sur le tapis profond ; il serait tellement plus agréable que le plancher dur et froid auquel elle avait dû s'accoutumer dans la chambre qu'elle partageait avec sa sœur ! Les fenêtres n'avaient pas de volets, simplement d'épais rideaux en velours bleu nuit, tenus ouverts par des embrasses argentées.

— J'espère que ces aménagements vous agréent, lui dit Charles. Dans le cas contraire, vous n'aurez qu'à me le dire et je ferai changer tout ce qu'il vous plaira.

Héloïse leva les mains, fit une mine, haussa les épaules. Elle ne savait que dire ; mais, voyant que Charles attendait sa réponse, elle finit par soupirer :

— Comment pourrais-je ne pas aimer cela ?

C'était sans doute ce qu'il fallait dire, car Charles parut aussitôt plus détendu, comme s'il était soulagé. Il traversa, d'un pas vif, le salon, pour aller tirer le cordon.

— Je demande qu'on nous serve des rafraîchissements ici. Soyez sûre, une fois de plus, que je n'envahirai pas votre intimité. Ceci est votre domaine, vous en disposerez à votre guise comme Robert dispose du sien. Je n'y entrerai qu'une fois par jour, pour vous souhaiter une bonne nuit, à moins que vous ne m'y invitiez autrement.

Ainsi le personnel croirait-il que les maîtres composaient

un couple normal, pensa Héloïse, alors que deux soubrettes entraient pour servir le thé. Peut-être devrait-elle éprouver de la reconnaissance pour son mari, qui tenait à donner le change ? Au moins était-elle assurée de le voir un instant le soir… Sinon, la maison était si grande qu'ils ne risquaient guère de se rencontrer au détour d'un couloir.

Quand les servantes se furent retirées, Charles déclara :

— Héloïse, je vois que vous brûlez de me poser mille questions. J'ai un peu de temps à vous consacrer avant d'aller vaquer à des affaires qui m'attendent, faites donc.

Il n'était pas question de contester les dispositions déjà prises pour l'organisation de leur vie quotidienne car elle avait promis de se montrer très accommodante à ce sujet, mais rien ne l'empêchait de l'interroger au sujet du différend qui opposait les frères Fawley.

— Pourquoi votre frère vous accuse-t-il de l'emprisonner ici ? Cela a-t-il quelque chose à voir avec la querelle survenue dans votre famille dont vous m'avez parlé un jour ?

— Il n'est pas nécessaire que vous vous fassiez servir de thé si vous n'aimez pas cela, répondit Charles comme elle grimaçait après avoir bu une gorgée. La cuisine pourra vous procurer tout ce dont vous aurez envie.

— Vous ne voulez pas me répondre ? Est-ce pour cette raison que vous changez de sujet, que vous me parlez de thé et d'autres fariboles ? Si vous ne souhaitez pas que je m'immisce dans vos secrets de famille, vous n'avez qu'à me le dire une bonne fois pour toutes, et je ne vous poserai plus aucune question, jamais.

— Il ne s'agit pas de cela ! dit Charles, l'air buté.

En fait, c'était un point dont il avait toujours beaucoup de mal à discuter. Il voulait bien renseigner Héloïse, mais elle devrait se contenter d'un résumé. Ayant toussoté, il déclara :

— La mère de Robert fut la seconde épouse de mon père. Quand celui-ci mourut, mes tuteurs voulurent me protéger de ma belle-mère et c'est dans ce but qu'ils la renvoyèrent dans sa famille, avec une modeste rente, en la menaçant de lui couper les vivres si elle essayait de me revoir.

— Pourquoi ? s'étonna Héloïse. Etait-ce une femme scandaleuse ? Une actrice peut-être, à la morale un peu trop élastique ?

Charles eut un sourire désabusé.

— Pire que cela aux yeux de mes tuteurs, gens fort bornés ; vous allez en juger. Elle était la fille d'un médecin. Abominable, n'est-ce pas ?

Héloïse abasourdie ne pipa mot.

— Cette femme issue des classes moyennes pouvait — toujours selon mes tuteurs — avoir une mauvaise influence sur moi et me donner à mépriser le monde supérieur auquel j'appartiens. Ils ne cessaient de me rappeler que ma « vraie » mère était la petite-fille du duc de Bray et que je devais être fier de mon lignage. Ils se relayaient pour me répéter cette leçon, jusqu'à l'obsession.

Héloïse secoua la tête. Quel malheureux petit garçon avait dû être Charles… Le pire était encore à venir.

— Je ne savais même pas que j'avais un frère. Mais, l'autorité venant avec l'âge, je décidai de ne plus m'en remettre à mes tuteurs et commençai à compulser les papiers de famille, avec l'aide de mes avocats. Je découvris ainsi que mon frère Robert était né quelque cinq mois après la mort de mon père. Au lieu de le faire élever avec moi et de lui donner la place qui lui revenait dans l'ordre de succession, mes tuteurs avaient jugé plus convenable de l'ostraciser et de le confier à la famille de sa mère. Ayant appris le sort injuste qui lui était fait, il en vint à haïr les

Walton. A seize ans, il refusait la maigre pension qui lui était accordée, disant qu'il préférait vivre dignement et couper tous les ponts avec ma famille. Mes tuteurs lui avaient alors acheté un brevet d'officier, en espérant qu'il se ferait tuer promptement sur quelque champ de bataille. C'est peu de temps après son départ d'Angleterre que j'appris son existence. Je ne pouvais plus le joindre, ne sachant même pas où il se trouvait. D'ailleurs, comment m'eût-il reçu ? Mes tuteurs s'étaient fait un plaisir de m'apprendre qu'il ne voulait rien de moi et qu'il me haïssait.

— C'est affreux, murmura Héloïse, les yeux agrandis par l'horreur. Qu'avez-vous fait ?

Le regard de Charles devint dur, et c'est d'une voix métallique qu'il repartit :

— J'agis comme on m'avait appris à le faire : sans trahir la moindre émotion.

— Qu'advint-il de la mère de Robert ?

— Elle n'avait pas survécu à la naissance de son fils. D'après les renseignements recueillis par Robert, elle avait eu le cœur brisé par le traitement infamant qui lui était infligé juste après la mort de son mari.

Comment s'étonner de la froideur et de la dureté de Charles ? La seule personne qui eût pu lui apprendre à exprimer ses émotions avait été chassée de sa vie sans aucun ménagement. Ses tuteurs, d'une indifférence qui confinait à la cruauté, ne lui avaient appris qu'à s'isoler de ses semblables, pour s'en protéger. Ils lui avaient inculqué cette notion désolante qu'il ne pouvait et ne devait compter sur personne et que, pire encore, il avait le devoir de mépriser tous ceux qui l'entouraient, parce qu'il était différent, parce qu'il était supérieur.

Voilà pourquoi il avait su chasser de sa vie, avec tant de

facilité, la fiancée infidèle. La trahison de la jeune fille n'était rien comparée à tout ce qu'il avait déjà expérimenté.

Pourtant, en dépit de la froideur qui était devenue sa règle de vie, il n'avait jamais cessé de chercher son frère inconnu qui, de son côté, repoussait ses avances avec une haine qui semblait ne jamais devoir s'éteindre.

— Oh, Charles ! s'écria Héloïse, au comble de l'émotion.

Elle aurait voulu le prendre dans ses bras pour le consoler, lui dire qu'il n'était plus seul désormais, qu'elle était là.

Elle ouvrit les bras mais se revisa ; elle esquissait un geste inutile. Elle ne pouvait en aucune manière réconforter un mari qui ne faisait que la tolérer dans sa vie. En outre, n'avait-il pas déjà, plusieurs fois, publié le mépris qu'il ressentait pour ceux qui étalaient leurs émotions ?

— Je suis désolée, soupira-t-elle, en ravalant les larmes qui lui piquaient les yeux.

Résignée, elle croisa les mains et baissa la tête. Charles lui avait fait ces quelques confidences pour qu'elle comprît bien la situation, non pour se faire plaindre.

C'est ce qu'il montra encore mieux en se détournant d'elle pour s'éloigner, sans dire un mot.

Dans la solitude de sa chambre, Charles méditait. De quelle autre preuve aurait-il besoin pour s'assurer qu'Héloïse le jugeait plus répugnant que Mauriac ? Même si son cœur avait été ému par l'histoire qu'il lui avait racontée, elle n'avait pas eu de geste plus tendre que de lui effleurer la manche ; autant dire rien. Robert, en revanche, avait eu droit à des attentions touchantes. Elle avait réussi à lui donner des baisers ; deux ; un sur chaque joue.

6

Le lendemain matin, Charles accompagnait Héloïse dans la boutique de Mme Pichot.

— Je vous amène ma femme pour que vous l'habilliez, déclara-t-il aussitôt le seuil franchi. Elle a besoin de tout.

Les yeux de la couturière s'allumèrent de plaisir.

— Robes de promenade, robes de jour, robes de bal, robes du soir ? Robe de cour, aussi, peut-être ?

— Cela va sans dire, fit Charles.

Quand Héloïse aurait appris à marcher de façon élégante avec une robe à crinoline, il trouverait quelqu'un pour la présenter à la reine Caroline — ce qui serait beaucoup plus facile que de la faire inscrire chez Almacks ; en effet, si la jeune femme déplaisait à l'une des six patronnes de ce club très exclusif, ou si celles-ci décidaient qu'elle n'avait pas les qualités requises pour y entrer, elle en serait rejetée et jamais ne ferait vraiment partie de la haute société londonienne.

Il n'échappa nullement à l'œil sagace de la couturière qu'Héloïse portait un manteau usé et un chapeau ruiné.

— Je pourrais faire livrer quelques articles dès cet après-midi, offrit-elle, ou alors demain matin. Ainsi Milady pourrait se trouver déjà mieux en attendant de recevoir sa nouvelle garde-robe.

Le comte hocha la tête en signe d'acquiescement ; avec des robes convenables, Héloïse s'installerait plus facilement dans son rôle de comtesse qu'avec ses vêtements trahissant la fille de bureaucrate français.

— A l'avenir, dit-il, vous vous présenterez à Walton House chaque fois que ma femme aura besoin de vos services.

— Certainement, Milord, répondit la couturière ; cela va de soi.

Elle semblait étonnée qu'on fût obligé de lui faire semblable recommandation. Une dame de haut rang ne se rendait pas chez sa couturière, elle la convoquait chaque fois qu'elle avait besoin d'elle, les essayages et les tractations se passant dans l'intimité de la maison, non dans la boutique où pouvaient toujours entrer d'indiscrètes personnes.

— Ma femme portera des couleurs pastel, reprit Charles en feuilletant un album d'échantillons ; rose et bleu lavande. Tenez, ce satin couleur de primevère lui irait à ravir.

La couturière se permit un avis contradictoire.

— Mme la comtesse a des cheveux et des yeux sombres. Elle pourrait arborer des couleurs beaucoup plus audacieuses. Tenez, cet écarlate, par exemple.

— Je ne veux pas que ma femme ressemble à une demi-mondaine, repartit Charles très froidement.

La couturière, contrite, se le tint pour dit. Elle baissa les yeux et manipula quelques coupons pour se donner une contenance.

Héloïse allait dire qu'elle se sentait très capable de choisir elle-même le tissu de ses robes quand lui revint à la mémoire cet avertissement de sa mère : Charles voudrait la voir jouer le rôle dans lequel elle s'était présentée, c'est-à-dire celui d'une femme obéissante. Qu'il n'eût pas confiance dans son goût était sans doute un peu outrageant, mais après tout — et Mme Bergeron avait insisté sur ce point — n'était-ce pas lui qui paierait les factures ? Alors, Héloïse se tut et, consciente qu'elle se comportait comme une petite fille choisissant des robes pour ses poupées, elle s'absorba dans la contemplation de toilettes que des clientes avaient oubliées ou négligé de prendre. Pendant ce temps, Charles et la couturière discutèrent des robes à sélectionner et de celles qui, décidément, ne conviendraient pas.

Cela fait, il fallut aller chez une modiste, puis chez un bottier, où Héloïse se fit mesurer les pieds pour la première fois de sa vie.

— Vous devez être bien fatiguée, dit Charles en sortant de cette dernière boutique.

Il avait fait de son mieux pour gâter sa femme. Elle avait accueilli ses efforts avec une superbe indifférence.

Félicie aurait exulté de voir qu'il dépensait tant d'argent, en si peu de temps, pour lui confectionner une magnifique garde-robe ; elle se serait passionnée pour ces achats, donnant son avis sur tout, posant des questions. Héloïse, au contraire, y avait prêté autant d'attention qu'à lui, c'était tout dire. Il lui fallait donc accepter cette nouvelle déception et se faire une raison : il ne la conquerrait pas en la couvrant de cadeaux, alors que tant d'autres femmes se laisseraient subjuguer pour bien moins que cela.

— D'autres affaires m'attendent, qui m'occuperont pendant le reste de la journée, lui dit-il ; mais je serai rentré pour le dîner. Acceptez-vous de dîner avec moi ?

Héloïse cilla, surprise. Charles avait déjà passé plusieurs heures avec elle aujourd'hui. Elle avait pensé qu'il aurait prévu, pour la soirée, quelque divertissement secret. Et voilà qu'il lui demandait si elle voulait dîner avec lui ! Cachant difficilement sa joie, elle prenait une longue inspiration pour donner une réponse pleine de retenue quand Charles lui posa cette question subsidiaire :

— A moins, bien sûr, que vous ne préfériez rester dans vos appartements ?

Etait-ce une manière subtile de lui faire comprendre que c'était ce qu'il désirait ? Espérait-il qu'elle saisirait la balle au bond ?

Elle n'avait pas envie de prendre tous ses repas, seule dans sa chambre, comme une méchante fille qu'on punit !

— Je dînerai avec vous, dit-elle avec un petit air pincé.

« On dirait qu'elle monte à l'échafaud », pensa Charles, heurté par la froideur qu'elle montrait, une fois de plus, pour accepter son aimable proposition.

— Alors, à ce soir.

Il s'inclina et s'en alla à grands pas.

La soirée fut maussade. Charles posa quelques questions polies sur la façon dont elle avait passé le reste de la journée, tandis qu'ils sirotaient une liqueur dans un salon si impeccablement arrangé qu'il en devenait oppressant. Charles parut soulagé quand le majordome vint annoncer que le dîner était servi et Héloïse ne tarda pas à comprendre pourquoi : c'est que dès lors ils ne seraient plus seuls, car une nuée de serviteurs s'affaireraient autour d'eux pour les servir, apportant les plats, enlevant les assiettes, servant le vin. Il n'y avait plus d'intimité possible, et donc plus de conversation non plus.

Le cœur d'Héloïse battit plus fort quand Charles se

pencha vers elle pour lui souffler quelques mots à l'oreille. Hélas, ce n'était que pour lui dire :

— L'usage veut que les dames quittent la salle à manger maintenant. Je vous rejoindrai dans le salon quand j'aurai bu un doigt de porto.

Humiliée de s'entendre énoncer une nouvelle règle du savoir-vivre anglais, si compliqué, Héloïse suivit un valet jusqu'à une vaste pièce si froide qu'elle attrapa la chair de poule dès qu'elle en eut franchi le seuil. Elle se recroquevilla devant la cheminée pendant un temps qui lui parut aussi long que l'éternité, puis Charles vint enfin la rejoindre.

— Vous plairait-il de jouer aux cartes ? proposa-t-il. Certaines personnes aiment ce divertissement. Cela fait bien passer le temps en attendant le service du thé.

Il ne pouvait pas mieux signifier qu'il n'avait pas du tout envie de perdre son temps à ces futilités.

— J'aime les cartes aussi peu que le thé, répondit-elle avec humeur. Pour moi le thé n'est que de la tisane, un liquide insipide à prendre quand on est malade seulement.

Charles se rembrunit et répondit sèchement :

— La plupart des maris passent la soirée à leur club. Ils y trouvent leurs amis, ainsi que des divertissements qui leur sont interdits chez eux. Ainsi n'obligent-ils pas leurs épouses à supporter leur encombrante présence.

Il n'en fallut pas davantage pour décider Héloïse à monter dans sa chambre. Dans l'escalier, elle se jura de ne plus remettre les pieds dans cet horrible salon. Si Charles voulait passer la soirée à son club, elle ne l'en empêcherait pas. Elle s'en moquait absolument ! Elle claqua la porte de son boudoir et traversa la pièce, manquant au passage de renverser une des ridicules petites tables disséminées partout et chargées de bibelots non moins ridicules. Elle se laissa tomber sur un sofa.

Examinant toute la pièce, elle s'agaça : trop de meubles, trop de décoration, trop d'objets. Elle haïssait ce fatras. Demain, elle demanderait à un valet d'enlever tout ce bric-à-brac, de faire place nette. Après tout, Charles avait dit qu'elle pouvait aménager ses quartiers à sa guise.

A cette idée son œil s'alluma, un sourire lui vint et elle se redressa. Selon Charles, elle était ici chez elle, elle pouvait y organiser sa vie comme elle l'entendait. Pourquoi ne pas profiter de cette licence ? Elle s'en occuperait dès le lendemain matin, mais elle pouvait faire mieux encore. Certes, elle n'oserait pas demander une vraie table à dessin car elle savait que son mari n'appréciait pas ses œuvres, mais elle pouvait, sous prétexte de réaménagement, faire tirer une table ordinaire près d'une fenêtre afin de profiter au maximum de la lumière du jour.

Elle s'enthousiasma. Dessiner était pour elle plus qu'un passe-temps. Elle pouvait s'immerger pendant des heures dans les mondes de fantaisie qui naissaient sous son crayon. Le dessin avait été une consolation à Paris, quand elle était la désolation de ses parents ; quel réconfort ne lui apporterait-il pas ici, à Londres, où elle était une épouse non désirée et abandonnée à elle-même !

Les doigts lui démangeaient déjà de croquer la pittoresque Mme Pichot. La couturière lui rappelait certaine peinture admirée autrefois au Louvre, représentant une créature étrange aux yeux fixés sur de longs pédoncules.

Elle s'avisa alors qu'il lui faudrait trouver la boutique où elle achèterait papier, crayons, peinture et pinceaux. Elle ne pourrait pas demander l'avis de Charles. Elle ignorait aussi comment elle paierait la facture. Que de problèmes ! Elle verrait plus tard.

La nuit était déjà bien avancée quand Charles vint la saluer, inaugurant la coutume domestique qu'il avait dit vouloir instaurer.

— N'avez-vous besoin de rien ? s'enquit-il poliment.

— Non, je vous remercie, répondit-elle sur le même ton impersonnel et froid, tout en lissant les plis de son couvre-lit.

— Dans ce cas, il ne me reste plus qu'à vous souhaiter une bonne nuit.

Il se pencha sur elle et posa sur son front un baiser rapide et léger.

Héloïse jeta un regard furieux à son mari qui s'en allait déjà, semblait la fuir, et réprima un fort désir de lui jeter ses oreillers à la tête. Pour qui la prenait-il ? Pour une enfant qu'on vient embrasser pour la rassurer et éviter qu'elle ne fît des cauchemars ? Elle ne supporterait pas longtemps ces manières qui la rabaissaient. Pourquoi ne la bordait-il pas et ne lui tapotait-il pas la joue, tant qu'il y était ?

Hélas, la vérité, la triste vérité était que si elle n'était plus une enfant, elle devait se reconnaître aussi inexpérimentée qu'une enfant. Elle ne savait quels artifices employer pour retenir son mari, l'inciter à la regarder comme une femme dans le plein sens du terme, et elle n'avait aucune amie à qui soutirer des conseils avisés. La pire de ses craintes était qu'en essayant de prendre des initiatives malvenues, elle ne parvînt qu'à éloigner son mari davantage, sans espoir de retour cette fois.

Que la vie était compliquée ! Elle soupira longuement en s'enfonçant sous ses couvertures.

*
* *

Plusieurs soirées se passèrent de façon tout aussi insatisfaisante. Puis Héloïse découvrit un défaut dans la cuirasse de son mari.

Alors qu'ils se retrouvaient dans le petit salon pour attendre l'heure du dîner, Charles lui posa quelques questions, comme tous les soirs, sur la façon dont elle avait passé la journée. Elle répondit que plusieurs robes étaient arrivées et qu'elle avait consacré une grande partie de l'après-midi à des essayages.

— Avez-vous également reçu votre tenue de cavalière ?

— Oui, et elle est…

Héloïse se mordit la langue. Cette robe bleu pâle ornée de galons d'argent lui rappelait incontestablement la livrée des serviteurs, et lui prouvait — si toutefois elle en doutait encore ! — qu'elle n'était pour Charles qu'un membre de son personnel, parmi d'autres.

— Elle est très jolie, reprit-elle, sans conviction.

— Si vous êtes toujours décidée à prendre des leçons d'équitation, je pourrais arranger votre première sortie demain matin, avec Robert.

Soudain, Charles se rembrunit. Pendant quelques secondes, il considéra, l'air accablé, son verre de liqueur, avant de reprendre, avec tristesse :

— Pour Noël, je lui ai offert une jument baie, très douce. Jusqu'à présent, il n'a pas même daigné la regarder. Je vous serais très reconnaissant si vous pouviez l'inciter à prendre un peu d'exercice.

— Avec plaisir ! s'exclama Héloïse, flattée de se voir confier cette mission de confiance. Il n'est pas bon que votre frère passe ses journées dans son appartement si sombre. Il finirait par dépérir.

Le rigide cérémonial du dîner n'entama pas, ce soir-là,

la bonne humeur d'Héloïse. Elle avait trouvé, enfin, le moyen de rompre la glace.

Si elle pouvait redonner un peu de joie de vivre au pauvre Robert, son mari concevrait pour elle une immense reconnaissance. Les leçons d'équitation ne seraient qu'un début. Par la suite, elle pourrait demander à Robert de l'accompagner dans les boutiques. Certes, il resterait toujours très ombrageux sur le chapitre de ses cicatrices et de ses blessures, mais il accepterait peut-être de la conduire dans les jardins de Vauxhall pour admirer un feu d'artifice ? A la nuit tombée, les spectateurs ne lui prêteraient pas trop d'attention.

Transportée par ces perspectives, Héloïse reçut, ce soir-là, le baiser de son mari avec bienveillance. Pourtant, il portait son habit de soirée ; c'était donc qu'il se préparait à sortir.

Un jour, se promit-elle en se glissant entre les draps, il consentirait à l'emmener avec lui pour lui faire découvrir la vie nocturne londonienne, dont il semblait vouloir l'exclure à tout jamais. Et si la première sortie avec Robert se passait bien, elle n'aurait peut-être plus très longtemps à attendre.

La porte de sortie claqua, pas une fois, mais deux. Etonné, Charles leva les yeux et oublia pour un moment les cartons d'invitation qu'il était en train de trier.

Alors que la saison avançait, ceux qui manifestaient le désir de rencontrer sa femme étaient de plus en plus nombreux ; mais il n'entendait pas l'exposer aux cyniques, aux malveillants, aux commères qui constituaient l'essentiel de ce qui passait pour la « bonne société » londonienne. En conséquence de quoi, il jeta dans le feu de la cheminée une bonne partie des cartons gravés. Trouverait-il une maison assez indulgente pour accueillir sa vulnérable jeune épouse et lui faire passer une soirée agréable ? La fragile confiance qu'elle avait en lui, dans le cas contraire, s'en trouverait ébranlée.

Il entendit Robert qui clamait :

— Attendez un peu !

Il sortit de son cabinet de travail juste à temps pour voir Héloïse monter l'escalier à toute vitesse, l'arrière de sa robe de cheval couverte de boue. Elle courut pareillement dans le corridor menant à ses appartements, et Charles entendit une autre porte claquer, avec violence.

Le visage écarlate, Robert se tenait au bas de l'escalier, les deux mains posées sur le pilastre.

— Des problèmes ? s'enquit Charles d'un ton enjoué.

Robert se retourna si vivement, en pivotant sur sa jambe de bois, qu'il faillit perdre l'équilibre.

— Eh bien ! Allez-y donc ! maugréa-t-il. Ordonnez-moi de quitter votre maison !

Appuyé d'une épaule au chambranle sur le seuil de son cabinet de travail, les bras croisés, Charles demanda avec un flegme imparable :

— Et pourquoi serais-je tenté de vous chasser, selon vous ?

— Parce que j'ai insulté votre femme ! proclama Robert. J'ai juré comme un charretier, et pas qu'une fois, si vous voulez tout savoir. Vous n'avez pas vu qu'elle pleurait, en montant l'escalier ? Elle a peur de moi.

Le front plissé, Charles s'avança vers son frère.

— Si vous avez insulté ma femme, il vous appartient de lui demander pardon, dit-il avec le plus grand calme. Cette maison est la vôtre aussi bien que la mienne. Je n'essaierai donc pas de vous en chasser.

— Comment voulez-vous que j'aille lui demander pardon ? Vous voulez me voir ramper dans l'escalier ? C'est ça ? rétorqua Robert, furieux.

Charles jeta un coup d'œil sur la jambe de bois que son frère avait fixée à son moignon, pour la première fois, lui semblait-il. Héloïse était étonnante : elle n'habitait ici que depuis quelques jours seulement et grâce à elle, Robert sortait enfin de sa tanière, mettait sa jambe de bois et montait à cheval.

— Vous n'aurez pas à gravir l'escalier. Pour le moment elle est énervée ; donc elle vous hait et ne manquera pas de le proclamer. Il vaut mieux attendre qu'elle se calme un peu, qu'elle réfléchisse à sa responsabilité dans la querelle qui vous a opposés. Joignez-vous donc à nous pour le dîner de ce soir, là, vous aurez tout le temps de vous faire pardonner.

— Dîner ? hurla Robert. La salle à manger est à l'étage ! Alors, monter pour monter, j'aime autant le faire maintenant, pour être débarrassé de cette corvée.

— Ne prenez pas cette peine. Je demanderai que le dîner nous soit servi dans un salon du rez-de-chaussée.

Le cœur battant, Charles attendit une nouvelle protestation de son frère, l'accusation cent fois entendue qu'il était responsable de la mort de sa mère, le serment mille fois prononcé de ne jamais s'asseoir à sa table. Or Robert ne dit rien. Il eut simplement un regard noir et indécis à la fois, il haussa les épaules, puis s'en alla vers ses appartements, en grommelant. Une fois encore, une porte claqua.

A l'étage, Héloïse se mouchait bruyamment. Sa première leçon d'équitation avait été un fiasco, mais ce n'était pas la principale raison de son chagrin. Ce qui la désolait surtout, c'était de n'avoir pu gagner la confiance de Robert. Charles serait si déçu.

On frappa soudain à sa porte. Ennuyée d'avoir les yeux encore pleins de larmes, elle ne répondit pas.

— Puis-je entrer ?

Sans attendre de réponse, Charles avait ouvert la porte, mais il n'alla pas plus loin que le seuil. Il demanda :

— La faute à qui ? Au cheval ou à mon frère ?

Il s'avança de quelques pas. Derrière lui venait un serviteur portant un plateau, et dessus une bouteille du meilleur brandy de la maison.

— J'ai pensé que vous auriez besoin d'un remontant, dit-il tandis que le serviteur posait le plateau sur une petite table près du sofa où Héloïse gisait, effondrée. Connaissant votre aversion pour le thé, je vous apporte un breuvage beaucoup plus à votre convenance, et bien plus revigorant.

— Vous êtes… très… gentil, dit Héloïse en hoquetant.

Charles se baissa pour ramasser le chapeau gisant sur le plancher, là où Héloïse l'avait jeté furieusement, quelques minutes plus tôt. Il tenta d'en redresser la plume brisée.

— Pourquoi votre chapeau est-il par terre ? Votre camériste ne vous a pas aidée ?

— Je ne l'ai pas appelée ! bougonna Héloïse. Je ne veux pas la voir.

Ayant déjà gravement déçu son mari, elle ne risquait plus rien à se montrer très désagréable avec lui, en lui signifiant que les règles de l'étiquette domestique étaient bien trop contraignantes pour elle.

— Si je veux jeter mon chapeau par terre et… et le piétiner, je ne veux pas qu'une camériste soit là pour me faire des remontrances comme si j'étais une méchante

enfant. Après tout, c'est mon chapeau, et j
je veux !

Au lieu de la réprimander pour cette sortie assez
Charles se contenta de sourire.

— Je vous en achèterai un autre, assura-t-il.

Il tendit le chapeau massacré au serviteur qui s'en allait.

— Je ne veux pas d'autre chapeau ! lança Héloïse, irritée par la magnanimité dont faisait preuve son mari. En plus, je ne monterai plus jamais sur un cheval. Je vous le jure !

— Il me semble vous avoir entendue vous moquer des gens qui n'aiment pas tomber de cheval. Vous avez même dit…

— Je me rappelle très bien ce que j'ai dit. Si le cheval avait trotté, ou marché, l'incident ne serait pas si humiliant pour moi ; mais la sale bête était parfaitement immobile quand je suis tombée. Si je ne suis pas capable de tenir assise sur un cheval à l'arrêt, en outre tenu à la bride par un palefrenier, je n'ose même pas imaginer ce qui se passerait s'il fallait bouger !

Charles se demanda soudain si les larmes de la jeune femme, fort abondantes, n'avaient pas une raison plus grave que sa fierté offensée.

— Etes-vous blessée ? Dois-je faire appeler un médecin ?

Et voilà ! songea Héloïse. *Il vient aux nouvelles, s'enquiert rapidement de ma santé, et déjà il a hâte de me mettre entre les mains d'une tierce personne.* S'il était un vrai mari, si elle était une vraie femme pour lui, il serait à ses genoux, la tâterait de partout pour vérifier qu'elle n'avait rien de cassé, lui demanderait si elle avait mal ici ou là. Il serait inquiet, il aurait besoin de se rassurer. Au lieu de quoi, il lui apportait un cordial et se dépêchait de repartir, sans doute appelé par des affaires plus importantes.

— Je n'ai pas besoin de docteur.

Héloïse soupira. C'est d'un mari qu'elle avait besoin, d'un vrai mari qui la prendrait dans ses bras pour la consoler en lui disant que tout allait bien, qu'il n'avait pas honte de sa petite femme, qu'il n'était pas du tout déçu de son algarade avec Robert, et que tout était la faute du cheval, une sale bête en effet.

Agacée, Héloïse se leva pour aller tirer le cordon.

— J'ai surtout besoin de me changer, déclara-t-elle ; besoin de prendre un bain aussi. A moins, bien sûr, que vous ayez quelque chose d'important à me dire ?

Charles s'inclina poliment.

— Je veux simplement dire encore ceci : j'espère que, passé votre contrariété bien compréhensible, vous vous réconcilierez avec Robert. Je l'ai invité à partager notre dîner. C'est la première fois qu'il accepte de venir à ma table et j'espère que ce ne sera pas la dernière.

Il s'en alla, suivi par le regard furieux d'Héloïse. Pas un mot de remerciement pour les efforts surhumains auxquels elle avait consenti ! Seulement la recommandation d'avoir à bien se tenir ce soir, afin de ne pas mécontenter le précieux frère. Il n'avait pas même eu la curiosité de demander quelles insanités celui-ci lui avait débitées.

Rien de ce qu'elle faisait ne trouvait grâce aux yeux de cet ingrat.

Fort bien ! Puisqu'il en était ainsi, elle ne s'occuperait plus que d'elle-même.

Les doigts tremblant d'indignation, elle s'acharna sur les boutons de sa robe. Elle refuserait dorénavant les services de l'horrible camériste, qui la regardait avec mépris. Elle n'avait pas osé le dire à son mari, mais elle avait eu tort.

Deux soubrettes entrèrent avec des serviettes et des seaux d'eau chaude. Héloïse jeta un regard craintif vers ces deux nouvelles têtes. Combien son mari avait-il de personnes à son service dans cette grande maison ? Des douzaines, semblait-il. Si elle n'en trouvait pas une avec qui nouer de bonnes relations, elle ferait passer une annonce et procéderait elle-même aux entretiens d'embauche, qui auraient au moins l'avantage de rompre pendant quelques jours la monotonie de son emploi du temps.

Quant à ce soir… Seigneur ! Elle s'immergea avec plaisir dans l'eau chaude et parfumée de son bain, remonta ses jambes et posa son menton sur ses genoux. Ce soir, Charles l'observerait avec l'attention d'un oiseau de proie, prêt à noter la moindre de ses bévues ; Robert lui ferait sentir son ressentiment pour l'avoir obligé à venir s'asseoir à la table du frère détesté… Elle serait, en définitive, comme un petit animal pris entre deux fauves.

Quand elle entra dans le petit salon, Robert et Charles s'y trouvaient déjà, assis de part et d'autre de la cheminée, sirotant leur boisson dans un silence qui ne présageait rien de bon. Tous deux se levèrent à son arrivée, laquelle parut les soulager.

— Il semble que nous ayons à parler, dit aussitôt Robert.

Elle se posa sur le bord du fauteuil que lui désignait son mari, haussa les sourcils. Robert faisait triste mine. Il baissa la tête puis la releva avant de s'adresser à elle.

— Bon ! Disons que je vous dois des excuses, lança-t-il. Jamais je n'aurais dû employer pareil langage. On ne parle pas ainsi devant une femme.

— Même devant une Française ? répliqua-t-elle

sèchement en prenant le verre que lui tendait Charles. Une Française qui, je vous le rappelle, n'est pas de noble lignage ; une Française qui est une ennemie de votre pays, et probablement une espionne.

Robert, qui avait violemment rougi, murmura :

— Si je vous ai dit quoi que ce soit de ce genre ce matin…

— Si ?

— D'accord, j'ai dit beaucoup de sottises, assaisonnées d'horribles jurons. Je le reconnais et vous prie de m'en excuser. Mais, de votre côté, ne croyez-vous pas qu'il est ignoble de se moquer d'un infirme ?

Instantanément, les yeux d'Héloïse s'emplirent de larmes.

— Oh, mais je ne me moquais pas de vous, Robert. Je ne m'étonne plus que vous vous soyez mis en colère, si c'est ce que vous avez cru. Je serais impardonnable si je m'étais abaissée à ce genre de comportement.

— Pourtant, vous avez ri.

— Oui, mais du cheval ! Quand vous avez voulu vous mettre en selle par son flanc droit, il a paru si étonné ! Je n'avais jamais vu pareille expression chez un animal. Il vous a regardé en faisant de gros yeux et il a essayé de se tourner pour vous présenter son autre flanc, persuadé qu'il était que vous l'abordiez du mauvais côté. Il y avait aussi le palefrenier qui se baissait pour laisser passer la tête au-dessus de lui, et vous qui vous accrochiez à la selle pour ne pas tomber de votre escabeau…

— Le spectacle devait être amusant, en effet, marmonna Robert, déjà moins revêche. Mais vous n'avez pas idée de ce que j'ai ressenti, à me sentir si maladroit, si incapable de me mettre en selle, alors qu'auparavant tout le monde s'accordait à dire que j'étais un cavalier hors pair.

— Je suis désolée, Robert; mon intention n'était pas de me moquer de vous. J'ai manqué de discernement en riant si fort. Cela dit, admettez que j'ai bien été punie.

Robert éclata de rire.

— C'est vrai. Si seulement vous l'aviez vue, Walton! Elle riait tellement qu'elle est tombée de sa selle sur le pavé, juste à mes pieds.

— C'est alors que vous vous êtes mis à m'injurier tandis que je me débattais pour me libérer des étoffes enroulées autour de mes jambes.

— Ajoutons que les palefreniers n'osaient pas regarder et qu'ils avaient du mal à ne pas s'esclaffer.

— Jolie pièce que vous avez jouée là, commenta Charles, sans rire. Ah, Giddings! Je suis heureux de vous revoir parmi nous. Ainsi, le dîner est prêt?

Linney prit position derrière la chaise de Robert. Quand le valet présenta la soupière à celui-ci, c'est Linney qui prit la louche pour déposer le liquide dans le bol de son maître. En le voyant faire, Héloïse mesura, pour la première fois, la difficulté qu'il y avait à prendre un repas avec un seul bras, et combien il devait être humiliant, pour un homme fier tel que le capitaine Fawley, de devoir s'en remettre à une tierce personne pour tous les actes de la vie quotidienne; combien, aussi, il devait détester de se savoir observé plus ou moins discrètement par ceux qu'il rendait témoins de ses infirmités.

Cherchant désespérément un sujet de conversation pour rompre le pensant silence qui s'était abattu sur la pièce, Héloïse se tourna vers Giddings pour lui demander :

— Ne nous sommes-nous pas rencontrés à Paris?

Surpris de s'entendre adresser la parole, le majordome s'inclina pour signifier à Milady qu'elle ne se trompait pas.

— Comment s'est passé votre voyage de retour en Angleterre ? La traversée fut-elle calme ?

Sur une nouvelle inclination du buste, le majordome répondit :

— Je dois dire, Milady, que je fus grandement soulagé de me trouver en mer.

— Vous détestez donc la France à ce point ?

Cette fois le majordome jeta un coup d'œil vers son maître comme pour lui demander de quelle façon il devait répondre, et Charles lui-même s'en chargea.

— A l'évidence, Milady, vous ne connaissez pas les dernières nouvelles. Bonaparte s'est évadé de l'île d'Elbe. Le soir de notre mariage, il débarquait à Golfe-Juan, avec un millier d'hommes environ, et de là il a pris le chemin de Paris.

— Cet homme est le diable en personne, marmonna le capitaine. A-t-on combattu ? Je suppose que le roi Louis XVIII a envoyé des troupes pour l'arrêter ?

Charles fit un petit signe à Giddings, lui donnant ainsi la permission de rapporter ce qu'il savait.

— A ce qu'on m'a dit, tous les régiments envoyés pour s'opposer à Bonaparte ont pris fait et cause pour lui aussitôt qu'ils l'ont vu apparaître.

— Je n'en suis pas surprise, dit sombrement Héloïse. Il sait parler aux soldats. Il les galvanise, ils le vénèrent presque comme un dieu.

— Quand j'atteignis Calais, poursuivit Giddings, je fus rejoint par de nombreuses personnes qui avaient fui Paris en toute hâte et ambitionnaient de mettre la mer entre eux et l'empereur déchu. J'ai appris que les places dans les diligences se monnayaient à prix d'or.

— Quelle chance que nous nous soyons mariés à temps, dit Charles. Si nous avions retardé la cérémonie, ne serait-ce que de quelques jours, nous aurions été pris dans la cohue. Qui sait même si nous aurions pu quitter Paris ?

Robert se tourna vers Héloïse, l'air sévère.

— Comment pouvez-vous adorer le tyran corse ? C'est ce que je ne cesse de me demander.

— Ah, pardon ! se récria-t-elle. Je n'ai pas dit que je l'adorais. Croyez-vous que je souhaite voir mon pays s'engager dans de nouvelles guerres ? Croyez-vous que les mères soient ravies de sacrifier leurs fils aux ambitions de Napoléon, les femmes leur mari, les jeunes filles leur fiancé ? Seuls les hommes trouvent amusant de s'aligner les uns en face des autres pour se tirer comme des lapins.

— Je vous en prie, fit Robert, pris au dépourvu par la véhémence de cette réponse et par les larmes qui l'accompagnaient. Il n'est pas nécessaire de vous mettre dans cet état…

— Surtout pas à table, ajouta Charles. Cela ne se fait pas.

— Oh, vous !

Héloïse jeta sa serviette et se leva. Le doigt pointé vers son mari, elle lui lança :

— Tout ce qui vous intéresse, ce sont les manières, les apparences. Des milliers d'hommes peuvent se battre et mourir à Paris, tout ce qui vous bouleverse, vous, c'est que je puisse parler à votre majordome comme s'il était une vraie personne, et que je dise ma façon de penser à votre frère, qui m'a fait une remarque désobligeante.

— Ce n'est ni le lieu ni le moment…

— Ce n'est jamais le lieu ni le moment avec vous, Charles ! Vous…

Héloïse ne put en dire davantage. Elle éclata en sanglots et quitta la pièce en courant.

Pendant quelque temps, les deux frères ébahis se regardèrent, dans un lourd silence. Puis Robert laissa tomber sa cuiller et s'exclama :

— Je ne voulais pas l'énerver. Je disais simplement…

— Je pense qu'elle s'inquiète pour ses parents, répondit Charles, l'air absent.

Il s'interrogeait *in petto* : croyait-elle vraiment que seules les bonnes manières le préoccupaient ? Le croyait-elle aussi vain, aussi insensible ?

Il se tourna vers le majordome impassible.

— Giddings, donnons à Milady une heure pour se remettre de ses émotions. Ensuite, vous lui monterez un plateau.

Il s'adressa ensuite à Robert.

— Quant à vous, je suggère que vous finissiez tranquillement votre dîner, en vous demandant de quelle manière vous pourrez vous faire pardonner d'avoir fait pleurer ma femme pour la seconde fois de la journée.

7

— Charles, vous ne devinerez jamais ce qui s'est passé !

Ce fut par ces mots qu'Héloïse accueillit, quelques jours plus tard, son mari venu lui souhaiter une bonne nuit.

Il observa que, pour une fois, elle ne crispait pas ses mains sur ses couvertures remontées jusqu'au menton ; mais que, hélas, sa robe de chambre était boutonnée jusqu'en haut, ne laissant rien paraître de sa chemise de nuit. Si elle s'habituait à le voir dans sa chambre, elle n'était donc toujours pas prête à l'inviter dans son lit.

Cela dit, c'était toujours un petit pas dans la bonne voie et il fallait s'en féliciter. D'autres indices montraient qu'Héloïse prenait de l'assurance dans sa vie d'épouse. Par exemple, elle avait requis quelques serviteurs pour organiser son mobilier, sans demander au préalable l'autorisation de son mari. Elle avait aussi congédié la camériste et la servante que Charles avait engagées pour elle. Puis, comme si elle cherchait à voir jusqu'où elle pourrait aller avant de se faire rappeler à l'ordre, elle avait pris pour camériste la toute jeune fille occupée jusque-là à nettoyer les cheminées et à entretenir les feux. Mieux encore, elle avait demandé à Giddings comment elle devait s'y prendre pour visiter les boutiques et faire quelques achats personnels.

Pourquoi avait-elle les yeux si brillants ce soir ? Venait-elle de découvrir, par le secrétaire, quelle généreuse mensualité lui allouait son mari ? Vaguement déçu, il prit une chaise et la tira près du lit.

— Robert m'a promis de m'emmener dans les jardins de Vauxhall pour admirer le feu d'artifice. N'est-ce pas merveilleux ?

La déception de Charles fondit comme neige au soleil. Ainsi, le plaisir d'Héloïse venait de ce qu'elle avait mis un terme à sa querelle avec Robert, non pas d'avoir découvert quelles grosses sommes d'argent il lui était permis de dépenser. C'était réconfortant.

— Il m'a dit qu'il ne pouvait m'emmener nulle part dans la journée, mais qu'il consentait à sortir la nuit, à condition de rester dans l'ombre afin que personne ne puisse prendre garde à son visage défiguré.

La jeune fille s'interrompit puis ajouta timidement :

— Charles, il y a quelque chose que je ne comprends pas.

— Quoi donc ?

— A Paris, personne ne regarde de travers un soldat blessé, même s'il est défiguré ou atteint de graves infirmités.

— C'est que la conscription existe en France depuis de nombreuses années. Les Français sont plus au fait des malheurs de la guerre que les Anglais, chacun d'eux pouvant avoir un membre de sa famille tué ou rendu infirme sous l'uniforme.

Charles soupira.

— Héloïse, vous devez comprendre que les êtres humains sont égoïstes. Ils viennent en ville pour se divertir. Ils veulent oublier leurs soucis. Quand ils voient un homme abîmé comme Robert, ils se rappellent que la vie peut être brutale, voire cruelle. Cela leur déplaît. Ils répugnent à se rappeler que des hommes se battent et meurent pour les protéger.

Le remords tarauda la jeune fille. Depuis quelque temps elle ne se préoccupait plus que d'elle-même, de ses rapports avec son mari, de la façon dont elle pourrait lui plaire et se rendre aimable. En conséquence de quoi, elle n'avait plus du tout pensé à Napoléon et aux nouvelles guerres qui risquaient de ravager la France.

— C'est bien après-demain que vous allez dans les jardins de Vauxhall ? s'enquit Charles.

Trouvant tout à coup bizarre que la première sortie londonienne de sa femme se fasse en compagnie de son frère, il passa en revue les divertissements possibles le lendemain soir et s'étonna de ne pas s'être posé cette question plus tôt.

— Vous ne m'accompagneriez pas au théâtre, demain ? Ils avaient passé une fort agréable soirée à Paris. Pourquoi n'en serait-il pas de même ici ?

— Vous… vous voulez bien ? murmura Héloïse.

Enfin — enfin ! — Charles lui permettait d'apparaître à son bras en public ! Enfin il consentait à la présenter comme son épouse…

Et les gens verraient combien elle était petite, s'apercevraient qu'elle n'était pas très jolie. Ils se demanderaient pourquoi le comte de Walton l'avait épousée, elle, alors qu'il pouvait avoir n'importe quelle femme ; il n'avait qu'à claquer des doigts.

Charles vit s'éteindre les yeux d'Héloïse.

— La robe couleur de primevère est-elle prête ? demanda-t-il d'une voix mate, qui trahissait malgré lui sa déception.

Mais pouvait-il lui en vouloir ? Ce n'était pas la faute

d'Héloïse si elle considérait une sortie avec lui comme une corvée, alors qu'une excursion clandestine dans les jardins de Vauxhall, avec Robert, la remplissait de joie.

Héloïse hocha la tête. Il reprit :

— Alors, mettez-la demain soir.

Sans dire un mot de plus, il se leva et se pencha sur sa femme, pour lui donner le baiser rituel, puis il quitta la pièce.

Restée seule dans son lit, Héloïse rumina le déplaisir que lui causait l'ingratitude de Charles : il n'avait même pas songé à la remercier d'avoir obtenu l'accord de Robert pour une sortie nocturne, alors que, depuis des mois, personne n'avait réussi à lui faire faire quelques pas hors de ses appartements. Décidément, cet homme comptait pour rien les efforts qu'elle faisait pour lui être agréable.

Le lendemain soir, alors qu'elle descendait le grand escalier, vêtue de la robe couleur primevère selon les vœux de M. son mari, elle le regardait fixement, cherchant quelques signes de contentement sur son visage.

Elle ne se sentait pas très à l'aise dans cette robe qui mettait haut sa taille et dénudait ses bras ; par chance elle porterait de longs gants qui la couvraient jusqu'aux coudes. Le col était orné d'une broderie agrémentée de petites perles colorées, travail délicat et fort minutieux qui représentait des roseaux et des feuilles, le même motif étant répété sur le bas de la robe ainsi que sur le haut de ses gants.

— Venez un moment dans mon cabinet de travail, lui dit Charles, avec le plus grand sérieux. J'ai quelque chose à vous donner.

Elle le suivit, le cœur battant et les entrailles nouées. Des sentiments contradictoires l'assaillaient : elle était folle de joie à l'idée qu'il consente enfin à sortir avec elle, mais elle se désespérait de n'être pas assez bien pour lui ; l'idée qu'il s'en rendrait compte et la reléguerait ensuite la terrifiait. En se préparant pour la soirée, elle n'avait cessé de passer en revue ses insuffisances aussi bien physiques que morales, terrible décompte qui la rendait malade.

Charles ouvrit, sur son bureau, un grand écrin carré en cuir, et le poussa vers Héloïse en le faisant glisser sur l'acajou poli. A l'intérieur, nichée dans le berceau de satin noir, étincelait une parure de diamants jaunes, composée d'un collier, d'un bracelet et de boucles d'oreilles. Un autre écrin, qu'il tira de sa poche, contenait une bague assortie.

— J'aurais voulu vous donner tout cela plus tôt, déclara-t-il, mais j'ai examiné ces bijoux en revenant de Paris et me suis avisé qu'ils avaient besoin d'un sérieux nettoyage.

— Oh…, murmura Héloïse, les larmes aux yeux, tandis que son mari glissait la bague à son doigt.

Cette bague lui allait parfaitement, mais…

Il en avait acheté une pour Félicie qui s'accordait à la couleur de ses yeux, tout en précisant qu'aucune pierre précieuse ne pouvait leur être comparée. Héloïse n'avait droit, elle, qu'à de vieilles choses sorties d'un quelconque tiroir, et qu'il avait simplement fait nettoyer pour leur redonner un peu de lustre. Elle ne méritait sans doute pas plus.

Elle comprenait pourquoi Charles lui avait demandé de mettre sa robe couleur de primevère : peu d'étoffes auraient pu s'accorder aussi bien avec les pierres qu'il sortait de l'écrin pour les lui accrocher aux oreilles.

— C'est parfait ! dit-il, très satisfait, après avoir reculé de quelques pas pour admirer l'effet produit.

Héloïse se crispait. Elle souffrait. Son amour-propre était mis à rude épreuve. Elle ne parvenait pas à se faire une raison. Ne savait-elle pas qu'elle était une femme de second choix ? Eh bien, elle devait se contenter de bijoux de seconde main, des choses portées par d'autres femmes avant elle. Qu'attendait-elle ? Qu'espérait-elle ? Que son mari changerait de comportement, qu'il oublierait, peut-être, qu'elle n'était pas la femme qu'il avait rêvé d'épouser ?

D'un autre côté, pourquoi ne pas reconnaître les mérites de Charles ? Il était quand même très gentil avec elle. Il faisait même preuve d'une grande patience. Par exemple, il n'avait émis aucune remontrance pour la scène qu'elle avait faite lors du dîner avec Robert, alors qu'il déplorait par-dessus tout ce genre d'incident. Mieux, il lui avait fait monter un plateau dans sa chambre peu de temps après.

Avec son air glacial, ses manières extrêmement contrôlées, son comportement toujours compassé, Charles était, en fait, un homme gentil. Pourquoi ne pas l'admettre ? Héloïse n'avait jamais eu peur de lui. Mieux, elle s'était laissée aller à quelques scènes fort regrettables, ces scènes à propos desquelles son frère lui disait que son mari devrait la battre comme plâtre. Or avait-elle été battue ? Non.

Charles ne la battrait jamais ; sans doute… Mais pourquoi ? Parce qu'elle n'avait aucune importance à ses yeux et que tout ce qu'elle pouvait faire ou dire l'indifférait. Il la comptait pour quantité négligeable, et croirait sans doute s'abaisser s'il perdait son flegme à cause d'elle.

— Je ne pouvais pas vous sortir sans vous parer d'un peu de joaillerie, n'est-ce pas ? dit-il en lui mettant le collier autour du cou.

— Je pense bien ! s'exclama-t-elle avec ironie.

Il se souciait peu d'elle, mais s'inquiétait de sa réputation d'homme du monde. Sa femme ne pouvait paraître en public sans les ornements conformes à son statut. La robe et les bijoux n'étaient que le costume du rôle qu'elle devait jouer.

Charles s'interrogeait sur le comportement d'Héloïse. Il venait de la parer de diamants dignes d'une reine, et au lieu de se pâmer de joie elle gardait son air abattu, comme s'il lui imposait une punition.

Se sentait-elle nerveuse à l'idée d'arborer une telle fortune en pierreries… Peut-être… Elle n'avait jamais possédé de si beaux bijoux.

Mais elle n'en avait jamais désiré non plus. La preuve en était qu'elle n'avait même pas essayé la bague que lui avait confiée Félicie.

— Ces bijoux sont désormais les vôtres puisque vous êtes ma femme, lui dit-il.

Cette parure de diamants, dans sa famille depuis plusieurs générations, était traditionnellement confiée aux épouses juste après le mariage, la bague leur ayant été donnée lors des fiançailles. C'est pourquoi Charles ajouta :

— La bague que j'avais achetée à Paris n'était pas celle qui vous convenait.

— Je ne la porterai plus jamais, dit Héloïse.

A qui ne convenait-elle pas, cette bague de Paris ? se dit-elle. A lui, bien sûr, puisqu'elle lui rappelait la femme qu'il avait perdue !

— Qu'allons-nous voir au théâtre ce soir ? s'enquit-elle, jugeant qu'il valait mieux, pour elle comme pour lui, n'aborder que des sujets de tout repos.

— Nous allons voir le beau monde, répondit-il en lui prenant le bras pour la conduire vers la sortie.

Il était heureux d'avoir pris ce moment pour rassurer sa jeune femme. Maintenant qu'elle avait surmonté ses réticences en acceptant les bijoux de famille, elle serait peut-être plus capable de se distraire un peu en sa compagnie.

— C'est ici comme à Paris, lui expliqua-t-il. On va au théâtre avant tout pour voir qui se trouve dans la salle, non pour ce qui se passe sur la scène. Soyez sûre que pendant les entractes notre loge sera assiégée de gens désireux de vous rencontrer. Ils essaieront de se faire bien voir de moi en vous complimentant outrageusement. J'espère que vous ne serez pas dupe de ce petit jeu assez pervers.

Puis après un instant de réflexion, il ajouta :

— S'il vous plaît, ne vous liez pas d'amitié avec quiconque sans m'en parler auparavant. Je n'aimerais pas que vous soyez manipulée par des gens sans scrupules, et ce qu'on appelle « la bonne société » n'en manque pas.

Héloïse garda le silence pendant presque toute la soirée. D'abord, Charles se demanda s'il avait tenu des propos dont elle se sentait offensée. Elle l'avait à peine regardé quand il lui avait pris la main pour l'installer sur son fauteuil, et avait gardé les yeux fixés sur la scène pendant tout le premier acte.

Peu à peu, il retrouvait la jeune fille qu'il avait appris à connaître à Paris, si timide et réservée qu'on lui prêtait peu d'attention ; la jeune fille qui observait, qui ne perdait rien du spectacle, mais qui n'y participait pas. Cette Héloïse « publique » ne ressemblait en rien à la furie qui invectivait Robert, qui claquait les portes, qui parlait à perdre haleine.

C'est cette autre Héloïse qu'il retrouva aussitôt qu'ils furent installés dans leur voiture pour rentrer à la maison.

— Charles, lui dit-elle en se tapotant le menton avec

son éventail refermé, qui est l'homme effrayant qui nous a accostés dans le corridor au cours du premier entracte ?

Il eut un mince sourire.

— Lord Lensborough, marquis de son état.

L'homme s'était posté au milieu du couloir pour leur barrer le passage, et avait engagé la conversation par ces mots :

— Avant toute chose, permettez-moi de vous adresser toutes mes félicitations pour votre mariage.

Ces paroles d'apparence aimable avaient été prononcées avec un air d'hostilité indéniable.

— Est-il un des membres de votre famille à qui vous ne voulez plus parler ? A-t-il été odieux avec Robert ? demanda Héloïse.

— Pas du tout. Ce serait même plutôt le contraire, puisque le marquis se considère comme le champion de Robert. Son propre frère, qui a servi dans le même régiment que le mien, avait si grand-peur de mon comportement envers Robert, qu'il a écrit à Lensborough pour le supplier de me surveiller afin que je ne commette rien d'irréparable.

— Oh, je suis navrée, murmura Héloïse en posant sa main gantée sur le bras de Charles.

— Navrée pourquoi ? fit-il en souriant.

Il se sentit ridicule, tout à coup, de se sentir si heureux, simplement parce qu'elle ne répugnait pas à le toucher.

— Navrée, expliqua-t-elle, de ce que les gens se fassent de vous une si vilaine idée. Que pensaient-ils que vous feriez avec Robert ? N'est-il pas votre frère, votre héritier ?

— Si j'en juge par le comportement de Lensborough ce soir, ils doivent imaginer que j'ai l'intention de le rejeter dans les ténèbres extérieures après avoir engendré un nouvel héritier avec vous. Pour ces gens vous êtes l'instrument de ma vengeance. C'est dire qu'ils ne vous aiment pas non plus.

— Ils sont bêtes ! s'exclama la jeune fille en retirant brusquement sa main, car elle venait de se rappeler que Charles n'aimait pas que l'on exprime ses sentiments.

Pour elle ces gens étaient « bêtes », vraiment. Ne voyaient-ils pas combien Charles se dévouait pour son frère ? Ne savaient-ils pas quelle réaction terrible il avait eue envers certains de ses parents quand il avait appris quel traitement indigne ils avaient infligé au pauvre Robert ?

Affligé, Charles soupira. Sans le faire exprès, il venait de rappeler à Héloïse le devoir auquel elle devrait se soumettre pour « engendrer un héritier » et instinctivement elle avait retiré sa main, comme si tout contact physique avec lui la dégoûtait : cela ne présageait rien de bon.

Quand il monta chez elle pour lui souhaiter une bonne nuit, elle lui sembla bien disposée envers lui, du moins de bonne humeur.

— Merci pour cette excellente soirée, lui dit-elle en souriant comme il se penchait pour son sempiternel baiser sur le front. Je me suis bien amusée.

— Vraiment ? s'étonna-t-il. Il m'avait semblé, au contraire, que vous étiez un peu… absente.

— Oh, vous croyez ?

Héloïse avait rougi. Evitant le regard de Charles, elle se mit à tirer nerveusement sur les cordons fermant le col de sa robe de chambre.

En fait, songea-t-il, elle était heureuse que la soirée, cette épreuve, fût enfin terminée, mais elle n'osait pas le dire, de peur de le blesser, sans doute. Trop aimable…

Et puis, elle avait envie qu'il parte, maintenant. Elle ne

devait pas aimer le voir s'éterniser dans sa chambre. Fort bien ! Puisqu'elle le voulait ainsi… Il ne lui imposerait pas sa présence plus que nécessaire.

Tournant les talons, il sortit de la chambre, à grands pas rapides.

Exhalant un long soupir de soulagement, Héloïse repoussa ses couvertures et fila vers le petit bureau qu'elle avait converti en table à dessin. Il était temps de se mettre au travail.

Dire qu'elle avait failli se trahir quand Charles l'avait questionnée sur son attitude au théâtre ! Elle n'était pas absente, mais très absorbée, au contraire. C'est qu'il y avait tant de gens intéressants à observer, dans cette salle ; et, sachant que l'attendaient, dans les tiroirs de son bureau, de belles feuilles de papier et une botte de crayons de bonne qualité, elle se sentait prise d'une joyeuse ivresse. Absente, elle ? Que nenni !

Maintenant qu'elle était comtesse, avec une armée de serviteurs à sa disposition, elle n'avait plus à courir les boutiques pour trouver les articles dont elle avait besoin. Elle n'avait qu'à donner une liste à Sukey, sa camériste, et voilà ! Après une heure de courses en ville, cette fille débrouillarde lui rapportait exactement ce qu'elle lui avait demandé. En outre, Sukey lui était si reconnaissante de l'avoir propulsée du rang de souillon à celui de camériste, qu'elle se serait fait trancher la gorge plutôt que de trahir sa maîtresse.

Héloïse n'avait qu'un seul petit remords, celui de persévérer dans une activité qui faisait froncer les sourcils à son mari ; mais, après tout, tant qu'il ne savait rien, il ne pouvait s'en offusquer.

Tant d'idées merveilleuses lui étaient venues tandis qu'elle étudiait les spectateurs dans la salle de théâtre !

Le « beau monde », avait dit Charles. Beau monde que celui-là, en vérité ! Héloïse s'esclaffa puis tira un tabouret devant le bureau et alluma les deux lampes qu'elle y avait préalablement disposées. Il n'y avait rien de « beau » dans les manières de ces gens-là, qui méprisaient le travail des acteurs, et c'était très impoli de leur part, car les acteurs s'étaient donné beaucoup de mal pour les divertir ; ils ne s'intéressaient qu'à eux-mêmes et à leurs semblables.

Quelques messieurs, certes, manifestaient pour les jeunes danseuses un grand intérêt, mais il n'avait là rien d'artistique. Il fallait les voir, ceux-là, avec leurs yeux exorbités, leur langue pendante, se donner les uns aux autres des coups de coude et se pencher pour distiller leurs commentaires certainement égrillards, qu'Héloïse était heureuse de ne pas avoir entendus !

Pour terminer cette galerie de portraits peu flatteurs, il y avait le détestable marquis, ce lord dont elle avait oublié le nom et qui la haïssait peut-être autant qu'il haïssait Charles. Eh bien ! Héloïse l'avait vu, dans sa loge, en compagnie d'une petite blonde pulpeuse. Elle avait surtout vu de quelle façon il la couvait du regard, avec ses yeux de mouton idiot. Cette femme, à l'évidence, n'était pas sa légitime épouse. Et cet homme-là se permettait de la regarder de travers ?

La lumière grise de l'aube s'infiltrait entre les rideaux quand Héloïse commença à bâiller. Son enthousiasme débordant l'avait poussée à exécuter, sans fatigue, des quantités de croquis sommaires. Plus tard, quand elle aurait d'interminables journées à occuper, elle reprendrait un à un chacun de ces dessins pour les compléter de mille détails, avant de les agrémenter de jolies couleurs d'aquarelle. Elle bâilla de nouveau, retira sa robe de chambre qu'elle laissa glisser sur le sol.

Le sourire lui revint. Vraiment très intéressantes, ces soirées au théâtre ; un excellent terrain d'observation.

Et ce soir, les jardins de Vauxhall lui procureraient de nouveaux sujets, qu'elle croquerait avec le même plaisir.

Robert devait dîner avec eux avant d'emmener Héloïse. Charles avait envoyé un billet à celle-ci pour l'en informer.

Il n'y eut pas de dispute cette fois ; forcément, puisqu'il n'y eut presque pas de conversation. Les trois convives semblaient avoir décidé de ne rien dire qui puisse susciter une nouvelle confrontation.

Finalement, Charles déclara :

— Je ne dînerai pas à la maison au cours des prochaines soirées, Milady. Vous savez que je me mêle de politique, n'est-ce pas ? Or nous vivons une époque troublée, avec le retour de Napoléon et les risques qu'il nous fait courir. Vous comprendrez donc que je doive m'occuper des affaires de mon pays.

Bien sûr qu'elle comprenait. A Paris, c'était dans les salons de femmes influentes que les hommes d'Etat décidaient quelle politique devait être menée. De semblables rencontres devaient avoir lieu à Londres.

Héloïse hocha la tête.

Robert fit la tête.

Elle ne s'étonna pas quand, à la seconde même où ils furent installés dans la voiture que Charles mettait à leur disposition, Robert laissa éclater une hargne qu'il avait trop longtemps contenue.

— Il ne va tout de même pas se mettre du côté des imbéciles qui veulent amadouer Bonaparte, au moins ?

Héloïse esquissa un haussement d'épaules. Charles ne lui parlait jamais de politique.

— Je ne sais pas, murmura-t-elle. Tout ce que je sais, vous l'avez entendu comme moi. Pendant un certain temps, Charles sera trop occupé pour penser à moi.

Robert tâcha de la consoler.

— Je ne pense pas qu'il voulait dire cela. Comprenez qu'avec Bonaparte revenant d'exil et subjuguant l'armée envoyée pour l'arrêter, l'Europe tout entière s'affole et se demande que faire pour conjurer une nouvelle catastrophe.

Héloïse tourna vers lui son regard éteint par la tristesse. Elle ne vit qu'une silhouette indistincte, qu'il lui fut facile d'apostropher avec rudesse. Oubliant ses bonnes résolutions, elle lâcha :

— Ce n'est pas momentanément qu'il est trop occupé pour s'intéresser à moi. Il n'a jamais que quelques minutes à me consacrer.

— Un monstre au cœur froid, grommela Robert.

— Non ! Il ne faut pas dire cela ! protesta Héloïse. Franchement, il est très gentil avec moi quand…

— Gentil ? Vous passez la plus grande partie de votre temps seule dans vos appartements, le jour, le soir aussi, alors qu'il va par la ville. Oh, ce n'est pas parce que je suis moi-même reclus que j'ignore ce qui se passe dans cette maison. Je sais que Charles vous néglige. Ecoutez. Ecoutez-moi bien.

Robert se pencha vers Héloïse, au moment où la voiture passait dans la lumière d'un réverbère. Elle lui vit un visage grave. Puis, l'obscurité revint.

— Je n'ai pas les moyens de vous introduire dans les cercles huppés auxquels appartient mon frère, mais j'ai des amis, de vrais amis, poursuivit-il. Vous vous amuseriez probablement beaucoup plus avec eux qu'avec les prétentieux que Walton fréquente. Je…

Il prit une longue inspiration, comme s'il cherchait en lui le courage de continuer.

— Je vous présenterai à eux. N'espérez pas que je vous conduise à des pique-niques, des parties de canotage, ou quoi que ce soit de cette nature. Mais une fois que vous aurez noué des relations avec les gens dont je vous parle, vous recevrez votre lot d'invitations, vous deviendrez l'amie de plusieurs jeunes femmes de votre âge, et avec elles vous ne vous ennuierez pas ; croyez-moi.

Il s'adossa à son siège, passa une main fébrile sur son front où perlait la sueur, bougonna :

— Ce qui me sidère, c'est que Walton n'ait pas été capable d'y penser lui-même.

Héloïse se sentait déchirée. D'un côté elle souhaitait se montrer solidaire de Charles, son mari. De l'autre, elle ne voyait pas pourquoi elle refuserait l'offre de Robert. Elle souffrait de la solitude depuis trop longtemps.

Quand ils furent à Vauxhall, elle prit très vite conscience du courage qu'il fallait à Robert pour paraître en public ; l'hostilité envers son frère n'expliquait pas tout. Innombrables étaient les dandys qui détournaient le regard après l'avoir vu et qui portaient ostensiblement leur mouchoir à leur nez quand il passait près d'eux. Héloïse supportait mal de voir de jeunes femmes crisper la main sur leur cœur comme si la seule vue d'un infirme défiguré menaçait de les faire s'évanouir. Elle commençait à regretter d'avoir entraîné le pauvre Robert dans ce lieu où il subirait une constante et cruelle humiliation.

Robert aperçut un banc un peu à l'écart, dans un recoin aménagé pour les amants ayant besoin de discrétion. Il s'y rendit et s'assit lourdement. Sa jambe de bois pouvait bien avoir été fabriquée par le plus habile artisan qu'avait pu trouver Charles, elle le faisait horriblement souffrir.

— Seigneur ! marmonna-t-il. En voilà encore un autre.

Héloïse chercha à percer l'obscurité autour d'elle pour voir de qui parlait Robert. Elle découvrit Lord Lensborough, au bras de qui se pendait la petite blonde pulpeuse.

— Je pensais qu'il était votre ami…

— Pas du tout, répondit-il sèchement. Il veut l'être, ce qui est différent.

Les ayant aperçus, Lord Lensborough changea de direction pour venir vers eux.

— Milady…, fit-il en s'inclinant légèrement ; capitaine Fawley… Il est… disons… amusant de vous voir ici, tous les deux. C'est un endroit tranquille, n'est-ce pas ?

La blonde gloussa. Héloïse frémit. Robert se leva.

— Un mot en privé, Lensborough ?

Pour s'asseoir à côté de Robert, le marquis décrocha de son bras et repoussa la blonde, qui ne s'en offusqua nullement ; elle devait être habituée à ce genre de traitement. Sans un mot, elle s'éloigna de quelques pas, ne s'attendant probablement pas à être présentée. Indignée par l'injure faite à une femme, même de petite vertu, Héloïse se leva et la rejoignit.

— Bonjour, lui dit-elle.

Etonnée de se voir manifester un peu de considération, la blonde se tourna vers Lensborough comme pour s'enquérir de ce qu'elle devait faire, mais lui, penché vers le capitaine Fawley, ne la vit pas. Alors, timidement, elle murmura :

— Vous n'êtes pas obligée de me parler, Milady. Vous êtes une grande dame.

— Si je n'étais pas venue vous parler, répondit Héloïse,

je serais assise sur le banc, à côté de deux hommes qui ne me prêteraient aucune attention. Puisque nous ne les intéressons ni l'une ni l'autre, pourquoi ne pas nous divertir ensemble ? Vous ne croyez pas que ce serait une bonne idée ?

La blonde eut un sourire indécis.

— Je vous ai vue hier soir au théâtre, reprit Héloïse.

Ayant bien hésité, la blonde répondit enfin :

— Moi aussi, je vous ai vue. Vous étiez avec votre mari, le comte de Walton. Vous aviez une très belle robe. Je suppose qu'elle vient de chez Mme Pichot ?

Héloïse opina. La blonde reprit :

— J'aimerais tant avoir une robe de chez Mme Pichot, moi aussi. Votre mari est très généreux. C'est connu. Mme Kenton ne cessait pas de le répéter. Il faut voir la parure de rubis qu'il lui a donnée. Elle…

La blonde plaqua sa main sur sa bouche et écarquilla les yeux. Prenant conscience de son indiscrétion, elle balbutia :

— Oh, je ne devrais pas vous parler de Mme Kenton, ni de ce que votre mari a pu lui donner. Jasper a raison de dire que je parle toujours trop.

— Cela n'a pas d'importance, dit Héloïse.

En souriant, alors qu'elle avait envie de grincer des dents, elle ajouta :

— Les hommes de la haute société ont des maîtresses. C'est normal.

Soulagée, la blonde sans nom lui rendit son sourire.

Mme Kenton… Si Héloïse savait depuis toujours que Charles avait une maîtresse, elle connaissait maintenant son nom et c'était comme si cette femme prenait soudain consistance. Quel choc c'était pour elle que cette révélation, au moment où elle s'y attendait le moins ! Sentant venir la nausée, elle retourna près de Robert.

— Je voudrais rentrer à la maison, lui dit-elle, ignorant ostensiblement Lord Lensborough, qui n'était pas plus courtois à son égard.

— Je me ferai un plaisir de vous ramener, lui répondit Robert. Je me sens moi-même très fatigué.

Il se leva avec difficulté. A la surprise d'Héloïse, le marquis se leva aussi et s'inclina devant elle ; puis, la regardant fixement, il déclara :

— J'aimerais donner une soirée, pour vous et ma jeune amie, un de ces soirs, chez moi ; quelque chose de très informel ; un petit souper, quelques jeux de cartes...

Héloïse ne sut que répondre. Elle avait la certitude d'être la dernière personne que le marquis eût envie d'avoir chez lui. Mais s'il éprouvait vraiment de l'amitié pour Robert ?

— Je veux bien vous emmener chez Lensborough pour jouer aux cartes, grommela celui-ci, mais pour le souper, pas question.

Alors Héloïse déclara :

— C'est merveilleux. J'aime par-dessus tout jouer aux cartes.

Elle mentait, bien sûr : sa maladresse aux cartes était une des tares que son père détestait le plus et à propos de laquelle il ne cessait autrefois de lui adresser des remontrances. Mais si elle n'aimait pas jouer aux cartes, elle adorait observer les gens qui y jouaient, parce qu'alors ils oubliaient les bonnes manières ; ils s'oubliaient tout simplement eux-mêmes quand ils se concentraient sur leur partie. C'était tellement plus intéressant que les petits rectangles de carton qu'elle tenait dans ses mains ou les points dont elle devait garder le décompte en tête ! Cela dit, Robert devait croire qu'elle aimait vraiment jouer et qu'elle avait besoin de lui pour l'accompagner chez le marquis.

Un mince sourire aux lèvres, celui-ci s'inclina encore. Puis il prit le coude de la petite blonde pulpeuse et s'en alla.

Robert et Héloïse parlèrent peu sur le chemin du retour. Lui, avait le visage cireux des gens au bord de l'épuisement, et elle, se laissait emporter par la turbulence de ses pensées.

Elle était moins désolée, maintenant, de s'être permis quelques propos un peu vifs à propos de Charles, car Robert y trouverait un prétexte pour la sortir plus souvent et l'aider à se faire des amis. Ainsi Charles pourrait-il mener sa vie à sa guise.

Avec sa Mme Kenton.

Il faudrait bien apprendre à s'accommoder de cette situation. Héloïse songea qu'en aidant Robert à s'accepter tel qu'il était et, partant, à reprendre goût à la vie, elle oublierait de s'apitoyer sur son propre sort. Telle serait sa mission, désormais.

Quand ils se séparèrent, dans le vaste vestibule de Walton House, Robert déclara, la voix rendue rauque par l'émotion :

— Mon frère est un imbécile. Il ne voit pas quelle femme exceptionnelle vous êtes. Et je vous le dis : s'il ne vous traite pas de la manière qu'il devrait, eh bien, je prendrai sa place, moi !

— Robert…, murmura Héloïse au bord des larmes.

Personne ne pourrait forcer son mari à la voir autrement

que comme une pièce rapportée. L'amour ne se commande pas. Elle ajouta :

— Que vous me sortiez de temps à autre suffira à mon bonheur. Je me sens…

Elle s'interrompit. Certains aveux étaient si difficiles à faire. Fermant les yeux à demi, elle lança d'une traite :

— Je me sens si seule depuis que je suis à Londres.

Impulsive, elle se jeta sur Robert pour lui mettre ses bras autour du cou. Il vacilla, rétablit son équilibre et dit en riant :

— Allons, calmez-vous. Il n'est pas nécessaire de…

— Je n'ai pas pu m'en empêcher, le coupa-t-elle avec émotion. Vous êtes le seul ami que j'aie.

Ils n'entendirent pas la porte du petit salon qui se refermait tout doucement.

Charles s'était inquiété tout au long de la soirée : Héloïse n'aurait-elle pas à souffrir de l'humeur de son irascible frère ? Etant donné la manière dont la situation évoluait chaque fois qu'elle voulait « aider » Robert, il s'était mis dans l'idée qu'il devrait jouer les pacificateurs quand ces deux-là rentreraient. Or, il venait d'être le témoin d'une scène tout à fait étonnante : Robert faisant une déclaration pleine de tendresse à Héloïse, qui y répondait par un geste non moins affectueux.

Il s'était encore moins attendu à la douleur que lui avait infligée cette scène. Il en avait encore le souffle coupé.

Agrippé des deux mains au manteau de la cheminée, le front reposant sur le marbre froid, il s'astreignit à respirer lentement et calmement. Les battements de son cœur se calmèrent peu à peu.

Pourquoi tant d'émotion ? Il ne se comprenait pas.

Il n'était pas amoureux d'Héloïse. Elle lui appartenait, mais lui était indifférente. C'était tout. Cela dit, il avait toujours ressenti ce même genre d'amertume quand une de ses maîtresses manifestait de l'inclination pour un autre homme alors qu'elle était encore sous sa protection.

Il se posa une question. Lorsqu'il avait énoncé les règles régissant leur mariage, lui avait-il fait comprendre que, si elle était libre de mener la vie qu'elle voulait, il ne tolérerait pas qu'elle prît un amant ? Du moins, pas tant qu'elle ne lui aurait pas donné un héritier ?

Il trouvait très vexant que son propre frère ait fait tomber les défenses que lui, Charles, s'efforçait en vain d'abattre depuis des semaines. Il lui avait suffi, pour accomplir cet exploit, de mettre ses cheveux en ordre, de passer une chemise propre et d'emmener Héloïse voir un feu d'artifice.

Charles eut un rire amer et sortit du petit salon. La scène à laquelle il venait assister n'était que le prélude à de plus intimes rapprochements. Il avertirait donc Héloïse qu'elle devrait s'en tenir là, qu'il n'était pas question d'aller plus loin dans ces relations, déjà bien assez familières. Voilà tout ce qu'il faudrait lui dire, songeait-il en montant l'escalier pour se rendre dans les appartements de sa femme.

Il ne donna qu'un petit coup de l'index sur la porte et ouvrit sans attendre d'y avoir été invité.

Héloïse n'était pas encore au lit. Debout devant sa table de toilette, elle se livrait aux mains de sa camériste.

Celle-ci poussa un cri d'effroi et porta ses mains à ses joues. Devant elle, Héloïse se tenait en fine chemise, sa robe ouverte ayant glissé sur le sol ; ses bas et ses souliers se trouvaient sur une chaise.

C'était la première fois que Charles voyait sa femme aussi peu vêtue. Conscient que son sang courait plus vite dans ses veines, il observa en détail ce corps parfaitement modelé auquel il n'avait pas accès. Héloïse était exquise. Il eut soudain envie de réclamer ses droits d'époux trop longtemps négligés.

— Sukey, dit Héloïse d'une voix aiguë, donnez-moi ma robe de chambre, je vous prie, avant de nous laisser.

Elle se sentait nerveuse ; son mari était entré chez elle sans trop de manières, ce qui ne lui ressemblait pas. Il devait avoir quelque chose d'important à lui dire.

Charles essayait de ne pas la regarder trop fixement. Il nota cependant qu'elle serrait la ceinture et que ses doigts tremblaient. Il s'astreignit à faire quelques pas, l'air dégagé, et s'en alla jusqu'au petit bureau, sur lequel plusieurs feuilles de papier s'éparpillaient. Pourquoi paraissait-elle anxieuse ? Avait-elle quelque reproche à se faire ?

— Je suis en train d'écrire une lettre à ma sœur, dit Héloïse, d'une voix essoufflée.

Elle se hâta de rassembler les feuilles de papier, ne voulant pas que son mari aperçût les croquis sur lesquels elle travaillait depuis quelque temps. Elle mit tout cela à l'abri dans un tiroir et se retourna pour se lancer dans de longues et inutiles explications. Mais elle éprouvait le besoin de meubler le silence.

— Vous ne m'avez pas interdit d'écrire à ma sœur, n'est-ce pas ? Je lui ai envoyé plusieurs lettres déjà. Mais peut-être exigerez-vous que je cesse, maintenant ?

Charles pensa qu'elle le prenait toujours pour un tyran, qu'elle se méfiait de lui. Il n'avait donc fait aucun progrès en ce domaine ? C'était désolant. Elle persistait à croire qu'il voulait la voir couper les ponts avec les siens, et donc elle se tournait vers Robert, famille de substitution.

— Héloïse, lui dit-il d'une voix lasse, en la prenant

par les épaules, ne vous ai-je pas dit, cent fois déjà, que je voulais vous voir heureuse ?

— Non, je ne crois pas, murmura-t-elle.

— Bien sûr que si !

Très énervé, il se détourna d'elle et fit quelques pas dans la chambre, en fourrageant dans ses cheveux. Il lui avait pourtant bien dit qu'il voulait son bonheur. Pourquoi faisait-elle semblant de ne pas s'en souvenir ? Il se retourna et lança :

— Si je ne vous l'ai pas dit, je vous le dis maintenant ! Tâchez de ne pas l'oublier.

Voilà qui aurait dû la rassurer… Or elle semblait plus apeurée que jamais, et reculait comme si elle craignait de recevoir des coups. Il la comprenait de moins en moins. Comment faire pour la rassurer ? Que lui dire ? Il fallait clarifier cette affaire de correspondance : ce serait un bon début. Et surtout, s'exprimer le plus calmement possible !

— Il va sans dire que vous pouvez écrire à votre sœur autant que vous le voulez. A propos, comment va-t-elle ?

— Elle est arrivée en Suisse sans encombre, et elle a épousé son Jean-Claude.

Silence.

Charles cherchait désespérément quelque chose à dire ; un commentaire sur ce mariage, peut-être ? Il ne trouva rien.

Tout ce qu'il savait, c'est qu'il devait sortir de cette chambre en toute hâte, faute de quoi il risquait de se jeter sur la robe de chambre dans laquelle Héloïse s'enveloppait comme dans une carapace ; oui, lui arracher ce vêtement ridicule et lui prouver, une bonne fois pour toutes, qu'il était bien le monstre qu'elle imaginait.

Marmonnant quelque juron, il prit la fuite.

— Qu'arrive-t-il à Sa Grâce ? fit Sukey, quelques instants plus tard, en revenant du corridor où elle avait patienté. Je ne lui ai jamais vu le front si plissé.

— Je n'en ai aucune idée, répondit Héloïse.

Tout ce qu'elle savait, c'était que, pour la première fois depuis leur mariage, Charles ne lui avait pas donné le traditionnel baiser d'avant dormir.

Evidemment ! Elle lui avait parlé de Félicie. Se souvenant de celle qu'il avait aimée, il n'avait plus eu la force de la toucher, elle, la pauvre épouse de substitution.

Maintenant, il devait courir chez sa Mme Kenton, pour trouver auprès d'elle la consolation que la trop naïve épouse était incapable de lui donner.

— Non, je n'en ai aucune idée, répéta-t-elle.

8

— Je ne suis pas d'accord !

Héloïse laissa tomber sa cuiller dans son bol de consommé. Elle n'en avait pas encore pris une seule gorgée.

En face d'elle, Robert la regardait avec des yeux furieux. Il lui lança :

— D'après vous, si je vous comprends bien, les nations européennes devraient laisser Bonaparte reprendre ses activités là où il les avait laissées ?

— Ce n'est pas ce que j'ai dit !

C'était dans ces moments-là qu'elle était la plus plaisante, se disait Charles, qui observait la scène en sirotant son vin. Il songeait aussi que, depuis quelque temps, il ne la voyait jamais aussi animée que lorsque Robert se trouvait dans les parages.

Dans les rares occasions où elle pouvait trouver un peu de temps pour l'accompagner à un bal ou à une soirée — elle avait une vie sociale de plus en plus remplie —, elle se comportait toujours avec la plus extrême modestie.

Lui, il n'avait droit qu'à l'Héloïse « publique ».

Pas la femme vive et intelligente qui avait des vues originales sur tout et savait les faire valoir.

Héloïse reprit sa cuiller. L'esprit si accaparé par sa querelle avec Robert, elle ne s'aperçut pas qu'elle répandait des gouttes de soupe autour de son bol, sur la belle nappe en damas blanc.

— Je disais simplement, reprit-elle, qu'il n'est pas fatal qu'une nouvelle guerre éclate. On ne se bat plus en France depuis…

— On ne se bat plus parce que ceux qui auraient dû s'opposer au retour de Bonaparte ont fui misérablement devant lui, quand ils ne se sont pas empressés de se joindre à lui. Mais dites-moi maintenant, jeune écervelée, pourquoi croyez-vous que Bonaparte rassemble une nouvelle armée ? Pour défiler sur les Champs-Elysées, peut-être, afin de divertir les touristes ?

— Il n'y a plus beaucoup de touristes à Paris, fit observer Charles. Presque tous ont fui, car ils craignaient pour leur sécurité. On peut les comprendre.

Robert et Héloïse tournèrent les yeux vers lui, celle-ci visiblement déçue par l'indigence de sa remarque, celui-là avec un petit rictus de mépris.

Conscient d'avoir perdu une bonne occasion de se taire, il toussota et appela Giddings pour lui dire qu'il était temps de remporter le consommé maintenant froid et de passer à la suite du repas. Puis il se mit à réfléchir dans le silence qui s'était fait autour de la table.

Etrange situation que la sienne depuis quelque temps. Il avait eu deux désirs : qu'Héloïse fît sans lui son chemin dans la société londonienne, et que Robert retrouvât le goût de vivre. Or il n'avait pas imaginé que ces deux objectifs se réaliseraient conjointement, que sa femme et son frère s'entendraient comme larrons en foire et que, par conséquent, il se sentirait, lui, comme un intrus dans sa propre maison.

— Les touristes n'ont pas besoin de fuir Paris, lui dit

Héloïse, d'un ton prudent. Le gouvernement britannique brûle de signer un traité de paix avec Bonaparte.

Robert s'esclaffa.

— Pendant ce temps, les alliés rassemblés à Vienne le déclarent hors la loi !

Quand il rentrait chez lui, en fin de journée, Charles les entendait fréquemment se chamailler ainsi. Il éprouvait de plus en plus de ressentiment envers son frère ; si Héloïse se sentait assez en confiance pour dire à ce dernier le fond de sa pensée, elle restait toujours très réservée avec lui. Son malaise s'accroissait encore quand il les entendait rire.

Il ne manquait pas de se reprocher son attitude. Pourquoi devrait-il souffrir parce que sa femme se divertissait ou que son frère retrouvait entrain et joie de vivre ? Son attitude ne témoignait-elle pas d'un esprit torturé, voire vicieux ?

Avec un rictus d'autodérision, il se pencha sur son assiette de mouton en fricassée.

Héloïse prit une toute petite portion de fricassée, un plat que Robert pouvait déguster sans avoir besoin d'aide et qui avait été choisi pour cela. Elle attendit que Linney eût versé la sauce à l'oignon sur l'assiette de son maître, puis elle demanda avec un grand sourire :

— Dites-moi, Robert, cette mascarade où vous m'emmenez ce soir, à l'opéra. Sera-t-elle aussi scandaleuse que vous me l'avez dit, vraiment ?

Elle eut la satisfaction de voir Robert s'étouffer sur sa première bouchée de fricassée, puis lui faire les gros yeux. Il lui avait recommandé, en effet, de ne pas parler à Charles de cette sortie, de peur que celui-ci ne la lui interdise : il ne voudrait pas la voir s'afficher dans des spectacles où les femmes de qualité n'osaient pas s'aventurer et dont elles ne devaient pas même rêver.

Robert se hâta de répondre :

— Scandaleuse, elle pourrait l'être pour vous, à condition qu'on sache que vous vous y êtes montrée. Mais, rassurez-vous, j'ai pris toutes les précautions pour protéger votre réputation. Nous porterons tous deux d'amples dominos, ainsi que des masques. De plus, nous nous y rendrons dans une voiture de louage.

Ce discours s'adressait tout autant à Charles, pour le rassurer, mais ce dernier garda un visage impassible, comme s'il n'avait rien entendu, ou plutôt comme si cette affaire ne le concernait en rien. C'est pourquoi Robert, assez mal à l'aise, se sentit obligé de lui poser cette question :

— Cela ne vous ennuie pas, n'est-ce pas, que j'emmène Héloïse à cette soirée ?

Avec un léger haussement d'épaules, Charles répondit d'un ton fort tranquille :

— Si ce genre de soirée l'amuse, pourquoi l'empêcherais-je d'y aller ? Je lui ai dit et redit qu'elle avait le droit de s'amuser comme bon lui semblait.

Héloïse reçut cette affirmation comme un soufflet. Robert aimait à lui dire que Charles était fort généreux de mettre sa voiture et son cocher à sa disposition, mais elle n'était pas dupe, sachant que tout ce qu'il voulait, c'était se débarrasser d'elle, afin de pouvoir, de son côté, occuper ses soirées à sa guise. Bien sûr, il ne manquait pas de l'emmener à une manifestation de temps en temps, une fois par semaine en principe, plutôt une fois par quinzaine, « pour la forme » ainsi qu'il ne manquait pas de le répéter, avec un cynisme dont il n'avait peut-être même pas conscience. Elle savait bien, à voir la façon dont il se comportait avec elle dans ces trop rares occasions, qu'il ne se divertissait pas du tout, qu'il accomplissait là une corvée destinée à sauver les apparences de leur mariage.

— C'est parfait, alors, dit-elle en se levant et en jetant

sa serviette sur la table. Je vais chercher mon manteau. Ce soir, Robert, vous aurez la preuve que tout ce que je vous ai dit était absolument vrai.

Charles sentit son sang se figer. En répétant à Héloïse qu'elle « avait le droit de s'amuser comme bon lui semblait », ne venait-il pas de lui donner l'autorisation tacite d'inaugurer une liaison amoureuse avec son frère ? Quelle imprudence avait été la sienne !

Il perçut, vaguement, le grincement de la chaise de Robert sur le plancher, et celui-ci marmonner qu'il attendrait Héloïse dans le vestibule ; mais il entendit, comme un coup de semonce qui résonna bruyamment à ses oreilles, Héloïse qui ajoutait avec un grand sourire :

— Ce soir, Robert.

Il sentit la sueur perler à son front.

Ce soir.

Autour de lui, les serviteurs s'employaient déjà à débarrasser la table, enlever la nappe, apporter le service à porto.

Il avait la certitude que Robert et Héloïse n'étaient pas amants ; pas encore. Robert ne jouissait pas d'une condition physique satisfaisante et Héloïse n'était pas femme à briser trop vite les liens du mariage.

Elle n'était pas habile à tromper. Elle n'était pas habile à la fourberie. Son père prétendait que c'était parce qu'elle était stupide. Charles préférait penser qu'elle avait un fond d'honnêteté qui lui faisait honneur.

Cela dit, s'il ne mettait pas des bâtons dans les roues de Robert, l'irrémédiable se produirait. Comment celui-ci ne pourrait-il pas désirer Héloïse quand elle le regardait avec ces yeux brillants, ou quand elle riait de si bon cœur à l'une ou l'autre de ces plaisanteries dont il aimait la régaler ? Héloïse était pleine de vie. Héloïse était la vie.

Il fallait ne pas avoir de sang dans les veines pour ne pas désirer la prendre dans ses bras. En outre, elle aimait beaucoup Robert, de plus en plus ; cela crevait les yeux. Et c'était dans l'ordre des choses : n'avaient-ils pas à peu près le même âge ? Leurs goûts ne s'accordaient-ils pas assez bien ?

Charles grinça des dents. Il serait bien sot s'il s'enfermait chez lui tandis que son frère emmènerait sa femme dehors pour la séduire à son aise.

Il se leva de table sans avoir touché à son porto. Comme un homme chargé d'une importante mission, il se dirigea à grands pas vers ses appartements.

L'automne précédent, il avait fait l'acquisition d'un domino et d'un masque pour assister à une mascarade. Si son valet de pied était capable de remettre la main sur ce déguisement, il l'endosserait et se lancerait à la poursuite de sa femme, afin de voir comment elle se comportait avec Robert quand elle ne se croyait pas surveillée par lui. A l'abri sous son masque effrayant — un diable en satin noir, assorti à la couleur de son domino —, il ne risquait pas d'être reconnu par sa propre femme.

Décidé à faire cette enquête, il s'interrogeait tout de même. Ne fallait-il pas souffrir d'une jalousie maladive pour espionner ainsi sa femme et son frère ?

D'ailleurs, pourquoi être jaloux ?

Après les multiples mises en garde dont Robert l'avait accablée, Héloïse s'étonna de découvrir que l'opéra n'était pas le bâtiment misérable et mal éclairé dont elle s'était fait la représentation, mais plutôt un théâtre d'aspect avenant et fort élégamment décoré. Quatre rangées de loges chargées de dorures dominaient la scène centrale où évoluaient d'innombrables danseurs arborant des déguisements variés.

— Il n'est pas encore trop tard pour retourner à la maison, lui dit Robert. Jusqu'ici, vous n'avez pas encore franchi la frontière invisible qui vous sépare du scandale. Je vous préviens : si vous ne mettez, ne serait-ce qu'un orteil, dans cette zone scandaleuse, vous devrez vous apprêter à en subir les conséquences, peut-être graves…

Avec un regard fier, elle lui répondit :

— Je n'ai pas peur d'affronter ces terribles conséquences dont vous me menacez. Maintenant, si vous, vous craignez quoi que ce soit…

— Si je crains, ce n'est pas pour moi, soyez-en sûre.

— Vraiment ? fit-elle avec un petit sourire moqueur. N'est-ce pas plutôt la perspective d'être repoussé par les femmes qui vous fait ce visage livide et ces mains tremblantes ? Je ne puis croire que vous ayez soudainement peur de ce que Charles pourrait faire ou dire, l'opéra n'étant pas le premier lieu interlope où vous m'emmenez, loin de là.

Robert rit de bon cœur, mais ajusta le masque sur le visage d'Héloïse et referma le domino sur elle. Il répondit :

— Je ne vous emmène dans ces lieux « interlopes », comme vous dites, que parce que vous me le demandez. Mais, pour l'amour du Ciel, restez bien couverte, protégez votre anonymat, faute de quoi je ne réponds plus de rien.

Il l'entraîna vers la loge qu'il avait réservée en égrenant la suite de ses recommandations.

— Je vous en supplie, ne faites ni ne dites rien qui puisse trahir votre identité. Ce serait d'autant plus fâcheux que cela ne servirait à rien. Si vous croyez qu'en choquant Walton vous obtiendrez plus de considération, vous vous faites des illusions.

Héloïse faillit éclater de rire. Tant de frayeur l'amusait. Il y avait beau temps qu'elle ne se faisait plus aucune illusion sur ses chances d'intéresser son mari. Elle s'était faite à l'idée qu'elle ne serait jamais qu'un poids pour lui, et qu'il n'aurait plus pour elle que des regards chargés d'ennuis, voire de ressentiment.

Sans doute en allait-il tout autrement avec sa Mme Kenton !

Quelque temps plus tôt, les deux femmes avaient été présentées l'une à l'autre par Nell, la petite blonde pulpeuse qu'on voyait au bras de Lord Lensborough. Cet événement important avait eu lieu au cours d'une soirée informelle donnée par un ami de Robert. Celui-ci ne voulait pas y aller parce que, franchement, c'était une sortie risquée et que Charles n'approuverait pas ; mais, voyant le regard déçu d'Héloïse, il avait affirmé que rien ne lui interdisait de s'y rendre seule. Elle l'avait pris au mot.

Quelle soirée ! De l'extérieur, la maison semblait tout à fait respectable, mais en y entrant Héloïse comprit que les craintes de Robert étaient fondées et qu'elle n'aurait pas dû insister pour venir. Les invités, parmi lesquels se trouvaient de nombreux militaires, se montraient déjà fort turbulents et la plupart étaient apparemment éméchés. Héloïse avait eu l'intention de saluer M. Farrar, leur hôte, pour aussitôt s'éclipser, mais c'est alors que Nell était venue à sa rencontre et l'avait retenue, affirmant vouloir lui tenir compagnie et lui présenter quelques-uns des invités.

La première personne à qui Nell l'avait présentée était une sculpturale beauté brune.

— Mme Kenton.

Pendant quelques secondes, les deux femmes, tout aussi interdites l'une que l'autre, n'avaient su comment réagir.

Héloïse, la première, avait recouvré ses esprits. Plus tard, en fin de soirée, alors que, rentrée à la maison, elle avait passé les événements en revue, elle s'était accordé une mention honorable pour la façon dont elle s'était comportée.

Avec un gai et franc sourire, elle avait tendu la main à Mme Kenton qui, à ce moment, donnait l'impression de vouloir étrangler la petite Nell.

— N'est-il pas heureux que Charles ne soit pas ici ce soir ? lui avait-elle dit avec entrain. Je suis certaine qu'il détesterait le petit drame que nous sommes en train de jouer, toutes les deux.

— Je suis d'accord avec vous, avait répondu Mme Kenton d'une voix mate.

Elle avait pris la main tendue d'Héloïse, sans la serrer.

La petite Nell, enfin, parut comprendre ce qui se passait, ce qu'elle manifesta par un léger froncement des sourcils, et visiblement elle chercha comment réparer sa bévue. Pendant ce temps, Héloïse poursuivait avec bravoure :

— Je vous assure que je n'éprouve aucune amertume à rencontrer la maîtresse de mon mari. Je savais à quoi m'en tenir en l'épousant ; n'est-ce pas le lot de toute épouse anglaise ? Je serais ridicule si je prétendais ne pas savoir qu'il a une maîtresse.

Maintenant qu'elle voyait cette femme, elle comprenait ce qui, en elle, attirait Charles. Certes plus âgée que Félicie, elle arborait la même chevelure brune ; la forme de son visage était identique, et elle avait la même façon de plisser la bouche quand elle était de mauvaise humeur, ce qui était précisément le cas.

— Au moins mon mari n'a-t-il pas deux maîtresses, comme Lord Wellington. Il ne parade pas non plus avec elle en public, tandis que sa pauvre épouse légitime se morfond à la maison. Pourquoi l'a-t-il amenée avec lui à Paris ? C'est ce que tout le monde se demandait.

Elle s'interrompit pour reprendre son souffle. Son discours abondant et son visage réjoui donnaient-ils le change ? Parvenait-elle ainsi à cacher son désarroi, d'autant plus profond qu'elle prenait conscience de certain détail ?

Mme Kenton portait le fameux collier de rubis, et ces pierres flamboyaient comme braises sur sa peau blanche. La pierre centrale disparaissait à moitié dans le sillon de la gorge et séparait des seins somptueux ; en les évaluant, Héloïse eut une révélation désespérante : elle ne serait jamais une maîtresse aussi experte que cette femme ; dans un lit, elle ne faisait pas le poids.

Partant d'un rire éraillé, et qui sonnait faux, elle agita son éventail pour rafraîchir ses joues écarlates, et conclut.

— En fait, je me demande si Wellington ne voulait pas prouver que, en ce domaine aussi, il surpassait Bonaparte — sans soupçonner qu'il infligeait un traitement indigne à sa pauvre épouse. Ah, les hommes !

— Je vois…, murmura Mme Kenton. Vous avez l'esprit large.

— Je suis réaliste, tout simplement ! s'exclama Héloïse. Je sais comment tourne le monde, comment fonctionnent les hommes, et je n'ai pas peur de le dire. Pour parler franc, tout cela m'indiffère.

Revenue de son ébahissement, Mme Kenton eut un petit sourire entendu, et c'est avec perfidie qu'elle demanda :

— Cela vous indiffère ou faites-vous semblant ?

Héloïse haussa les épaules.

— Pourquoi cela devrait-il m'affecter ?

Les yeux de Mme Kenton se fixèrent sur la parure arborée par Héloïse, et son regard devint véritablement féroce.

— Oui, pourquoi, en vérité… Charles est un homme si généreux qu'une femme, si elle a un peu de bon sens, ne peut que lui pardonner ses… faux pas.

Elle se pencha pour prendre un ton de conspiratrice.

— Vous faites bien de prétendre ne pas vous soucier de moi, de même que je ne me soucie pas de vous. S'il y a quelque chose que Charles ne supporte pas, en effet, c'est une femme qui fait du scandale. Il déteste avoir l'impression qu'il perd le contrôle de la situation.

Elle ponctua cette affirmation d'un petit rire de gorge, avant d'ajouter :

— Vous savez jusqu'à quel point il aime avoir le contrôle de la situation, n'est-ce pas ? Inutile de vous faire un dessin, je suppose.

Elle roula les yeux d'une manière très éloquente, avant de poursuivre.

— Il me vient des chaleurs rien qu'à imaginer cet homme entre les draps. Voilà qui compense largement la froideur qu'il manifeste en public, je pense. Je suis certaine que vous ne serez pas la dernière à en convenir.

Héloïse tourna les talons et s'éloigna ; la première manche avait été indéniablement remportée par la courtisane. Mais si la tentation était forte de quitter la soirée sur-le-champ, elle ne voulait pas donner le sentiment qu'elle fuyait devant Mme Kenton. Elle refusait de s'avouer battue.

La deuxième manche se disputa de façon plus subtile. Mme Kenton avait poursuivi Héloïse jusque dans le salon des commodités, où celle-ci avait l'intention de se dissimuler un peu, sans en avoir l'air, après avoir passé assez de temps en compagnie pour donner le change.

Faisant semblant de croire que personne d'autre ne se trouvait dans la pièce, Mme Kenton déclara à l'intention de Nell, qui l'accompagnait :

— N'est-ce pas une excellente chose que la pauvre petite femme de Walton soit capable de se divertir un peu seule ?

Gênée, Nell lui fit les gros yeux, toussota de manière expressive et se laissa tomber sur un sofa. Emportée par son élan, Mme Kenton continuait :

— Sinon, qui sait ce qu'il adviendrait d'elle ? Tout le monde sait parfaitement que son mari s'ennuie déjà avec elle.

— Moi, je l'aime bien, protesta Nell.

— Et moi donc ! s'empressa de répondre Mme Kenton. C'est pourquoi j'éprouve de la compassion pour elle. Walton ne la sort jamais s'il peut se dispenser de sa compagnie. On en arrive même à se demander pourquoi il l'a épousée. Quelle idée !

Cette remarque fielleuse atteignit Héloïse au plus profond d'elle-même. Charles ne l'avait épousée que pour sauver la face, et sur sa propre suggestion. Hélas, cela n'avait servi à rien. Tout Londres savait déjà que ce mariage était un échec, que ce couple était aussi mal assorti que possible.

Eh bien, il y avait une chose que les méchants ne verraient pas, ne sauraient pas : c'est que l'épouse souffrait de cette situation. Au contraire, elle ne paraîtrait jamais triste. Héloïse était déterminée à prouver au monde entier qu'il ne fallait surtout pas la plaindre, et s'il y avait une personne à convaincre sur ce point, c'était bien Mme Kenton.

Dès qu'elle avait pris le pli de sortir, en compagnie de Robert ou seule, elle avait su qu'elle finirait par rencontrer la maîtresse de son mari. Dès ce moment, elle avait résolu qu'elle lui démontrerait, de la façon la plus éclatante, que non seulement elle savait exactement ce qu'elle représentait pour son mari, mais qu'elle n'en était pas affectée le moins du monde. Elle manifesterait à tous qu'elle était une vraie Parisienne, connaissant parfaitement les hommes et peu encline à souffrir de leurs bassesses.

Cette détermination l'avait animée, les jours suivants, dans de nombreuses soirées qu'elle n'appréciait pas, mais qu'elle continuait cependant de visiter parce qu'elle l'avait décidé ainsi. Il n'était pas question de renoncer. Elle ne s'avouerait pas satisfaite tant que Mme Kenton arborerait fièrement les magnifiques rubis donnés par Charles, alors qu'elle, l'épouse légitime, devait se contenter de vieilleries trouvées au fond d'un tiroir et vaguement remises à neuf.

En outre, elle se disait que si elle pouvait rencontrer la maîtresse de son mari, sans sourciller, Robert apprendrait peut-être, à son contact, à lutter contre ses propres démons et à les vaincre.

Et voilà pourquoi elle pouvait dire à Robert, au cours de la mascarade :

— Ce n'est pas parce que vous boitez que les femmes se détourneront de vous. Je veux dire : les femmes qui ont du cœur.

— Et mon visage ? répondit-il.

— Votre visage est caché, je vous le rappelle.

Elle leva les mains vers lui pour ajuster son masque de velours blanc, et ajouta :

— La femme que vous approcherez ne verra que vos yeux brûlant d'admiration pour elle. Elle se dira : « Comme cet homme me désire ! C'est merveilleux. » Vous ne l'accablerez pas des flatteries ordinaires, convenues, sur la couleur de ses cheveux ou sur la beauté de son visage ; non ! Vous lui direz qu'aucune autre femme n'a autant de vivacité d'esprit. Sans vous arrêter à son aspect extérieur, à son apparence physique, vous découvrirez son cœur ; oui, son cœur, qui sera dans vos mains avant la fin de la première danse.

— Je me couvrirai de ridicule si je lui tiens ce genre de discours, grommela Robert, aussi peu convaincu que possible. Ensuite, ma jambe de bois se prendra dans les plis de sa robe et nous nous étalerons tous les deux.

— Certainement pas ! protesta Héloïse. L'homme ridicule, au contraire, est celui qui tient des propos trop jolis, trop mièvres qui, au fond, ne veulent rien dire. Chaque femme veut avoir l'impression qu'elle est la seule à pouvoir satisfaire le cœur de celui qui déclare l'aimer.

— Voilà qui me paraît bien abscons, rétorqua Robert, qui avait reculé dans l'ombre de leur loge. Voulez-vous que je vous le prouve ? Voulez-vous que je suive vos conseils, et que je me ridiculise entièrement au vu de toute cette foule ?

— Alors ça !, s'exclama Héloïse avec un brin de mauvaise humeur, c'est précisément ce que l'on cherche en assistant à une mascarade. On essaie de séduire une inconnue pour qui on est un inconnu : c'est plus confortable que de s'attaquer à une amie, devant d'autres amis. Tenez, justement…

Elle tira la manche de Robert et lui montra une silhouette en domino rouge qui, sans en avoir trop l'air, regardait avec insistance dans leur direction.

— Vous voyez, cette femme ? Voilà qu'elle vous regarde, encore une fois. Allez l'inviter à danser.

La dame en domino rouge comprit qu'on parlait d'elle.

Elle détourna les yeux, mais pas trop vite, et agita son éventail avec frénésie.

— Ma foi, finit par dire Robert, qu'est-ce que je risque ?

Il se leva.

Restée seule dans la loge, Héloïse se rendit compte qu'elle était le point de mire de bien des hommes, qui la lorgnaient sans aucune gêne. Elle se sentit vulnérable tout à coup. Depuis qu'elle avait engagé sa petite lutte privée contre Mme Kenton, elle avait souvent eu le sentiment de s'aventurer plus loin qu'il n'était nécessaire, mais, ce soir, pour la première fois, elle comprit qu'elle courait un réel danger.

Même dans les tripots privés, où l'on menait un jeu d'enfer, on respectait les règles élémentaires de savoir-vivre, on se conformait à un code d'honneur qui garantissait la sécurité des dames. Héloïse n'y avait jamais éprouvé aucune crainte.

Ici, en revanche, les hommes ivres pullulaient et semblaient s'arroger tous les droits envers la gent féminine. Cela pouvait se concevoir dans la mesure où celles qui fréquentaient ce genre d'endroit n'étaient pas réputées appartenir à la haute société ; elles passaient, au contraire, pour des femmes légères. Héloïse en trouvait la confirmation dans cette simple constatation : elle n'en avait encore vu aucune refuser les avances des messieurs, souvent fort lestement présentées.

Héloïse vit ses craintes se concrétiser quand un homme, impressionnant dans son domino de soie noire et son masque diabolique, entra dans la loge sans y avoir été invité et sans même s'annoncer en grattant à la porte. Sans plus de gêne, il s'installa dans le fauteuil libre, et dans ce mouvement son domino s'ouvrit, révélant une culotte de grosse toile, qui pouvait appartenir à un marchand.

— Alors, susurra-t-il d'une voix égrillarde, on est toute seule ? On n'a pas peur ?

Puis il se pencha vers Héloïse, et lui souffla cette proposition en même temps que son haleine fortement imprégnée de whisky :

— Un petit baiser, princesse ?

— Non ! s'exclama-t-elle, en français, en reculant contre le dossier de son fauteuil.

— Française ? Vous savez qu'il ne fait pas bon l'être, ces temps-ci, à Londres ? Cela dit, il vaut tout de même mieux être française que français, si vous voyez ce que je veux dire… Surtout que vous devez être extrêmement jolie. Vous permettez que je m'en assure ?

Déjà l'homme avançait les mains, prétendant délier les cordons du masque.

— Il n'en est pas question ! fit Héloïse en lui tapant sur les doigts avec son éventail.

Il lui importait, en effet, de garder ce masque. Elle n'osait imaginer la réaction de Charles s'il apprenait qu'elle s'était montrée à visage découvert dans ce lieu de perdition.

— Et pourquoi pas ? reprit l'homme en lui mettant, cette fois, les mains à la taille. Dites-moi, ma petite, pourquoi êtes-vous venue ici ? Pour vous amuser un peu, je présume. Alors, amusons-nous.

Prise d'une véritable panique, Héloïse voulut donner un soufflet à l'importun, qui arrêta son geste en lui saisissant le poignet, avec une agilité surprenante compte tenu qu'il était passablement ivre ; il suffisait de l'entendre parler, d'une voix traînante, en butant sur les mots, pour s'en convaincre.

Héloïse se demandait comment se débarrasser de lui.

En affirmant hautement qu'elle était une femme mariée et attachée à ses devoirs d'épouse ? Cet argument n'aurait sans doute aucun effet. L'homme ne la croirait pas et ne se ferait pas faute de lui rappeler que les femmes mariées ou honnêtes ne fréquentaient pas les mascarades autrement qu'avec leur légitime époux.

Et s'il apprenait qu'elle était la comtesse de Walton, mariée à un homme jaloux et vengeur ? Peut-être cesserait-il de la caresser, ce qui serait déjà un début. Hélas, elle ne pouvait se permettre de trahir Charles. Nul ne devait savoir qu'elle se déshonorait — et le déshonorait — en venant s'encanailler ici.

Se sentant acculée, elle proféra le seul argument qui lui paraissait de nature à impressionner le fâcheux :

— Je vous préviens que je suis accompagnée par mon…

Et puis elle s'arrêta. L'idée n'était pas bonne : mentionner le nom de son beau-frère, ce serait donner un indice capital pour découvrir l'identité de son mari. Elle ne pouvait même pas désigner Robert sans le nommer : ses infirmités le rendaient très reconnaissable et mèneraient infailliblement à Charles.

Restait une seule possibilité.

— … mon amant. Je suis accompagnée par mon amant.

Il restait juste à espérer que l'homme n'avait pas vu Robert quitter la loge.

Après un petit sifflement ironique, l'homme répondit :

— Votre amant, vraiment ? Et il vous abandonne ? Ce n'est pas très prudent, dites-moi.

Il rapprocha son fauteuil de celui d'Héloïse.

— Sans doute n'est-il pas très jaloux. Donc, il ne serait pas opposé à ce que je vous donne un baiser ou deux ?

D'autant plus qu'il ne s'ennuie pas non plus… Je viens de le voir qui allait à la buvette, en compagnie d'une petite femme en domino rose, et ils avaient l'air de bien s'entendre, tous les deux, si vous voyez ce que je veux dire. Alors, je vous le demande, pourquoi se gêner ?

La respiration entravée, Héloïse se trouvait en très mauvaise posture. Robert l'avait donc abandonnée ? Elle ne voulut pourtant pas le croire.

— Vous mentez ! clama-t-elle. Il se ferait tuer pour moi ! Et puis, il a été soldat. Si vous osez me toucher, il saura vous le faire regretter.

Une lueur ironique dansa dans le regard de l'homme. Il répondit :

— Il faudrait déjà qu'il puisse m'attraper. Où l'avez-vous rencontré ? Il a combattu en France, peut-être ? Ah, oui… Il vous a ramenée avec lui en Angleterre. Vous êtes une prise de guerre, en quelque sorte.

Une main solidement agrippée à l'épaule d'Héloïse, il jouait négligemment de l'autre avec les plis de son domino, sous lequel il essayait de s'introduire.

— Non ! protesta Héloïse en repoussant la main indiscrète. Ce n'est pas cela. Vous ne comprenez rien.

— Vous pourriez m'expliquer, peut-être ? Je ne demande qu'à m'instruire.

La main indiscrète faisait son chemin vers les seins d'Héloïse, qui dut utiliser les deux siennes pour la bloquer.

— Cela ne vous regarde pas ! lui dit-elle d'une voix haletante. Et je vous prie d'arrêter ! Ôtez votre main de mon corsage ! Immédiatement !

Comprenant qu'elle ne parviendrait pas à faire entendre raison à cet homme trop entreprenant, elle se leva brusquement ; la main indiscrète s'accrocha au col de sa robe et le déchira.

— Oh ! siffla Héloïse.

Fébrile, elle recula jusqu'au fond de la loge et rapprocha les bords du col. Le dommage était irréparable, bien sûr. Par chance, elle disposait d'une camériste loyale, qui n'irait pas raconter à Milord que Milady était rentrée d'une soirée avec une robe déchirée. Il n'en restait pas moins que l'incident était fâcheux. Furieuse, Héloïse menaça :

— Vous aurez à rendre compte de ceci ! Vous me le paierez !

L'homme ricana.

— Puisqu'il s'agit de payer, j'en veux pour mon argent.

Il se leva et se jeta sur elle, la saisit aux épaules pour l'attirer à lui, puis lui écrasa la bouche de ses lèvres.

Ce fut un baiser brutal, hargneux, rugueux, effrayant pour tout dire. Outragée, Héloïse lutta du mieux qu'elle put pour se délivrer de cette emprise, pour échapper à cette agression qui l'avilissait.

Elle se défendit, en vain.

Jusqu'au moment où une idée étrange la perturba.

Alors que l'homme se livrait à une exploration hardie de sa silhouette, elle s'avisa qu'il ressemblait assez à Charles : même taille, même corpulence. Certes la voix était plus rêche et les vêtements plus grossiers, mais les yeux, qui brillaient de gaieté dans les fentes du masque diabolique, étaient du même bleu métallique.

Si seulement Charles lui avait donné de tels baisers !

Elle cessa de se défendre. L'envie la prenait de s'abandonner, en feignant de croire qu'elle était bien dans les bras de son mari et qu'elle ne faisait rien de mal en le désirant autant qu'il la désirait. Ce n'était plus d'indignation que son corps tremblait.

Si seulement Charles pouvait la caresser de cette manière !

Si seulement il pouvait éprouver pour elle un amour qui le conduirait à s'emparer d'elle dans un lieu public, et, sans se soucier du qu'en-dira-t-on, fourrager dans ses vêtements pour chercher la peau nue et l'enflammer d'effleurements exquis !

Emportée par un plaisir indicible, Héloïse se mit à gémir. Oh, si cet homme n'arrêtait pas bientôt de la tourmenter si délicieusement, elle allait lui passer les bras autour du cou et lui rendre son baiser.

Et après tout, pourquoi ne le ferait-elle pas ? Pourquoi ne céderait-elle pas à son envie ? Charles ne s'adonnait-il pas à ce genre de plaisir hors mariage, peut-être en ce moment même, avec sa Mme Kenton ?

Cette pensée fit mal à Héloïse, qui exhala un long et douloureux soupir.

L'homme cessa ses entreprises. Il rejeta la tête en arrière et se redressa. Il semblait respirer avec difficulté, sa poitrine en se soulevant faisait un bruit de soufflet de forge. Puis il eut un geste qui stupéfia Héloïse : il avança la main et, avec une tendresse infinie, écrasa une larme qui dévalait sur sa joue. C'est alors qu'elle se rendit compte qu'elle pleurait. Quand avait-elle commencé ? Elle n'en savait rien.

— Vouliez-vous me donner un soufflet ? demanda-t-il sur un ton gentiment moqueur.

Héloïse crut perdre l'équilibre. Elle se rattrapa au dossier de son fauteuil.

— Non, murmura-t-elle en secouant doucement la tête. J'ai mérité ce baiser.

Elle n'avait pas repoussé les avances d'un homme

éméché, en quête de bonne fortune. Pire, elle lui avait répondu avec une sensualité exacerbée.

— Je suis une dévergondée, ajouta-t-elle dans un sanglot.

Alors elle s'effondra dans son fauteuil et fondit en larmes.

9

Héloïse sursauta quand une large main d'homme se posa sur son épaule. Puis elle soupira de soulagement : cette main n'appartenait pas à l'entreprenant séducteur.

— Oh, Robert ! fit-elle d'une voix brisée par l'émotion. Je vous en prie, ramenez-moi à la maison.

Elle continuait de trembler, et avait l'esprit si troublé qu'elle ne put fournir de réponses cohérentes aux quelques questions que lui posa le capitaine Fawley. Ce ne fut que lorsqu'elle se trouva en sécurité dans la voiture qu'elle put donner un compte rendu succinct des événements de la soirée. Elle eut alors beaucoup de peine à empêcher Robert d'ordonner un demi-tour vers les lieux de la mascarade ; pris d'une colère froide, il voulait abattre le malotru qui s'en était pris à sa belle-sœur.

— C'est ma faute, rien que ma faute, répéta-t-elle plusieurs fois. Mais c'est fini, je ne retournerai plus dans un tel endroit ; plus jamais.

— Je ne voulais pas vous y amener ce soir, si vous vous rappelez, fit-il avec un peu d'amertume. Désormais, si vous le voulez bien, c'est moi qui déciderai des endroits où nous irons et de ceux que nous éviterons. Je veux dire : s'il s'avère que vous devez continuer à sortir en ma compagnie et non avec votre mari.

Comme si elle avait le choix ! Ce simple rappel de la négligence dans laquelle la tenait son époux déclencha un nouvel accès de larmes. Elle se sentait même si abattue, quand ils atteignirent Walton House, qu'elle n'eut pas la force de protester lorsque Robert la conduisit d'autorité à ses appartements, puis la força à s'asseoir sur un sofa avant de lui mettre une boisson dans les mains.

— Si vous pensez vous être mal conduite, dit-il en prenant place dans un fauteuil en face d'elle, il faut que vous sachiez ce que j'ai enduré entre les mains du domino rose !

Héloïse eut la certitude qu'il inventait plus de la moitié de l'histoire amusante qu'il lui raconta alors, mais elle ne s'en laissa pas moins divertir, si bien que, le silence revenu dans la pièce, et le verre vide, elle avait cessé de trembler comme une feuille.

Elle réussit même à sourire quand, un petit moment plus tard, s'apprêtant à rejoindre sa chambre, elle se retourna vers Robert, qui la regardait avec un air inquiet.

— Je vais bien.

La croirait-il, quand elle-même ne croyait pas à ce mensonge ?

Dès lors, la culpabilité et la honte ne cessèrent plus de la tourmenter. Elle se forçait à sourire et à faire bonne figure dans les lieux où Robert l'emmenait, mais le cœur n'y était plus.

S'il ne s'était pas agi pour elle d'obliger Robert à sortir et à renouer des liens sociaux grâce auxquels il retrouvait le bonheur de vivre, elle se fût volontiers renfermée dans ses appartements, de préférence dans son lit, les couvertures ramenées jusque par-dessus sa tête.

Or elle estimait qu'elle n'avait pas le droit d'abandonner Robert à son triste sort. Inexistante comme épouse, elle restait une belle-sœur utile, ce qui était pour elle une manière de consolation.

Dans une salle de bal bondée, ce soir-là, elle écoutait, depuis un moment, un groupe de jeunes gens qui, rassemblés autour de Robert, commentaient avec inquiétude les dernières nouvelles de France ; bientôt lassée, elle s'éloigna discrètement, à la recherche d'un endroit tranquille où méditer sans être dérangée.

Si elle ne remarqua pas le regard mauvais que lui jetait Mme Kenton, l'Honorable Percy Lampton, lui, n'en perdit rien. Très intéressé, il fit son chemin vers ladite Mme Kenton et s'inclina devant elle en disant :

— Je n'ai pas l'honneur de vous avoir été présenté, mais...

— Je parle à qui je veux, lui répondit-elle d'un ton brusque. Depuis ma rupture avec Walton, je suis libre.

Percy Lampton était un cousin éloigné de Charles. Il appartenait à cette branche de la famille que celui-ci avait interdit à Héloïse de fréquenter.

— Vous avez le droit de parler même à la femme de Walton ? s'enquit-il d'une voix insidieuse. Moi, je ne crois pas qu'il aimerait savoir comment vous l'avez tourmentée récemment.

— Je la tourmente, moi ? fit Mme Kenton, l'air innocent.

Après un petit claquement de langue censé signifier sa réprobation, Percy Lampton expliqua :

— Vous savez bien ce que je veux dire : vous lui avez laissé croire que vous étiez toujours entre les mains de

Walton. En fait, je m'émerveille de votre audace. Vous savez, Walton finira par apprendre ce que vous avez manigancé, et alors, je n'aimerais pas être à votre place.

— Est-ce une menace ?

— Bien au contraire ! Je me demande seulement jusqu'où vous pousserez votre volonté de vengeance ; car c'est bien de revanche qu'il s'agit, n'est-ce pas ? Remarquez, je ne sais pas si vous êtes en droit de vous sentir outragée…

Comme Mme Kenton manifestait son incompréhension par un haussement de sourcils, il poursuivit, sur un ton très ironique :

— Mais oui ! Vous deviez savoir qu'il finirait par épouser quelqu'un, et qu'il ne pouvait pas épouser une femme telle que vous.

Alors, des larmes de vrai chagrin montèrent aux yeux de Mme Kenton, qui soupira d'une voix rageuse :

— Evidemment que je le savais ! Mais cela n'aurait pas été aussi dur s'il avait porté son choix sur une femme belle, ou riche, ou issue d'une grande famille. Quand je pense qu'il m'a délaissée pour… ça !

Elle fit un grand geste en direction de Lady Walton, qui sortait de la salle de bal.

Attrapant un verre de champagne sur le plateau d'un serviteur qui passait devant lui, Lampton entraîna vers un petit salon Mme Kenton, qui avait vidé son verre de champagne en une seule gorgée, et qui se mettait à geindre.

— Et que me reste-t-il, à moi ? Rien ! J'avais confiance en lui, vous comprenez ? J'avais même tellement confiance que j'ai laissé passer beaucoup d'occasions, et flatteuses, croyez-moi ! Et me voilà seule, abandonnée, sans protecteur…

Lampton hocha la tête d'un air compréhensif.

— Evidemment, vous êtes en compétition avec de jeunes beautés fort appétissantes, du genre de la petite Nell.

— Je suis toujours séduisante ! lui jeta-t-elle au visage.

Pour toute réponse, Lampton se contenta de hausser un sourcil dubitatif. Elle soupira longuement, ce qui était une manière d'avouer son désarroi. Elle savait, aussi bien que lui, que sa carrière de courtisane touchait à sa fin.

— Si cela peut vous consoler, reprit Lampton, je vais vous confier un petit secret que j'ai appris récemment. Walton ne s'est marié que pour outrager ma famille. Juste avant son départ pour Paris, nous avions sérieusement entrepris de le remettre dans le rang, en le mariant. Et figurez-vous que nous avions dans notre manche la femme idéale, celle dont vous venez de dresser le portrait : jeune et belle, appartenant à une riche famille. Nous avons tenté de la jeter dans les bras de Walton : peine perdue. Il s'est empressé de filer à l'étranger, et il est revenu avec sa petite femme, qu'il avait choisie lui-même, tout seul, comme un grand. Elle n'est que le symbole de sa rébellion, ni plus ni moins ! Il ne vous a pas échappé qu'il n'a aucun sentiment pour elle, n'est-ce pas ? Il a fait juste ce qu'il fallait pour sauver les apparences, c'est-à-dire qu'il l'a traînée à quelques événements mondains, afin de la présenter. Mais il n'a pas voulu, ou pas pu donner le change : vous savez que la froideur de son comportement envers son épouse en a étonné et choqué plus d'un.

— Vraiment ? fit Mme Kenton, très intéressée.

Elle ne pouvait avouer qu'elle n'avait jamais vu le comte de Walton en compagnie de sa femme, n'ayant pas les qualifications requises pour être reçue dans les plus hautes sphères de la bonne société.

— C'est comme je vous le dis, affirma Lampton avec

un mince sourire. D'ailleurs, comment s'en étonner ? Et voulez-vous que je vous le dise : cette petite malheureuse est au bord d'un précipice social. Il suffirait d'une petite poussée pour qu'elle y tombe et se ridiculise.

Les yeux de Mme Kenton s'allumèrent d'une joie mauvaise. Elle avait compris. Elle demanda :

— Que voulez-vous que je fasse ?

— Puis-je me joindre à vous ?

Héloïse leva vers l'intrus un regard chargé de ressentiment. Pourquoi les hommes pensaient-ils qu'elle attendait leurs hommages ? Parce qu'elle était assise, seule ? Avait-elle quelque signe mystérieusement gravé sur elle, qui la désignait comme une femme perdue, qu'on pouvait aborder à sa guise, ennuyer, insulter même ?

— Je préfère rester seule, dit-elle, d'une voix lasse, en ouvrant son éventail qu'elle mit devant son visage.

— Ah, je vois que vous me reconnaissez ! dit l'homme d'un ton enjoué, en prenant un siège à côté d'elle. Mais ne croyez-vous pas que vous en faites un peu trop ? Que vous vous chargez d'une querelle qui ne vous regarde en rien ? Je comprends bien pourquoi Walton vous a interdit d'entrer en relations avec la famille de sa mère : le comportement de ces gens envers son frère est détestable, je n'en disconviens pas. Mais je tiens à préciser que je n'ai rien à voir avec cette lamentable affaire. Songez que je n'étais même pas né au temps de ces événements.

— Ainsi, vous appartenez à la famille que je ne dois pas fréquenter, murmura Héloïse.

Examinant le jeune homme avec attention, elle lui trouva de fortes ressemblances avec Charles : de la même taille à peu près, il se trouvait tout aussi bien bâti que lui, mais il était plus jeune de quelques années. Il arborait aussi les mêmes yeux bleu clair, les mêmes cils blonds presque dorés.

Ces yeux, qui restaient fixés sur elle, ne tardèrent pas à créer en elle un sentiment de malaise diffus à cause de leur froideur insigne ; malaise qui alla en s'aggravant quand Nell, qui observait la scène en se tordant les mains, s'en alla, très vite, comme si elle prenait la fuite.

— Allons, Milady, reprenait l'homme qui se penchait vers elle en affectant un air engageant. Pourquoi ne serions-nous pas amis ? Votre mari n'a pas besoin d'être au courant. Je crois d'ailleurs savoir qu'il ne connaît pas la moitié de vos faits et gestes. N'ai-je pas raison ? Vous êtes très libre de vos mouvements.

Les manières de cet homme parurent étrangement familières à Héloïse : le ton primesautier qu'il employait avec elle, la façon dont il insinua un bras entre son dos et le dossier de son fauteuil, de même que le sans-gêne avec lequel il étendit une jambe pour lui interdire toute tentative de fuite, lui rappelaient l'homme qui l'avait embrassée sans ambages lors du bal masqué. Etait-ce le même, par hasard ?

— Je suis même certain, reprenait-il, que votre cher mari ignore que vous assistez à des soirées de célibataires, ou que le capitaine Fawley vous introduit dans certains tripots privés où l'on joue gros jeu. Est-ce que je me trompe ?

Son sourire carnassier lui fit froid dans le dos. Il devait l'observer depuis pas mal de temps pour en savoir autant sur elle ; il avait attendu le moment opportun pour faire une apparition, ou plutôt pour fondre sur elle et la menacer.

— Je vous en prie, dit-elle d'une voix mourante. Ne me tourmentez pas de cette façon.

Une voix de femme se fit entendre alors.

— Oh, Lady Walton ! Vous, ici !

Levant les yeux, Héloïse vit Mme Kenton qui s'approchait, un grand sourire aux lèvres. Derrière venait la jeune Nell, l'air toujours aussi troublé.

— Je vous cherche partout depuis un certain temps ! reprit la femme. Avez-vous oublié que vous m'aviez promis de venir jouer aux cartes chez un de mes bons amis ?

— Non, je m'en souviens, fit Héloïse en se levant.

L'occasion était bonne pour abandonner l'importun. Elle s'éloigna donc, et nota sans déplaisir la déconvenue qui se peignait sur le visage de celui-ci.

— Avez-vous perdu le sens commun ? murmura Mme Kenton dès qu'elles se furent un peu éloignées. Vous frayez avec les ennemis de votre mari, maintenant ? Ne savez-vous pas qu'il est extrêmement dangereux de contrarier un homme de sa trempe ?

— Je ne savais même pas qui il était quand il m'a imposé sa présence ! protesta Héloïse. Du reste, j'essayais de le faire partir, sans y parvenir, malheureusement.

— Ce n'est pas l'impression que j'ai eue, fit Mme Kenton avec un petit air pincé. N'avait-il point passé son bras par-dessus vos épaules ? Vous n'aviez pas l'air très embarrassée par tant de familiarité.

Que croyait-elle qu'il fallait faire ? Héloïse n'avait aucune expérience de ce genre de situation ; elle ne savait pas comment lutter contre des gens si hardis, si peu respectueux.

Mme Kenton devait avoir ce savoir-faire… Mais non, mille fois non ! Elle ne demanderait pas avis et conseils à cette femme ; plutôt mourir ! Il serait déjà assez humiliant de devoir la remercier pour l'avoir tirée d'un mauvais pas ; Héloïse ne trouvait pas les premiers mots pour cela.

Le cœur n'y était vraiment pas. Elle s'y résolut pourtant, puisqu'il le fallait.

— Je n'ai pas fait cela pour vous, répondit Mme Kenton avec un petit sourire fielleux, mais pour Nell. La pauvre petite semblait croire que c'était sa faute si Percy Lampton s'était jeté sur vous comme un fauve sur sa proie. Cela dit, il ne faut pas vous étonner d'être importunée par ce genre d'individu quand vous vous isolez. Soyez réaliste : si vous ne voulez pas être l'objet d'attentions déplacées, il faut demeurer en pleine lumière, parmi la foule des invités, pour converser ou jouer aux cartes ; peu importe. L'essentiel est de ne pas rester seule.

Ce disant, elle entraîna Héloïse vers un salon où précisément on jouait aux cartes. Des groupes de joueurs, rassemblés autour de plusieurs tables, s'adonnaient avec fureur à leur passe-temps favori.

Avec un sourire enjoué, Mme Kenton s'approcha de deux gentlemen qui semblaient l'attendre près d'une table ronde recouverte d'un ample tapis vert.

— Lord Matthison, monsieur Peters, je vous souhaite le bonsoir, déclara-t-elle.

Puis elle poussa Héloïse vers cette table, en poursuivant à l'intention des deux jeunes gens :

— J'espère que nous ne vous avons pas fait attendre trop longtemps ?

Elle prit place en face de celui de ces messieurs qui avait le teint fleuri, des favoris broussailleux et une cravate bordeaux. L'autre, grand et mince, voir maigre, ne cessait de scruter Héloïse avec méfiance.

— J'ose espérer, lui dit-il aigrement, que vous savez jouer aux cartes.

Héloïse ne daigna pas répondre, tandis qu'elle prenait un siège en face de lui. Le soulagement la fit soupirer d'aise.

Il lui en eût coûté de l'admettre devant Mme Kenton, mais elle serait plus en sécurité ici, en effet, à faire semblant de jouer aux cartes en attendant Robert, plutôt que seule dans un coin, à la merci de prédateurs comme Percy Lampton.

— A quel jeu jouons-nous ? s'enquit-elle.

— Au whist, répondit en souriant le jeune homme aux favoris. Lord Matthison s'est vanté de pouvoir me battre, quel que soit le ou la partenaire que lui trouverait Mme Kenton.

Héloïse exhala un nouveau soupir de soulagement. Si son partenaire était aussi habile aux cartes, ses propres défaillances ne compteraient pour rien ou presque.

— Je n'ai encore jamais joué au whist, avoua-t-elle. Est-ce un jeu difficile à apprendre ?

Lord Matthison eut un méchant regard pour Mme Kenton, avant d'énoncer les principales règles qu'il fallait connaître. Héloïse les trouva plutôt simples. D'ailleurs, les premières manches se passèrent bien pour elle, qui ne subit aucun reproche et réussit même d'assez jolis coups. Elles se sentait en confiance et s'émerveillait de ses facilités.

Mais il arriva que Percy Lampton entra dans la pièce, un verre à la main, et qu'il s'installa en face d'elle, près de la cheminée, afin de l'observer tout à loisir. Il se mit même à lui couler des regards lascifs, à la limite de l'indécence, qui la mirent très vite mal à l'aise. Elle commença à s'agiter sur son siège.

Elle n'en doutait plus, cet homme était celui qui avait pris de si graves libertés avec elle lors du bal masqué, et qu'elle n'avait pas su repousser avec la vigueur qui convenait à une femme honorable. Plus il restait là à l'accabler de ses regards fripons, plus elle se disait qu'il avait en tête un plan machiavélique et qu'il ne tarderait pas à user de l'incident comme d'un moyen de pression sur Charles.

Que pouvait-elle contre lui, pour l'empêcher d'agir ? rien, hélas.

Lord Matthison déclara :

— Je pense qu'il faut en rester là ; inutile d'insister. Je n'avais pas spécifié que je pourrais gagner avec n'importe quel partenaire *homme*. Tant pis pour moi.

Puis il s'adressa directement à Héloïse, l'air sévère.

— A l'avenir, Miss, essayez de vous souvenir que si vous abattez un atout en début de manche, votre partenaire pensera forcément que vous en avez d'autres dans votre main.

Enfin il se leva et s'inclina devant M. Peters.

— Toutes mes félicitations. Vous m'avez roulé dans la farine de fort jolie manière.

Embarrassée, Héloïse lui posa cette naïve question après s'être beaucoup mordu la lèvre inférieure :

— Vous ai-je fait perdre beaucoup d'argent ?

— Rassurez-vous, je peux faire face, lui répondit-il d'un air hargneux. J'espère qu'il en va de même pour vous. Si j'en juge d'après les colonnes de chiffres dressées par M. Peters, je crains que vous n'ayez à mettre vos bijoux en gage pour vous acquitter de votre dette, à moins qu'il vous suffise de demander la somme requise au malheureux qui a déjà dépensé une petite fortune pour vous mettre cette robe sur le dos.

Héloïse se tourna vers Mme Kenton.

— Combien ai-je perdu ?

— Je crains que vous ne soyez obligée de me laisser votre bracelet, répondit-elle à voix basse.

Sur un regard étonné d'Héloïse, elle ajouta :

— Oui, votre bracelet. Il faut le laisser en gage jusqu'à

ce que vous disposiez de la somme nécessaire pour payer votre dette de jeu.

La pauvre Héloïse dut signer une reconnaissance de dette, puis se défaire du précieux bijou, qu'elle laissa tomber sur le papier à l'encre encore fraîche.

— A combien se monte la somme ? demanda-t-elle.

Elle était si troublée qu'elle n'avait pas eu la présence d'esprit de lire ce qu'elle signait.

— Cinq cents guinées, lui dit M. Peters, aux anges.

— Que se passe-t-il, ici ?

Au son de cette voix, Héloïse se leva et se retourna. Robert entrait dans la pièce, l'air inquiet. Il avisa la table.

— Héloïse, ne me dites pas que vous avez perdu votre bracelet au jeu ?

Elle pâlit et balbutia :

— C'est juste une garantie. Je retrouverai mon bien quand j'aurai dédommagé ce monsieur.

Robert Fawley se tourna vers M. Peters.

— Je vous serais reconnaissant de bien vouloir me donner votre adresse. C'est moi qui réglerai cette affaire au nom de Lady Walton.

— Certainement, répondit M. Peters avec un grand sourire.

Il griffonna son nom et son adresse sur un petit morceau de papier.

Robert ne reprit la parole que lorsqu'ils eurent regagné leur voiture.

— Je n'arrive pas à croire que vous ayez jeté votre bracelet sur la table, comme cela ! grommela-t-il.

Une fois encore, Héloïse dut se justifier.

— C'est que j'étais à court d'argent. Et puis, je ne

crois pas que ce bijou ait une grande valeur. Inutile de s'alarmer.

— Pas de valeur ? s'exclama Robert, outré. Petite inconsciente ! C'est un bijou de famille ! Une pièce extrêmement rare, avec des diamants jaunes uniques. Vous ne trouverez pas son pareil dans le monde entier.

Héloïse commença à se sentir vraiment mal.

— Je n'avais pas la moindre idée de cela, fit-elle d'une voix blanche. Cela dit, je ne l'ai pas vraiment perdu. J'en reprendrai possession quand vous aurez satisfait M. Peters en lui payant ce que je lui dois.

Robert hocha longuement la tête, puis parut se détendre.

— Vous avez sans doute raison. Toutefois, je me demande pourquoi vous osez porter ces bijoux précieux dans les lieux parfois un peu louches où je vous emmène. Ne serait-ce pas pour rendre Mme Kenton jalouse ?

Héloïse fit « non » de la tête. Il reprit :

— Il est vrai que vous n'aviez pas conscience de la valeur réelle de votre bracelet. Enfin, n'en parlons plus. Dites-moi plutôt combien vous avez perdu ce soir.

— Cinq cents guinées.

Robert s'immobilisa, son visage se figea.

— Quel est le problème ? demanda Héloïse. Est-ce une grosse somme d'argent ? J'ignore combien il faut de guinées pour faire une livre, mais je sais que ce n'est pas vingt ; d'ailleurs, ce sont des shillings, pas des guinées… ou des pennies, peut-être ?

Robert eut un long soupir.

— J'avais pensé pouvoir éponger votre dette, mais cela me sera impossible : la somme est trop importante pour ma petite bourse. Vous devrez donc vous ouvrir de cette difficulté à votre mari. Permettez-moi de vous dire que c'est une véritable petite fortune que vous avez perdue. Seul un homme de l'envergure de votre mari est capable de rétablir la situation.

Il soupira de nouveau.

— Il vous tuera… ou plutôt, il me tuera. Il sait bien que vous n'êtes pas armée pour affronter « la bonne société », qui n'est pas si bonne que cela, et il me reprochera de ne pas avoir suffisamment veillé sur vous. Pire, il m'accusera — à juste titre — de vous avoir entraînée dans des lieux indignes de votre rang, où vous avez dû côtoyer des femmes de rien. Il pensera que je l'ai fait exprès, et cela juste quand… Oh ! quelle malchance !

Il s'affaissa sur lui-même et se renferma dans le silence.

— Alors, il ne faut rien lui dire…, répondit Héloïse.

Elle ne pouvait se résoudre à laisser porter sur Robert le poids d'une faute dont elle se sentait entièrement responsable.

— … Il doit bien y avoir un autre moyen de se procurer cet argent.

Robert secoua la tête avec énergie.

— Vous plaisantez ? Le seul moyen serait de courir chez un usurier. Je vous en conjure, ne faites surtout pas cela. Une fois que ces gens-là vous tiennent dans leurs griffes, ils ne vous lâchent plus. Croyez-moi, vous n'avez pas d'autre solution que de vous en remettre à Walton.

— Non, gémit Héloïse, le visage dans ses mains.

Ses pertes au jeu et l'abandon momentané du bracelet dont elle venait d'apprendre la haute valeur financière et patrimoniale étaient le cadet de ses soucis. Elle savait déjà que, lorsqu'elle aurait exposé l'affaire à Charles, il se bornerait à la regarder avec l'air désapprobateur et froid qu'elle ne lui connaissait que trop, et que c'est elle qui se répandrait en plaintes et en invectives. Elle était si jalouse des liens privilégiés que son mari entretenait avec sa Mme Kenton qu'elle ne pourrait pas s'empêcher de lui en faire le reproche, tombant ainsi dans le piège contre lequel sa mère l'avait mise en garde. Elle ne devait, en aucune façon, se révéler épouse possessive et revendicative. D'ailleurs, ne lui avait-elle pas promis de ne jamais faire d'esclandre à ce propos ? Elle s'apprêtait à ne pas tenir son engagement. Elle savait déjà qu'elle n'aurait pas la volonté de se contenir et que Charles ne le lui pardonnerait pas.

La voiture s'arrêta. Un valet se précipita pour abaisser le marchepied.

Héloïse avait le cœur au bord des lèvres quand elle pénétra dans le vestibule de Walton House, et son malaise fut porté à son comble quand elle vit s'ouvrir la porte du cabinet de travail de Charles : la soirée finirait donc encore plus mal qu'elle n'avait commencé.

— Dites-lui maintenant, murmura Robert à son oreille. Plus vite ce sera fait, mieux ce sera pour vous comme pour moi.

— Me dire quoi ? fit Charles en s'avançant. S'il faut avoir une conversation, entrons donc dans mon antre.

Il indiqua la porte de son cabinet. Robert en prit aussitôt le chemin, sans hésiter.

— Voulez-vous vous joindre à nous, Milady ? demanda Charles, avec un mince sourire.

Héloïse ne s'était jamais sentie aussi malheureuse. Elle avait grande envie de prendre l'escalier pour s'enfermer dans ses appartements, mais il ne serait pas convenable de laisser Robert affronter seul la colère de Charles. C'était elle qui s'était laissé entraîner par Mme Kenton dans une partie de cartes se soldant pour elle par la perte d'une somme exorbitante, à cause de son orgueil, de sa stupidité surtout. Charles accuserait Robert, les relations entre les deux frères se détérioreraient de nouveau ; le fossé qui les séparait, en voie de comblement, se rouvrirait et s'agrandirait, peut-être définitivement. Pour cette seule raison, elle se devait d'assister à l'entretien pour y dire la vérité, toute la vérité.

Rassemblant tout son courage, elle suivit Robert et se joignit à lui, devant le vaste bureau.

Charles s'installa dans son fauteuil et regarda avec froideur les deux personnes qui comparaissaient devant lui. Il attendait leurs explications.

Ni Héloïse ni Robert n'avaient idée de la violence avec laquelle battait son cœur alors qu'il s'apprêtait à les entendre lui avouer leur liaison. Lorsqu'il l'avait prise au piège dans sa loge, lors du bal masqué, Héloïse ne lui avait-elle pas dit spontanément que Robert était son amant ? A l'évidence elle se sentait coupable, puisqu'elle avait fondu en larmes. Il n'en demeurait pas moins que cette révélation, tombée de la bouche de sa propre femme, l'avait bouleversé. C'est en titubant tel un homme ivre qu'il était sorti de la loge. Il était rentré chez lui, complètement abasourdi, et s'était enfermé dans son cabinet de travail pour attendre le retour d'Héloïse. C'était devenu une habitude chez lui ; il ne pouvait trouver le sommeil tant qu'il ne savait pas qu'elle était rentrée, saine et sauve.

Ce fameux soir du bal masqué, ils s'en étaient allés tous deux dans les appartements de Robert, au lieu de se séparer au pied du grand escalier comme les soirs précédents. Charles avait attendu longtemps avant d'entendre de nouveau le pas d'Héloïse, et il avait bien vu, de derrière sa porte entrouverte, le petit sourire rêveur qu'elle avait aux lèvres en montant à l'étage. Il avait bien vu, aussi, le regard songeur de Robert : celui-ci ne l'avait pas quittée des yeux tout le temps qu'elle avait monté les marches, avec lenteur, une lenteur calculée sans doute.

Les ayant assez vus frotter leurs semelles sur le tapis en échangeant des regards coupables, il décida que c'en était assez, qu'il fallait percer l'abcès.

— Alors ? fit-il avec rudesse.

Robert prit la parole.

— J'ai emmené Héloïse dans plusieurs endroits que vous n'appréciez guère et…

Héloïse ne put se retenir.

— Je tiens à dire toute la vérité. Sachez que nous sommes allés à un bal masqué et qu'un homme inconnu, un horrible personnage en vérité, s'est permis des privautés sur ma personne. J'en frémis encore.

Robert se tourna vers elle, l'air surpris.

— Ce n'est pas la question.

Elle se défendit.

— Robert, je vous en prie, laissez-moi raconter toute l'histoire à ma manière.

Il haussa les épaules et se tint coi.

— Robert ne m'avait abandonnée que pour une minute, peut-être deux. Je vous jure que c'est la vérité. Je dois ajouter que ce n'était pas sa faute, mais la mienne. Je l'avais fermement engagé à inviter une jeune dame à danser, parce qu'il pensait qu'aucune femme ne consentirait à s'afficher avec lui à cause de ses infirmités. Donc, c'est pendant qu'il dansait avec cette personne au domino rose qu'un homme est entré dans ma loge. Je ne l'avais jamais vu avant. Il m'a prise dans ses bras et… et il m'a donné un baiser.

— Avez-vous apprécié cette expérience ? demanda Charles, avec la plus grande froideur.

Héloïse sursauta comme si elle venait de recevoir un soufflet.

— Comment faut-il comprendre cette question ? se récria Robert, éberlué. Votre femme en a été bouleversée, et j'ose espérer que vous n'en doutez pas. Je reconnais aussi que je n'aurais pas dû l'emmener dans ce genre d'endroit.

— Est-ce tout ? fit Charles d'une voix très douce, le regard fixé sur une liasse de papiers qu'il tenait dans ses mains.

Sa femme et son frère allaient lui annoncer qu'ils étaient devenus amants, sous son propre toit, et cela l'emplissait d'avance d'une fureur monstrueuse, fureur telle qu'il ne pouvait se résoudre à regarder les deux fautifs dans les yeux. Certain d'apprendre son infortune, il n'avait plus qu'un espoir, parvenir à cacher son désarroi en paraissant le plus flegmatique possible.

— Oui, c'est tout ! jeta Héloïse, le visage rouge de colère. Venez, Robert. Vous voyez bien que rien de ce qui me concerne ne l'intéresse.

Elle se leva et marcha vers la porte. Robert la suivit. L'un derrière l'autre, ils sortirent du cabinet.

— Héloïse, attendez ! supplia Robert alors qu'elle mettait le pied sur la première marche du grand escalier.

Elle s'arrêta. Lentement, elle se retourna pour murmurer, en gardant un œil sur la porte qui n'était pas bien fermée :

— Je vous avais bien dit qu'il faudrait trouver un autre moyen.

— Vous n'avez pas vraiment dit ce qui vous tracassait.

— Cela ne servirait à rien. Franchement, j'aimerais mieux mourir que de lui dire ce qui s'est passé ce soir.

S'il apprend que j'ai abandonné un bijou auquel il tient, il m'exilera dans une quelconque campagne, à moins qu'il ne me répudie. Je ne compte pas déjà pour grand-chose ; c'en sera terminé pour moi.

— Il ne fera pas cela, protesta Robert. Un gentleman ne divorce pas pour un motif aussi mince.

Héloïse eut un ricanement amer.

— Un gentleman, dites-vous ? Je ne sais plus ce que signifie ce mot, sinon qu'il désigne un homme froid, fier et inabordable. Je ne m'humilierai donc pas encore en le suppliant de me tirer du mauvais pas où je me suis mise. Je regrette d'avoir succombé déjà une fois à cette tentation. Mauriac étant mort, j'aurais très bien pu rester chez mes parents. Ils pensent que je suis une petite dinde, mais eux, au moins, ils me laissent dessiner tout ce que je veux.

Tandis que Robert, dans le vestibule, fronçait les sourcils en tâchant de comprendre ce discours, Charles, dans son cabinet, se prenait la tête dans les mains et s'adonnait à des pensées désespérantes.

Il n'aurait pas dû persévérer dans cette idée de mariage, dès lors que Mauriac était mort. Etouffant un gémissement douloureux, il se leva et gagna la porte, qu'il ferma doucement.

Au même moment, Héloïse déclarait :

— Je trouverai bien un moyen de me procurer cet argent !

Puis elle s'engagea dans l'escalier, qu'elle monta très vite.

Dans son antre, Charles marchait de long en large, si agité qu'il ne pouvait pas même concevoir de s'arrêter un moment pour se servir une boisson, qui, de toute façon, ne l'eût pas calmé.

Rien ne pouvait le consoler. Il venait d'entendre Héloïse déclarer qu'elle regrettait de l'avoir épousé.

Il avait fait tout ce qui était en son pouvoir pour l'apprivoiser, en lui accordant par exemple plus de liberté qu'aucune épouse n'en pouvait espérer dans le milieu où elle évoluait désormais. Il n'avait émis aucune exigence, ne lui avait imposé aucune restriction, l'avait laissée sortir où elle voulait et tant qu'elle voulait, alors qu'il savait très bien qu'elle fréquentait des milieux louches ; et tant d'efforts, tant de bonne volonté pour quel résultat ?

Passant devant une fenêtre, il frémit. Etait-ce bien lui qu'il voyait dans le reflet ? Ce visage hagard couronné de cheveux ébouriffés et ces yeux fous lui appartenaient-ils ? Deux mois avaient donc suffi pour le réduire à cet état de fantôme ?

Il n'aurait jamais dû donner ce baiser à Héloïse. Telle était sa plus grande erreur. Maintenant qu'il savait comment elle pouvait réagir entre ses mains, dans ses bras, sous sa bouche, il imaginait mieux ce que faisaient d'elle les mains, les bras et la bouche de son frère ; les visions qui se présentaient à son esprit halluciné le torturaient.

Un cri étranglé lui échappa comme il se détournait de la fenêtre où il avait croisé le regard d'un dément, lui-même, pauvre homme rendu fou à cause d'une femme. Il fallait être fou, en effet, pour ressentir une telle rage, un tel désespoir, un tel dégoût de soi ! Où était passé l'homme insensible qu'il se vantait d'être, professant que les sentiments étaient une marque de faiblesse ?

Il se laissa tomber dans un fauteuil. Il lui fallait retrouver son sang-froid, sinon il perdrait totalement la raison.

Se redressant, il ferma les yeux et prit une série de longues inspirations.

Il devait examiner la situation avec calme. Les faits se

résumaient en peu de mots, la cause était vite entendue : sa femme, à qui il vouait des sentiments dont il ne se croyait pas capable naguère, n'éprouvait pour lui qu'indifférence, si ce n'était du mépris, voire de la haine ; en conséquence de quoi, elle avait décidé de prendre un amant sans attendre de lui avoir donné un héritier, et ce en contradiction flagrante avec les termes de leur accord.

Décidé… Avait-elle décidé, vraiment ? Charles secoua la tête. Héloïse était une créature trop impulsive pour décider quoi que ce soit dans ce genre d'affaire. Elle avait suivi l'appel de son cœur, se conformant ainsi à une sorte de tradition familiale. N'avait-elle pas été élevée par des parents qui s'étaient enfuis pour se soustraire à la censure de leurs amours ? N'avait-elle pas, aussi, applaudi à la fuite de sa sœur, pour le même motif ? Voilà une famille où l'on révérait « l'amour vrai ».

En fait, Héloïse n'avait pas eu l'intention et encore moins le désir de le trahir. En lui faisant savoir qu'elle se rendait à un bal masqué, lieu de tous les dangers, elle avait voulu le prévenir, peut-être même donner une dernière chance à la survie de leur couple. Elle se savait alors sur la pente glissante menant à l'adultère et avait tenté tout ce qui était en son pouvoir pour revenir dans le droit chemin.

Quant à Robert… Charles crispa ses mains sur les accoudoirs de son fauteuil. Celui-là avait trouvé un excellent moyen de se venger de ses humiliations et de son malheur, en accaparant la femme de son frère tant haï, sans aucun risque puisqu'il n'y aurait pas de divorce pour révéler au monde quel genre de canaille il était. Et si Héloïse tombait enceinte de ses œuvres, son fils hériterait du titre et des propriétés… Forcément : lui, Charles Fawley, comte de Walton, serait bien obligé de reconnaître le petit bâtard, s'il voulait échapper au scandale et préserver Héloïse d'une disgrâce totale.

Préserver Héloïse de la disgrâce… C'est ce qu'il ferait, en effet. Jamais il ne laisserait sa femme le quitter pour s'en aller vivre une morne existence avec un invalide qui n'aurait que sa maigre pension pour l'entretenir.

A grand-peine, le visage déformé par l'angoisse, Charles se leva et marcha d'un pas lourd vers la porte. Il devait parler à Héloïse et lui dire, dès maintenant, qu'il refuserait de la laisser fuir. A elle de comprendre qu'elle aurait tout avantage à abandonner ses rêves et à accepter son sort d'épouse.

Elle resterait avec lui, près de lui, qu'elle le voulût ou non. Il y veillerait.

Il monta l'escalier, deux marches à la fois, ouvrit à la volée la porte des appartements d'Héloïse et traversa en toute hâte le petit salon pour gagner la chambre.

Quand elle le vit entrer, comme un fou, ses yeux s'agrandirent sous l'effet de la peur et elle remonta ses couvertures jusqu'à son nez. Cela le rendit plus furieux encore. Quoi ! Elle le considérait donc comme le méchant de la farce, et se protégeait comme si elle avait tout à craindre de lui ! C'était insultant pour lui, intolérable.

Perdant tout empire sur lui-même, il courut jusqu'au lit et arracha les couvertures, qu'il jeta sur le sol.

— Vous êtes mon épouse ! hurla-t-il.

— Je le sais, lui répondit-elle d'une voix faible. Je suis désolée… Je ne voulais pas…

Il tomba sur elle pour lui couvrir la bouche de sa main. Il ne voulait pas en entendre davantage. Il ne supporterait pas de recevoir des aveux, d'ailleurs inutiles puisqu'il avait déjà tout compris. Héloïse avait suivi les ordres de son cœur : il ne le savait que trop.

— Je savais que vous ne pourriez pas vous en empêcher.

Les yeux d'Héloïse s'écarquillèrent, et sous la main qui la bâillonnait, elle murmura :

— Vous n'êtes pas en colère ?

Elle se demandait si Robert, resté seul avec Charles, avait tout dit. C'était fort possible : il tenait à ce que la vérité fût révélée.

— Oh, Charles, fit-elle, des larmes plein les yeux. Pourrez-vous jamais me pardonner ?

Il lui prit le visage dans ses mains et balaya, du pouce, une larme qui courait sur sa joue. Pourrait-il pardonner ? Là était la question, en effet. N'était-ce pas trop demander ? Avec un grognement de désespoir, il enlaça sa femme et enfouit son visage dans ses cheveux.

Soudain il sut ce qu'il devait faire. Ce fut pour lui comme une révélation, brutale, douloureuse, mais libératrice en même temps : s'il pouvait posséder sa femme une fois, juste une fois, maintenant, alors son avenir serait moins insupportable ; alors il pourrait feindre de croire que l'enfant futur, l'héritier, était bien de lui.

Il saccagea la chemise de nuit d'Héloïse. Il commença par en arracher les bretelles, puis il la déchira pour mettre sa femme à nu. Ce faisant, il gémissait, tel un possédé :

— Une fois… juste une fois… ce soir…

— Oui, soupira Héloïse en lui passant les bras autour du cou pour l'attirer sur elle.

La culpabilité la motivait : de cela, Charles était certain. Elle croyait se racheter à bon compte en se donnant à lui. Mais il ne s'en laisserait pas conter. Il ferait ce qu'il voulait, sans croire aux sentiments fallacieux qu'elle exprimait.

Ce soir, ce soir seulement, une seule fois, se promit-il

en s'affalant sur Héloïse, tandis que ses derniers scrupules s'enflammaient au feu de son désir.

Dès lors, il oublia tout, tout sauf Héloïse : la douceur de ses lèvres, la douceur de sa peau, la chaleur de son souffle contre son visage.

Enfin, ayant rendu son âme insensible à tout sentiment, refusant d'entendre les cris de douleur d'Héloïse, il lui prit sa virginité, avec une brutalité inouïe.

10

Charles s'était complètement trompé à propos d'Héloïse. Il avait peine à le croire, mais les faits étaient là.

— Je vous demande pardon, balbutia-t-il, lamentable.

Que dire d'autre ? Qu'avait prévu le code de savoir-vivre pour une telle occasion ? Rien, sans doute… Il ajouta, tout en sachant que c'était là une bien piètre excuse :

— Si j'avais su que vous étiez encore vierge…

Héloïse allongée sous lui, immobile, avait jusque-là gardé les yeux fermés. Elle les rouvrit soudain pour le regarder avec une incrédulité qu'il trouva plus pénible à supporter que tous les reproches qu'elle aurait pu lui adresser.

— Bien sûr que j'étais encore vierge, murmura-t-elle, sans aucune animosité. Que croyiez-vous ?

Il avait donc cru qu'elle avait rompu ses vœux de mariage ? Ne savait-il pas qu'elle mourrait plutôt que de se montrer déloyale envers lui ?

Le visage fermé de son mari ajouta à son humiliation. Elle avait imaginé, elle avait cru, elle avait espéré qu'il venait à elle parce que, enfin, il la trouvait désirable… Hélas ce n'était pas cela du tout. Il avait manifesté ainsi, non de l'intérêt pour elle — elle n'osait même pas parler d'amour— mais un incroyable mépris. Il avait cru qu'elle était le genre de femme qui…

— Oh ! cria-t-elle en prenant conscience, avec horreur, de tout ce que signifiait l'irruption de Charles. Je vous hais ! Je vous hais !

En même temps, elle lui frappait les épaules avec ses poings.

Epouvanté, Charles quitta le lit, remit tant bien que mal ses vêtements en ordre et sortit de la chambre, très vite. Il fuyait le lieu où il venait de commettre l'irréparable.

L'irréparable, en effet : il avait détruit la toute petite chance qui lui restait de sauver son mariage avec Héloïse.

— Héloïse, murmura-t-il. Qu'ai-je fait ?

Il s'effondra sur le sol et, le dos contre la porte de la chambre d'Héloïse, il pleura amèrement.

Seule dans l'obscurité, Héloïse roula sur le côté, ramena ses genoux à la hauteur de son visage et donna libre cours à ses larmes.

Charles avait sans doute entendu des rumeurs sur les lieux qu'elle avait fréquentés, les gens en compagnie de qui elle s'était plu. De ces renseignements, il avait tiré la plus horrible conclusion possible.

Pourquoi ne l'eût-il pas fait, d'ailleurs ? Lord Matthison avait eu les mêmes pensées, quelques minutes seulement après l'avoir rencontrée.

L'aube trouva Héloïse toujours éveillée, les yeux rouges et boursouflés d'avoir tant pleuré. Quand Sukey entra dans la chambre pour lui apporter son petit déjeuner, elle avait la gorge si enrouée qu'elle eut à peine assez de voix pour dire qu'elle ne voulait rien et qu'elle avait besoin de rester seule.

Comment eût-elle pu ingurgiter quelque nourriture, alors qu'elle venait de perdre tout espoir ? Et à quoi lui eût-il servi de se lever, de s'habiller, de sortir, bref de mener une vie apparemment normale, comme si elle avait encore une vie ?

Le noir nuage du désespoir obscurcissait désormais son avenir.

Héloïse resta dans son lit jusqu'à midi, heure à laquelle Sukey se présenta de nouveau, avec un autre plateau.

— Je vous avais dit de me laisser seule…

— Je vous demande pardon, Milady, mais Sa Grâce insiste pour que vous preniez quelque chose. Je lui ai dit que vous ne vouliez pas vous lever aujourd'hui.

La sollicitude de son mari augmenta le chagrin d'Héloïse. Malgré le peu de cas qu'il faisait d'elle, il accomplirait toujours son devoir d'époux : il importait pour lui de sauver les apparences. Les serviteurs ne devaient se douter de rien, surtout pas !

Se forçant à une parodie de sourire, Héloïse murmura :

— C'est très gentil de sa part.

Puis elle s'installa assez confortablement contre les oreillers que Sukey redressait derrière elle.

C'est pour donner le change aussi qu'elle entreprit de picorer sa nourriture pendant que Sukey ouvrait les rideaux, mettait un peu d'ordre dans la chambre, versait de l'eau chaude dans le bassin. En entendant le ruissellement, Héloïse s'avisa qu'elle se sentirait sans doute mieux si elle procédait à sa toilette, se débarrassait de sa chemise de nuit déchirée, passait des vêtements propres et frais.

D'une certaine façon, songea-t-elle un peu plus tard, en prenant place devant sa table de toilette pour offrir ses cheveux aux mains expertes de sa camériste, le moment serait bien choisi pour aller trouver son mari et lui dire, enfin, dans quelle situation délicate elle s'était mise par imprudence. Vu l'opinion détestable qu'il avait d'elle, elle ne risquait rien à lui faire ces aveux qu'elle avait retenus la veille au soir.

Et pourtant, son cœur se déchira à l'idée que l'estime de Charles pouvait s'amenuiser encore…

En définitive, elle ne dirait rien à propos du bracelet. Elle réussirait bien à le récupérer, seule, sans l'aide de quiconque et surtout pas de son mari ! A cette pensée, elle leva le menton et serra les dents en se regardant dans le miroir. Tout n'était peut-être pas perdu.

Charles ne divorcerait pas. Robert le lui avait répété maintes fois. Elle avait donc toute la vie devant elle pour revenir dans ses bonnes grâces. Du reste, à en juger par l'état actuel de leurs relations, la vie ne serait pas trop longue pour rétablir la situation…

Elle ferait des efforts. Tout d'abord, elle n'irait plus n'importe où avec Robert. La plupart des gens qu'il lui faisait rencontrer étaient certes parfaitement respectables, même s'ils n'appartenaient pas aux plus hautes sphères de la société comme Charles, mais il y avait ceux ou celles qu'il valait mieux éviter dorénavant, comme Mme Kenton, par exemple : celle-là, Héloïse n'avait pas envie de la revoir.

Elle resterait dans ses appartements si Charles n'exigeait pas sa présence près de lui. Si elle s'ennuyait vraiment, elle se promènerait un peu dans le parc, chaperonnée par Sukey, et avec un valet encore, pour faire bonne mesure. Elle chasserait Mme Kenton de son esprit et s'appliquerait à devenir une épouse si parfaite que Charles finirait bien par comprendre qu'il l'avait mal jugée.

En même temps, elle se creuserait la cervelle pour trouver le moyen de récupérer le bracelet de famille avant que Charles ne s'aperçût de sa disparition. Il faudrait peut-être faire vite.

Héloïse renvoya Sukey. Elle avait besoin d'être seule pour réfléchir.

Après avoir marché de long en large pendant une grande heure, sans aucun résultat notable, elle alla jusqu'à son bureau et ouvrit le tiroir du bas pour retirer de sous une couche de linge ce qu'il lui restait de papier à dessin. « Cinq cents guinées », écrivit-elle sur la première feuille. Comment une femme pouvait-elle gagner honnêtement une somme pareille ?

Tandis qu'elle revivait par la pensée les circonstances qui lui avaient fait contracter cette dette, elle se mit à caricaturer distraitement les joueurs de la funeste partie de whist. Elle s'occupa d'abord d'elle-même, se représentant sous les traits d'un petit pigeon que plumait un chasseur à favoris broussailleux, aux pieds duquel se trouvait un fusil encore fumant. Elle ajouta, à l'arrière-plan, un Percy Lampton en renard aux yeux rusés, qui se léchait les babines en observant la scène, à demi caché dans une haie dont les feuilles étaient des cartes à jouer.

Brusquement, elle sortit de la rêverie à laquelle elle s'adonnait toujours lorsqu'elle dessinait ainsi. Une idée venait de la frapper et elle l'examina, le crayon en l'air. Beaucoup de gens gagnaient leur vie en vendant des dessins — des artistes comme Thomas Rowlandson, par exemple. Elle avait vu les œuvres de celui-ci dans certains volumes reliés qui figuraient en bonne place dans la bibliothèque de Charles, ainsi que chez plusieurs amis de Robert. Tout le monde appréciait les caricatures des personnalités qui défrayaient la chronique. Héloïse se rappelait très bien comment elle avait diverti les dames réunies à l'ambassade d'Angleterre à Paris, avec cet album que Charles l'avait ensuite forcée à brûler.

Son cœur commençait à battre plus vite. Tombant à genoux, elle chercha fébrilement dans le deuxième tiroir du bas, où elle cachait ses œuvres terminées. Chaque fois qu'elle rentrait d'une sortie en compagnie de Robert, elle dessinait les gens qui l'avaient amusée ou particulièrement ennuyée. Les hommes politiques, les dames patronnesses, même certains membres du haut clergé lui avaient inspiré des dessins où elle les mettait en scène avec leurs travers, leurs défauts, leurs ridicules… Si elle pouvait trouver un éditeur acceptant de les publier, elle gagnerait, sans doute assez vite, l'argent dont elle avait un si pressant besoin.

D'un air décidé, elle sortit ses travaux achevés, les roula ensemble. Puis elle tira le cordon pour appeler sa camériste et lui donner ses ordres. Il lui faudrait du ruban, du papier d'emballage, et un fiacre : pas question, en effet, de courir les éditeurs dans une voiture frappée des trop reconnaissables armoiries de Charles ; en outre, le cocher serait sans doute tenu de faire un rapport sur les lieux visités…

Mais, Seigneur ! songea-t-elle, voilà qu'elle se rengageait dans des activités que son mari désapprouverait, s'il en avait vent. A cette idée elle se sentit rougir, et elle pressa ses mains sur ses joues en s'efforçant de respirer calmement. Pour se rassurer, elle se promit que ces démarchages dureraient peu, juste le temps de réunir la somme nécessaire. Dès que la dette serait soldée, elle ne se lancerait plus jamais dans des occupations déplaisantes pour son mari ; plus jamais, c'était un serment qu'elle se faisait, pour la tranquillité de son esprit.

*
* *

Charles regardait, sans les voir, les alignements de livres reliés qui garnissaient le mur de son cabinet de travail, en face de son bureau. Jamais il ne s'était senti aussi abattu, aussi diminué. Jusqu'à présent, il avait toujours pensé avoir le droit pour lui, ce qui légitimait toutes ses actions, même celles qui pouvaient sembler cruelles à des observateurs non avertis de ses motifs, toujours justifiés.

Or il ne comprenait pas pourquoi, la veille au soir, il avait commis un acte aussi répréhensible… un acte criminel, en vérité. Il avait beau examiner ses raisons, il ne parvenait pas à s'en excuser à ses propres yeux. Dans ce procès intime où il était à la fois l'accusé et le juge, il se condamnait sans appel, sans s'accorder la moindre circonstance atténuante.

Si seulement il pouvait implorer le pardon d'Héloïse ! S'il pouvait la prendre dans ses bras et la serrer contre lui en la laissant pleurer tout son soûl. Il savait qu'elle n'avait pas cessé de pleurer, depuis ce qu'il fallait bien appeler un viol. Sukey l'avait dit à Finch, le plus jeune des valets, quand elle avait rapporté le plateau du petit déjeuner intact. Charles ne supportait pas de savoir sa femme seule et éplorée, sans personne pour la réconforter. Plus d'une fois il avait envisagé d'aller la retrouver, mais toujours il avait reculé en se rappelant qu'il était sans aucun doute la dernière personne qu'elle eût envie de voir.

A midi, il avait envoyé Sukey aux nouvelles. Il apprit avec soulagement qu'elle avait consenti à prendre un peu de nourriture et boire presque une demi-tasse de chocolat, puis qu'elle s'était levée pour baigner son visage bouffi par les larmes avant de mettre une robe du matin, celle qui s'agrémentait de quantité de dentelles abricot.

Finch avait transmis ces informations à Giddings, lequel les avait rapportées à Sa Grâce en même temps qu'une légère collation, que Charles n'avait pas demandée, mais qu'il avait tout de même consommée, dans son cabinet de travail, un lieu qu'il ne quittait plus, n'ayant ni la force ni le courage de se rendre dans une autre pièce de la maison.

Il découpait machinalement un peu de viande de mouton quand il entendit un bruit de pas, suivi de l'ébranlement de la porte de sortie qui se refermait. Aussitôt il se leva, se tamponna les lèvres et gagna le vestibule, Giddings sur ses talons.

— Où est-elle allée ? demanda Charles à Finch, qui se tenait près d'une console et arborait un air coupable.

— Je suis désolé, Milord, mais je n'en sais rien du tout.

— Milady n'a pas demandé de voiture, fit observer Giddings. Milady n'a sans doute pas l'intention d'aller très loin.

Charles eut quelque peine à se retenir de courir vers les appartements d'Héloïse pour vérifier ses placards. Avait-elle fait ses bagages, dans l'intention de le quitter ? L'angoisse l'étreignait. La trahison de Félicie n'était rien, comparée à la souffrance qu'il ressentirait si Héloïse lui infligeait le même camouflet que sa sœur.

Les entrailles nouées, il se retourna vers le pauvre Finch, qui n'en menait pas large.

— Que transportait Milady ?

Le valet fit un vain effort de mémoire.

— Voyons... rien de particulier, Milord. Ah, si... Sukey portait une sorte de long tube... On aurait dit une ombrelle, enveloppée dans du papier brun.

Une ombrelle ? Une femme ne fuyait pas son mari armée de sa seule ombrelle, enveloppée ou non de papier brun.

Charles passa une main tremblante sur son visage et retourna s'enfermer dans son sanctuaire. Cela ne pouvait continuer, se dit-il en s'effondrant dans son fauteuil. Il fallait percer l'abcès.

Qu'Héloïse crût ou non à son remords, qu'elle pût ou non lui pardonner ou même seulement comprendre pourquoi il avait agi ainsi, tout cela n'avait plus d'importance, tout cela passait au second plan. Il devait, de toute urgence, aller voir sa femme et lui demander à quelles conditions elle s'abstiendrait de le quitter. Il était prêt à tout accepter.

Il était fort tard quand Héloïse rentra à la maison. Charles décida de lui donner assez de temps pour se mettre à l'aise et prendre un rafraîchissement. Ensuite, il monterait chez elle pour lui tenir le discours qu'il avait passé l'après-midi à mettre au point et à perfectionner.

Il bouillait d'impatience.

Encore cinq minutes, pensa-t-il en remettant sa montre dans la poche de son gilet.

Il tourna la tête vers la porte de son cabinet de travail et vit Giddings qui passait la tête dans l'entrebâillement.

— Je vous demande pardon, Milord, mais un monsieur insiste pour s'entretenir avec Votre Grâce. Quand je lui ai dit que vous ne receviez personne, il m'a prié de vous remettre ceci.

Le majordome s'avança jusqu'au bureau pour y déposer un rouleau de papier avant d'ajouter :

— Ce monsieur attend votre réponse dans le petit salon. Je l'aurais bien fait patienter dans le vestibule, mais il a tenu à préciser que le sujet dont il voulait vous entretenir était assez délicat et que, surtout, il ne voulait pas être découvert par Milady.

Charles déroula la feuille de papier. C'était un dessin. Au premier coup d'œil, il reconnut une œuvre de sa femme.

Il se souvint.

C'était le soir où il l'avait emmenée au théâtre. Des

personnages souvent pittoresques occupaient les loges, dont ceux qui lui apparaissaient maintenant sous l'apparence d'une petite chèvre et d'une panthère noire, la patte griffue de celle-ci reposant sur la nuque de celle-là : Lensborough et la jeune fille de petite vertu qu'il « protégeait » ! Le dessin représentait aussi la scène, qu'encombrait un troupeau de blanches brebis enrubannées, toutes arborant de grands yeux hébétés qui montraient à quel point elles se sentaient vulnérables sous les regards des spectateurs du parterre, des loups noirs qui, avec des langues pendantes, les dévoraient des yeux, en attendant mieux.

Etait-ce ce document que Sukey avait transporté dans l'après-midi quand elle était sortie avec Héloïse, et que Giddings avait pris pour une ombrelle ? Sans doute… mais dans quel but ? Voilà ce qu'il fallait savoir. Question subsidiaire : qui était l'homme qui rapportait ce dessin, et que venait-il faire dans cette histoire ?

Pour la première fois de cette journée, Charles se rappela qu'Héloïse avait d'autres soucis que celui d'être mariée à un homme qu'elle commençait à haïr sérieusement. La veille au soir, Robert avait voulu la persuader de lui confier ces soucis ; et lui, Charles, au lieu d'écouter sa femme, de l'encourager même, il s'était muré dans un silence hautain, confirmant ainsi l'opinion qu'elle avait de lui, à savoir qu'il était un homme froid, fier et inaccessible.

— Faites entrer cet homme, ordonna-t-il à Giddings.

Il prit place à son bureau et se fit un visage impassible, car il importait de ne rien révéler de ses tourments. En même temps, il se préparait à une entrevue houleuse : si le visiteur qui détenait, il ne savait comment, un dessin d'Héloïse, entendait l'utiliser comme moyen de chantage, il ne tarderait pas à découvrir qu'il commettait une erreur, une grave erreur. Charles se promettait déjà de lui faire souffrir mille morts.

— M. Rudolph Ackermann, annonça Giddings.

Etonné, Charles se demanda s'il avait bien entendu. M. Rudolph Ackermann était un éditeur honorablement connu sur la place de Londres, sans doute pas le genre d'homme qui s'adonnait au chantage.

— Milord, déclara celui-ci, je vous remercie de bien vouloir me recevoir. Je vous prie de me pardonner la méthode peu orthodoxe dont j'ai usé pour vous approcher...

Il désigna du doigt le dessin déroulé sur le bureau.

— ... mais il me fallait absolument attirer votre attention.

— Vous avez toute mon attention, répondit Charles. Dites-moi ce qui vous amène.

Il n'invita pas le visiteur à s'asseoir et ne demanda pas à Giddings de servir les rafraîchissements d'usage.

— Lady Walton, votre honorable épouse, est venue me voir dans mes bureaux sur le Strand, commença l'homme dès que le majordome fut sorti. Il va sans dire que je ne l'aurais pas reçue si elle était venue seule, mais sa camériste l'accompagnait. J'ai d'abord cru qu'elle avait l'intention de faire un achat...

Il glissa un doigt dans son col. Visiblement, il se sentait de plus en plus mal à l'aise sous le regard froid du comte de Walton ; c'était d'ailleurs l'effet recherché par celui-ci.

— ... il se trouve, poursuivit-il, que Milady m'a montré cinq dessins de sa composition, en me demandant si je voulais bien les publier, avec d'autres qu'elle m'apporterait ensuite s'il en fallait pour justifier la fabrication d'un volume de taille normale. Dubitatif, j'ai pensé qu'il convenait de donner le change à Milady en examinant ses dessins. Or j'ai été tout de suite frappé et séduit par leur force comique, au point que j'ai sérieusement envisagé d'en faire un livre dans l'esprit du *Voyage du Maître d'Ecole*, un ouvrage que Votre Grâce connaît sans doute. Nous en avons parlé, et j'ai proposé un titre : *Une Française à Londres*. Je…

La voix lui manqua. Baissant les yeux, il reprit avec difficulté :

— Mais je me suis rendu compte très vite que ce n'était pas possible… Je me suis dit que cet arrangement ne plairait probablement pas à Votre Grâce.

Il dut s'éclaircir la gorge.

— Il me faut préciser que Milady ne m'a pas donné son vrai nom. J'avais cru la reconnaître ; toutefois, pour en être complètement sûr, j'ai demandé à un assistant de suivre Milady jusque chez elle. Il est revenu pour me donner votre adresse, et me voici.

Le regard fixé sur son visiteur, Charles dit d'une voix rogue :

— Ainsi ma femme vous a apporté toute une collection de ses œuvres. J'espère que que tous ces dessins sont actuellement bien à l'abri dans votre coffre-fort ?

M. Rudolph Ackermann fut heureux de pouvoir répondre :

— Tout à fait. Si je n'avais pas affirmé à Milady que ses dessins m'intéressaient, elle les aurait proposés à un autre éditeur, qui, peut-être, n'aurait pas eu les mêmes scrupules que moi.

— Des scrupules ? fit Charles avec un rictus de mépris.

— Oui, répondit gravement M. Ackermann. Milord, une entreprise comme la mienne ne survit que si elle se conforme à un certain nombre de règles qui se rapportent au savoir-vivre autant qu'à la morale, ainsi qu'à la notion de l'intérêt bien compris. Je sais fort bien que si je causais un scandale impliquant Mme votre épouse, vous pourriez me briser très facilement. J'ai donc pris les mesures qui s'imposaient pour empêcher Lady Walton de se mettre dans une lumière qui ne convient pas à son rang. Je lui ai offert de modestes émoluments afin de m'assurer qu'elle n'aille pas frapper à la porte d'un indélicat.

— Un modeste paiement, dites-vous ?

— Vingt-cinq guinées.

— Vous êtes un maître chanteur à la petite semaine si vous n'attendez de moi que vingt-cinq guinées.

C'est sur le ton de la dignité outragée que M. Ackermann repartit :

— Milord, si quelqu'un doit exercer un chantage sur Mme votre épouse, ce ne sera pas moi ! J'ai bien compris qu'elle cherche à se procurer une importante somme d'argent en peu de temps, mais je ne suis pas homme à profiter de cette situation.

Pensif, Charles se caressa le menton. Il jeta un coup d'œil à la caricature, puis reporta son regard sur l'éditeur.

— De quelle somme ma femme a-t-elle besoin, selon vous ?

— Cinq cents guinées.

Charles ne fit pas de commentaire. Il devait réfléchir.

Héloïse avait besoin de cinq cents guinées, mais elle se méfiait tellement de lui qu'elle préférait obtenir cette somme par n'importe quel moyen plutôt que de la lui demander. Elle ne voulait rien lui devoir, et la scène pénible de la veille l'avait sans doute renforcée dans ces dispositions.

Et pourtant… S'il pouvait lui faire parvenir cet argent,

elle comprendrait peut-être qu'il n'était pas le tyran qu'elle imaginait.

— Prenez un siège, monsieur Ackermann. Je vais vous expliquer ce que vous allez pouvoir faire pour moi.

11

Héloïse ne savait si elle devait masser son poignet endolori ou frotter son front, entre les sourcils, à l'endroit où il lui semblait qu'un clou était planté. Elle avait passé toute la nuit assise à sa petite table de travail pour mettre la dernière touche à tous les dessins assez élaborés qu'elle avait pu retrouver. Elle tenait à faire une bonne impression à M. Ackermann, avec qui elle avait rendez-vous au matin. Elle souhaitait même l'étonner par sa puissance de travail.

En montant dans le fiacre qui devait la conduire chez l'éditeur, elle se livra à un rapide calcul : s'il ne lui allouait que cinq guinées par dessin, elle devrait lui en fournir encore quatre-vingt-quinze pour éponger sa dette de jeu ; en admettant qu'il accepterait tout ce qu'elle lui proposerait, ce qui n'était sans doute pas possible.

Cette prise de conscience altéra sensiblement sa bonne humeur et elle s'affaissa sur son mauvais siège de cuir, en se mordillant la joue. Elle devait réfléchir. Bien sûr, elle avait toujours l'émeraude donnée à Félicie, et selon Charles ce bijou avait une grande valeur. Puisqu'elle ne le porterait jamais, il conviendrait peut-être de le vendre.

Ensuite, puisqu'elle avait l'intention de ne plus jamais sortir, elle n'aurait plus besoin des toilettes fort chères que

Charles lui avait achetées. A Paris, elle se fournissait chez les revendeurs et portait volontiers des robes de seconde main. Ce genre de boutiques devait exister à Londres aussi. Il lui suffirait d'en trouver une et d'y vendre les plus belles robes qui peuplaient ses armoires. Elle pensait surtout aux somptueuses créations de Mme Pichot, dont elle pouvait espérer tirer une somme importante.

Quand le fiacre atteignit sa destination, Héloïse se sentait nerveuse, très nerveuse. Songeant qu'il ne serait pas habile de le montrer, elle se redressa et se fit un visage neutre pour entrer dans le cabinet de travail de M. Ackermann. Elle prit place dans le fauteuil qu'il lui indiquait et vit, sur le bureau, les dessins qu'elle lui avait confiés la veille. Après avoir échangé quelques mots avec lui, elle tendit les documents qu'elle apportait. Il les examina en silence.

Elle se sentait frémir d'espoir renouvelé chaque fois qu'elle voyait ses lèvres s'incurver pour un petit sourire qu'il semblait contenir, et s'étonna de le voir s'intéresser plus longuement à une caricature où elle se mettait en scène, lors de la soirée où Charles l'avait présentée à la bonne société. Au premier coup d'œil, on croyait voir un étang de nénuphars, entouré de roseaux parmi lesquels perchaient d'élégants hérons, lesquels surveillaient la carpe qui nageait paresseusement dans les eaux peu profondes. Les grenouilles assises sur les feuilles de nénuphars moquaient des personnalités faciles à reconnaître, mais il fallut un peu plus de temps à M. Ackermann pour identifier les poissons et les oiseaux.

— Est-ce là tout ce que vous avez, Milady ? finit-il par demander, en levant la tête.

— Oui, mais je vous assure que je suis capable de vous en donner autant que vous en voudrez. Je travaillerai jour et nuit s'il le faut pour cela. Je…

M. Ackermann leva la main pour l'interrompre.

— Non, non, Milady, ce ne sera pas nécessaire. Je n'ai besoin de rien d'autre.

Voyant le visage d'Héloïse se décomposer sous l'effet de la déception, il s'empressa d'ajouter :

— J'ai l'intention de vous donner cinq cents guinées pour les dessins que vous m'avez déjà apportés.

Elle regarda, sans y croire, l'enveloppe qu'il faisait glisser vers elle sur la surface brillante du bureau.

— Vous me donnez cinq cents guinées ? Rien que pour ces quelques dessins ?

— Rien que pour ces dessins, répondit-il, avec un mince sourire.

Héloïse s'empara vivement de l'enveloppe, de crainte de voir l'éditeur se raviser. Cinq cents guinées ! Il fallait avoir perdu la raison pour payer si cher si peu de travail. Elle voulut mettre l'enveloppe à l'abri dans son réticule, qui se révéla trop petit pour contenir autant d'argent. Elle la plia sans obtenir de résultat plus satisfaisant. Alors elle fourra ce petit trésor dans son corsage et crut défaillir : c'était terrifiant de transporter sur soi une telle fortune. Et si elle perdait tout sur le chemin du retour, ou ensuite ? Elle confierait les cinq cents guinées à Robert, sans perdre de temps ; et le plus tôt serait le mieux ; tout de suite, même…

Héloïse se leva et marcha comme une somnambule vers la porte. Au moment de poser la main sur le bouton, elle se rappela les règles élémentaires du savoir-vivre et se retourna pour balbutier :

— Je dois sans doute vous paraître un peu cavalière, mais vous comprenez, c'est une grosse somme et…

Elle trouva que M. Ackermann la regardait drôlement,

comme s'il avait pitié d'elle. Mais il se leva et lui dit, d'un ton brusque, impersonnel :

— Milady, je vous souhaite une bonne journée.

Il ne la regardait déjà plus : il entreprenait de rouler les dessins, comme s'ils l'encombraient, l'embarrassaient.

Alors Héloïse s'en alla, stupéfaite d'avoir gagné une telle somme en si peu de temps.

Aussitôt que la porte se fut refermée derrière Milady de Walton, le comte, son mari, sortit de la petite pièce attenante, où il s'était dissimulé pour assister à l'entretien. Il félicita rapidement l'éditeur d'avoir si bien joué son rôle, puis sortit à son tour pour se lancer sur les traces de sa femme.

Il détestait faire cela, tout en s'y sentant obligé. Sans cette filature peu digne de lui, comment aurait-il su pourquoi Héloïse avait besoin de cinq cents guinées ?

Il ne lui fallut pas longtemps pour se rendre compte qu'elle rentrait à la maison. Il s'arrêta au coin de la rue et se mordit la lèvre, vaguement déçu, en la regardant monter les marches du perron. Il devrait la surveiller encore quelque temps s'il voulait découvrir l'usage qu'elle comptait faire de l'argent, et cela ne lui plaisait pas… En soupirant, il la suivit.

Il entra peu de temps après elle. Elle n'était pas, comme il l'avait imaginé, en train de monter l'escalier menant à ses appartements.

Elle allait chez Robert.

Tout de suite en entrant ! Elle ne perdait pas de temps.

Qu'avait-elle de si important à lui dire ?

D'une manière ou d'une autre, on en revenait toujours à Robert. Celui-là commençait à l'agacer sérieusement.

Une série d'images déplaisantes se présenta à son esprit : Héloïse embrassant Robert, dans ce vestibule, en lui disant d'une voix émue qu'il était son seul ami ; Héloïse montant l'escalier, avec un sourire rêveur, alors qu'elle revenait de la mascarade.

Etant donné la « tradition » en usage dans la famille Bergeron, il n'était pas besoin d'être grand clerc pour tirer les conclusions qui s'imposaient.

Jetant son chapeau dans les mains tendues du valet, Charles fonça vers le fond du vestibule, entra chez Robert, repoussa Linney qui accourait, et arriva juste à temps pour voir Héloïse qui donnait l'enveloppe à son frère.

Elle lui donnait son argent.

Tous deux se figèrent, effrayés. Ils avaient l'air d'enfants surpris les doigts dans un pot de confiture.

Charles eut une vision : une ferme, quelque part en France, Héloïse jetant du grain aux poules, Robert sortant de la grange, enlaçant Héloïse pour lui donner un baiser, Héloïse lui souriant, l'air heureux…

Il était tellement saisi que pendant un moment il fut incapable de dire un mot. Il avait l'horrible impression de tituber au bord d'un précipice ; un faux mouvement et il tomberait, tomberait jusqu'à la fin de ses jours.

Jusqu'à cet instant, il n'avait pas encore vraiment pris conscience de la haine que lui vouait sa femme. Elle le lui avait dit, certes, dans la fièvre d'une scène malheureuse, mais elle s'était ravisée par la suite en affirmant qu'elle ne le pensait pas vraiment…

Or Charles avait maintenant la preuve que sa femme n'avait pas l'intention de passer toute sa vie auprès de lui et qu'elle complotait pour s'enfuir.

Comment lui en vouloir ?

Tout était sa faute. Il l'avait traitée de façon abominable. Déjà lors de la mascarade, il l'avait laissée toute tremblante, les larmes aux yeux. Il avait fait pire ensuite, bien pire… Il ne fallait pas s'étonner si elle cherchait du réconfort auprès de Robert. C'était lui, mari odieux, qui l'avait pratiquement poussée dans les bras de son frère. Il ne devait s'en prendre qu'à lui.

Charles prit une longue inspiration. Il était prêt à entendre la vérité, quelle qu'elle fût. D'ailleurs, il se doutait déjà de ce qu'il allait entendre. Ensuite…

Ensuite il tâcherait de vivre, ou plutôt de survivre ; mais comment vivre quand on a perdu sa femme en même temps que son frère ; comment survivre quand votre femme est partie avec votre frère parce qu'elle ne pouvait plus vous supporter ?

Comme un automate, Charles traversa la pièce et se plaça près de la cheminée, au manteau de laquelle il s'adossa, en croisant les bras sur sa poitrine. Puis, se tournant vers Robert qui se dirigeait vers le sofa pour y prendre ses béquilles, il lui lança avec rudesse :

— Je crois qu'il est temps qu'on me dise exactement ce qui se passe ici.

Robert laissa tomber ses béquilles et s'adressa, assez gauchement, à Héloïse.

— Vous devriez le lui dire, vous.

— Je ne peux pas ! s'écria-t-elle aussitôt, les deux mains crispées sur l'enveloppe contenant les cinq cents guinées.

Elle avait pâli et de grosses larmes se mettaient à couler sur son visage.

— Alors, je le lui dirai, moi ! fit Robert en se redressant

autant qu'il pouvait. Il ne servirait à rien de taire la vérité plus longtemps, je crois. La partie touche à sa fin.

— Robert ! gémit-elle, aussi malheureuse que s'il venait de la trahir.

Imperturbable, il poursuivit :

— Il vaut tout de même mieux que Charles s'occupe de cette affaire. C'est ce que je vous ai dit dès le début.

S'occuper de cette affaire ? Charles médita ces paroles étranges, qui n'étaient sans doute pas celles d'un homme s'apprêtant à fuir avec la femme légitime de son frère. S'il n'y comprenait rien, il les trouvait néanmoins rassurantes. C'était comme si un grand poids venait d'être retiré de ses épaules. Pour encourager les confidences, il déclara :

— Peut-être aurez-vous moins de mal à me renseigner si je vous dis ce que je sais déjà, à savoir que vous avez essayé de vendre vos dessins. C'est moi qui ai donné cinq cents guinées à l'éditeur, à charge pour lui de vous les remettre.

Héloïse eut un cri étranglé et se laissa tomber dans un fauteuil pour se prendre le visage dans les mains. Comment n'avait-elle pas tout de suite deviné ? Aucun éditeur sensé ne pouvait payer une telle somme quelques croquis, qui ne valaient probablement pas un penny ! Pourquoi n'avait-elle pas soupçonné que son mari agissait en sous-main ?

— Je me suis conduite de manière encore plus sotte qu'à l'accoutumée, murmura-t-elle en pétrissant l'enveloppe.

Inutile de tergiverser davantage, puisque, de toute façon, elle devrait tout dire à son mari. Terrifiée, elle envisageait déjà les conséquences de sa confession : Charles entrerait dans une colère terrible, qu'il dirigerait contre Robert d'abord. Il aurait des mots qui fâcheraient les deux frères. Ils étaient si fiers qu'ils ne se pardonneraient rien. La brouille serait consommée, définitivement.

Et tout cela à cause d'Héloïse… Tout était sa faute.

Peut-être que si elle pouvait parler avec Charles en tête à tête… S'il avait le temps de se calmer avant de revoir Robert… Oui, c'était peut-être la solution.

— Robert, dit-elle en se levant pour lui tendre l'enveloppe fripée, vous savez quoi faire avec ceci.

Elle se tourna ensuite vers son mari.

— Charles, si vous voulez bien me consacrer un petit moment en privé, je vous dirai toute la vérité.

Elle marcha vers la porte avant de préciser :

— Dans mes appartements.

A son grand soulagement, elle entendit son mari lui emboîter le pas, sans exiger davantage d'explications.

Dans son salon, elle lui désigna un siège près de l'âtre.

— Je vous en prie, asseyez-vous.

Sur un signe discret, sa camériste se retira et ferma la porte. Un peu nerveuse, elle prit place en face de Charles et commença, d'une voix contenue, avec difficulté parce qu'elle devait chercher ses mots :

— Je vous ai promis, avant notre mariage, que je ne vous causerais jamais aucun ennui, mais sur ce point j'ai failli. Je me suis mise dans une terrible situation. Ah, je ne sais par où commencer…

— Commencez donc par les dessins, proposa Charles. J'aimerais bien savoir pourquoi vous vous êtes sentie obligée de courir la ville pour vendre ces papiers, afin de vous procurer une somme ridicule.

— Cinq cents guinées, ce n'est pas une somme ridicule ! Robert m'a dit que c'est une vraie petite fortune.

— Oui, mais moi, c'est une immense fortune que j'ai à ma disposition. Pour l'amour du Ciel, Héloïse, suis-je donc un tel monstre que vous n'osiez pas me demander un peu d'argent quand vous en avez besoin ?

— Je ne pense pas que vous soyez un monstre, mais il se trouve que j'ai manqué à ma parole et que j'avais du mal à le reconnaître. Il m'en coûtait aussi de vous avouer ma faute… Oui, c'est une véritable faute que j'ai commise. J'ai joué aux cartes et j'ai perdu cinq cents guinées.

— Une dette de jeu…

Charles se demanda pourquoi il n'avait jamais considéré cette éventualité. Soulagé et agacé en même temps, il reprit :

— Je ne crois pas vous avoir donné à penser que je refuserais de couvrir vos dettes de jeu.

C'est en se tordant les mains qu'Héloïse justifia son comportement.

— Je suis une sotte, je le sais. Maman m'avait édifiée à propos de vos maîtresses. Selon elle, je ne devais surtout pas me mêler de ces affaires. Mais quand je l'ai vue, celle-là, avec les rubis que vous aviez choisis pour elle, cela m'a beaucoup irritée. J'ai eu tort, je le sais… Il faut dire aussi qu'elle se pavanait tellement, et moi, je n'avais que ces horribles pierres jaunes… Robert m'a dit par la suite que c'étaient des diamants, des bijoux de famille très beaux, hors de prix. J'ai eu si honte de moi, alors… vous ne pouvez pas l'imaginer.

Nerveuse, elle se leva, et fit quelques pas. Il lui fallait s'éloigner avant de faire les aveux les plus pénibles.

— Vous m'aviez dit que vous les aviez fait nettoyer, en me les donnant comme s'il s'agissait de babioles sans importance. J'ai pensé que vous n'aviez eu ni le temps ni l'envie d'aller chez un joaillier pour m'acheter quelque chose. Je ne savais pas…

Elle renifla, écrasa une larme sur sa joue.

— … Je vous jure que je ne me doutais absolument pas de la valeur de ce bracelet, et vous prie de croire que si j'avais mesuré les dangers que je courais en me rendant à l'opéra, je n'aurais jamais demandé à Robert de m'y conduire. La vérité m'oblige à dire qu'il m'avait mise en garde, mais je n'ai pas voulu l'écouter. Je ne peux donc m'en prendre qu'à moi si cet homme abominable m'a donné un baiser…

— Je vous en prie, taisez-vous un moment.

Charles se leva et vint prendre sa femme par les épaules. Plusieurs fois déjà, il s'était demandé s'il n'existait pas un moyen pour lui couper la parole, quand elle se lançait dans ces longs discours qui semblaient ne jamais vouloir s'arrêter. Eh bien ! il allait vérifier son hypothèse.

Il se pencha sur elle et prit ses lèvres avec fougue, sachant parfaitement qu'elle détesterait ce baiser somme toute cavalier mais ne pouvant pas se retenir de le lui imposer, ne pouvant résister à la joie intense qui le poignait. Dire qu'il avait cru qu'elle le trompait et qu'il s'apprêtait à lui jeter cette accusation à la figure, encore une fois ! Il frémit à la pensée de l'erreur qu'il avait failli commettre ; Dieu merci, il avait réussi à tenir en lisière son abominable jalousie.

— Ch… Charles…

Ce fut tout ce qu'Héloïse réussit à murmurer, d'une voix décolorée par l'émotion, quand il relâcha enfin son étreinte. Elle ne comprenait pas. Pourquoi lui donnait-il ce baiser passionné quand il devait n'éprouver pour elle que du ressentiment ?

En lui voyant ce petit visage chiffonné, Charles comprit qu'il n'était pas au bout de ses peines. Certes elle n'avait pas médité de s'enfuir en compagnie de Robert, mais c'était tout de même vers celui-ci qu'elle s'était tournée quand elle avait eu besoin d'aide.

Avec gentillesse, avec douceur, il la conduisit vers un sofa et prit place à côté d'elle.

— Héloïse, il peut arriver à tout le monde de perdre aux cartes. Vous auriez dû me le dire.

— J'avais trop honte, répondit-elle. Je n'aurais pas dû jouer, ne sachant même pas bien compter les points, mais Mme Kenton me regardait avec un tel mépris : j'ai eu envie de lui prouver que je n'étais pas plus stupide qu'elle. Et puis, nous nous trouvions chez un ami de Robert, une maison respectable, donc, et non dans un tripot où l'on mène un jeu d'enfer, comme certains endroits où nous étions déjà allés, puisqu'il me faut tout avouer. C'est pourquoi je ne me méfiais pas du tout. Ensuite, personne ne m'avait avertie qu'une guinée vaut plus qu'une livre, beaucoup plus.

Elle soupira, et c'est avec un regard chargé de reproche qu'elle ajouta :

— Pourquoi faut-il que vous, les Anglais, ayez un système si compliqué, avec des couronnes, des shillings, des livres et des guinées ? Je n'y entends rien.

— C'est la deuxième fois que vous prononcez le nom de Mme Kenton, répondit Charles. Cela vous dérangerait-il de me dire comment vous avez fait sa connaissance ?

Résolue à défendre Robert autant qu'il serait en son pouvoir, Héloïse biaisa.

— C'est Nell qui nous a présentées.

Et pour répondre au regard interrogateur de Charles, elle expliqua :

— Nell est la maîtresse de Lord Lensborough. Elles sont amies.

— Certainement, mais dans quelles circonstances

avez-vous fait la connaissance de cette Nell, si tel est son nom ?

— Et pourquoi cela ne pourrait-il pas être son nom ? Elle a le droit d'avoir un nom, comme n'importe quel être humain, et ce n'est pas parce qu'elle est obligée de gagner sa vie d'une façon qu'on peut critiquer qu'elle…

Charles appliqua une nouvelle fois son excellente méthode pour réduire Héloïse au silence, à la suite de quoi il lui dit en souriant :

— Madame mon épouse, je recommencerai autant de fois qu'il sera nécessaire si vous n'êtes pas capable d'en venir très vite au fait. Ce sera d'ailleurs avec le plus grand plaisir.

Personnellement il n'y voyait aucun inconvénient, mais la mine que fit Héloïse lui prouva, s'il en était besoin, qu'elle n'était pas prête à souffrir les marques répétées de son affection.

De plus en plus perplexe, Héloïse se libéra des bras qui la retenaient prisonnière. Si elle avait bien compris, Charles ne l'embrassait que pour la punir ? Voilà qui lui ouvrait des perspectives intéressantes, et même assez perverses : elle n'avait qu'à le défier, et elle aurait d'autres baisers. Oh ! si seulement elle n'avait pas à se justifier, à prouver qu'elle n'était pas aussi mauvaise que tous ces Anglais semblaient le penser, simplement parce qu'elle ne suivait pas à la lettre les règles de savoir-vivre qu'ils s'imposaient !

Alors qu'elle pesait le pour et le contre, les baisers de Charles et sa réprobation d'un côté, son respect et sa froideur de l'autre, il reprit la parole pour la chapitrer.

— Héloïse, vous ne devriez pas fréquenter des femmes comme Nell et comme… Mme Kenton.

— Je sais bien. Maman m'avait prévenue que je ne

devrais pas chercher à connaître votre maîtresse. Mais cela s'est fait un peu par hasard, au cours d'une soirée. Comment aurais-je pu faire semblant de ne pas voir une femme qui se trouvait en face de moi, qui me barrait pratiquement le chemin ?

Félicie eût fait cela à merveille, songea Charles : elle avait un tel génie pour regarder les gens avec hauteur qu'il n'eût pas été difficile pour elle, dans la même situation, de se faire respecter, ou de tenir tête à la maîtresse de son mari. Sans aucun effort, elle fût devenue une des plus célèbres mauvaises langues de Londres, la plus redoutée aussi… Elle n'aurait pas mis longtemps à se faire un nom…

Charles frémit en imaginant les soucis qu'il aurait pu connaître avec une telle épouse, et il se félicita d'y avoir échappé. En contrepartie, il devait apporter tout son soutien à Héloïse, si naïve et si bonne qu'elle était incapable de voir le mal, encore plus de le faire.

A cette idée il sentit renaître en lui l'espoir. Certaines actions récentes d'Héloïse s'expliquaient par la crainte qu'il lui inspirait, parce qu'elle se méprenait sur lui. S'il parvenait à dissiper ces quelques malentendus, peut-être pourrait-il se justifier enfin à ses yeux, peut-être leurs relations s'amélioreraient-elles durablement.

Premier point à aborder, et ce n'était certes pas le plus facile, Mme Kenton. Prenant son courage à deux mains, Charles déclara avec fermeté :

— Héloïse, Mme Kenton n'est pas ma maîtresse.

Il s'attira une réponse outrée.

— Ne mentez pas, Charles. Tout le monde connaît ces rubis qu'elle arbore en toutes occasions, et tout le monde sait bien que vous les lui avez offerts.

— Elle *était* ma maîtresse, je n'en disconviens pas. Mais, pour votre gouverne, sachez que ces rubis constituaient mon cadeau de rupture. Je les lui ai donnés juste avant mon départ pour Paris. Et maintenant, si vous le voulez bien, nous ne parlerons plus jamais de cette personne : voilà au moins un point sur lequel je tombe d'accord avec Mme votre mère. Il n'est d'ailleurs pas d'usage qu'un homme du monde s'entretienne de ses maîtresses avec son épouse.

Héloïse se leva et marcha de long en large dans le salon, en ruminant son indignation contre l'ex-maîtresse de son mari qui lui avait fait croire qu'elle l'était toujours, qui l'avait attirée à une table de jeu pour lui faire perdre une grosse somme d'argent et finalement lui avait extorqué un bijou dont elle connaissait le prix exorbitant.

— Oh ! s'écria-t-elle, rouge de colère et de honte, en se laissant retomber sur le sofa. Elle s'est bien moquée de moi !

Puis elle se releva, d'un bond, une nouvelle idée fort déplaisante venant de la frapper.

— Et il était de mèche avec elle !

— Qui ? demanda Charles.

— Percy Lampton.

— Lampton ?

Il en eut la chair de poule. Il aurait dû se douter que les Lampton feraient tout leur possible pour s'en prendre à l'épouse qu'il avait choisie contre leur gré.

— Oui. Il m'a tellement harcelée que lorsque Mme Kenton m'a proposé de jouer aux cartes avec elle, je…

— Il a fait *quoi*, dites-vous ?

Charles éprouvait, non plus de l'agacement, mais de la haine. Ainsi, Lampton ne reculerait vraiment devant rien pour l'atteindre en s'en prenant à Héloïse. Oh, il ne craignait plus de voir celle-ci se laisser entraîner dans un adultère — il fallait être un véritable imbécile pour l'en avoir soupçonnée. Mais un forban dans le genre de Lampton pouvait fort bien s'arranger pour attirer Héloïse dans une situation compromettante, devant témoins, afin de ruiner sa réputation et, par ricochet, celle de son mari.

Que faire ? Que dire ? La prévenir de ce qu'elle risquait ? Inutile : elle n'avait pas encore confiance en lui, et leur conversation, certes empreinte de loyauté, ne pouvait encore avoir restauré leurs relations. Partant, le meilleur — et le seul — moyen de garantir la sécurité d'Héloïse consisterait à la garder hors d'atteinte de l'ignoble Lampton.

— Nous allons quitter Londres.

Il l'emmènerait à Wycke, sa maison de campagne, et y passerait avec elle le plus de temps possible. Il y avait là-bas si peu de distractions pour une jeune personne ayant toujours vécu dans d'aussi grandes villes que Paris et Londres ! Elle accueillerait donc avec plaisir toute compagnie, y compris la sienne puisqu'il n'y en aurait pas d'autre. En lui manifestant la considération et la gentillesse qu'elle méritait en tant qu'épouse, il parviendrait peut-être — peut-être… — à lui apparaître comme un mari dévoué et prévenant ; elle oublierait peut-être — peut-être… — le tyran domestique qu'elle voyait en lui.

— Il y a juste un point que j'aimerais encore clarifier, reprit-il. L'argent que vous donniez à Robert suffira-t-il à purger votre dette, ou dois-je encore distribuer quelques petites sommes avant que nous ne quittions la capitale ?

— N… non, ce sera tout, balbutia Héloïse, surprise de voir Charles prendre cette affaire avec autant de flegme.

Il hocha la tête et se leva, satisfait de constater que sur ce point au moins elle acceptait son aide, mais terriblement agacé contre lui-même. S'il avait été moins obtus et plus attentif, elle ne serait pas tombée dans la chausse-trape préparée par Mme Kenton et Percy Lampton. D'ailleurs, ces deux-là ne perdaient rien pour attendre !

Héloïse regarda son mari qui lui tournait le dos et s'en allait, sans un mot de plus. L'affaire était réglée, il ne s'attardait pas. Il n'avait que mépris pour elle, et encore plus depuis qu'il avait pris connaissance de sa faute ; mais comment s'en étonner ?

— Je suis désolée, Charles, murmura-t-elle.

Il se retourna d'un bond. Dans ses yeux passa une étrange lueur.

— *Vous* êtes désolée ?

Le cœur d'Héloïse se brisa : il n'acceptait pas ses excuses, il n'en voulait pas. Il refusait de lui donner une chance de prouver qu'elle avait compris la leçon et ne se conduirait plus de manière aussi inconséquente. Et puis, il allait l'envoyer à la campagne, en exil, pour l'empêcher de lui nuire encore. Sa réputation, voilà tout ce qui comptait pour lui.

— Je suppose, poursuivit-elle d'une voix mouillée par les larmes, que je devrais vous remercier de ne pas me chasser sans me donner un penny ?

Charles tressaillit comme sous le coup d'un soufflet.

— Vous êtes ma femme, Héloïse, répondit-il avec force. Un homme ne chasse pas sa femme parce qu'elle est un peu dépensière. Je pourrais vous gronder, vous vanter les mérites de la modération, ou encore…

Il se sentit sur le point de s'emporter. Alors il toussota et reprit avec plus de calme :

— En vérité, vous êtes la femme la moins dépensière que j'aie jamais…

Il s'interrompit de nouveau : il allait dire des incongruités. L'ennui, c'est qu'Héloïse avait très bien compris où il voulait en venir et qu'elle le lui fit savoir.

— Mme Kenton me l'avait bien dit : vous êtes un homme très généreux.

Encore Mme Kenton ! C'en était trop pour Charles, qui sortit du salon et claqua la porte derrière lui. S'il avait rencontré Mme Kenton, là, dans le vestibule, il lui aurait volontiers brisé le cou.

Héloïse observa la bergère en porcelaine de Saxe, qui vacillait dangereusement sur la console placée près de la porte. Son destin s'apparentait au sien : elle aussi vacillait, par la faute de ses maladresses. Apprendrait-elle jamais à tenir sa langue ? Charles venait de lui dire qu'il n'était pas convenable de lui parler de ses maîtresses, et elle ne trouvait rien de mieux à faire que d'évoquer encore sa Mme Kenton !

Il l'exilerait donc dans une de ses propriétés campagnardes et elle l'avait bien cherché. Du reste, ne lui avait-elle pas suggéré elle-même cette idée, en lui présentant son projet de mariage ? N'avait-elle pas dit, même, qu'elle serait très heureuse de vivre seule, dans quelque ferme, pour élever des poules ?

Poussant un long gémissement d'angoisse, Héloïse attrapa la bergère et la jeta contre le mur, où elle vola en éclats.

Elle savait qu'elle avait les yeux rouges d'avoir trop pleuré. Elle savait que son visage était bouffi. Elle aurait préféré rester dans ses appartements plutôt que d'affronter encore le visage désapprobateur de son mari, presque immédiatement après leur désastreux entretien.

Mais Giddings venait de lui dire qu'ils dîneraient ce soir « en famille », dans le petit salon. Quand Charles l'aurait installée dans sa maison de campagne, il s'empresserait de revenir à Londres. Elle ne le reverrait pas de sitôt, sans doute pas avant plusieurs mois. Et s'il lui était difficile de se trouver en sa présence, à ressasser indéfiniment son malheur, il lui serait plus pénible encore de rester seule dans ses appartements, assise à ne rien faire d'autre qu'à se tordre les mains en versant des torrents de larmes.

Charles et Robert étaient déjà là, chacun d'un côté de la cheminée, et si absorbés par leur conversation qu'ils ne parurent pas s'apercevoir qu'Héloïse les rejoignait.

Au moins, se dit-elle avec une sombre ironie, son séjour londonien ne serait pas un échec complet. A son arrivée, les deux hommes ne se parlaient pas et ne supportaient pas de se trouver dans la même pièce. Et maintenant elle les voyait tourner vers elle, en silence, le même air de désapprobation : nul doute qu'elle les avait surpris alors qu'ils parlaient d'elle, et pas en bien. En commettant toutes sortes de sottises, elle avait réussi à les réconcilier contre elle.

Un valet lui présenta un plateau sur lequel se trouvait un verre de madère, une boisson qu'elle avait appris à apprécier depuis quelque temps.

— Robert, déclara Charles, je suis ravi que nous puissions dîner ensemble. En effet nous ne nous reverrons plus pendant un certain temps. J'emmène Lady Walton à Wycke.

— Alors, on m'abandonne ? fit Robert sur un ton amer. Remarquez, je ne peux pas vous blâmer.

Il jeta à Héloïse un regard hostile, vida son verre d'un trait et le tendit au valet pour se le faire remplir, puis, s'avisant qu'Héloïse avait les yeux pleins de larmes, il lui dit :

— Inutile de me faire ces yeux de chien battu, vous savez !

Il vida son verre encore une fois, soupira, passa une main fébrile sur son visage.

— … Oublions ce que j'ai dit et asseyons-nous pour dîner, cela vaudra mieux.

Charles convint qu'il était temps de passer à table. Giddings, le visage impénétrable, aida Héloïse à prendre place.

Le dîner commença par une soupe de pois à la menthe, qui fut consommée dans un silence glacial. Héloïse aurait bien voulu dire quelques mots pour dissiper le malaise, mais elle craignait d'aggraver la situation par des paroles maladroites, comme cela lui était arrivé à plusieurs reprises déjà. Chaque fois qu'elle regardait son mari à la dérobée, elle se demandait quel sort il lui réservait et son cœur se serrait.

En s'apprêtant pour ce dîner, elle avait tenté d'analyser l'état de ses relations avec Charles. Il lui semblait pouvoir comprendre pourquoi il ne s'était pas indigné en apprenant qu'elle avait contracté une importante dette de jeu : ne lui donnait-elle pas, ainsi, le prétexte parfait pour l'exiler ? Il avait affirmé qu'ils devraient séjourner quelque temps à Londres pour faire taire d'éventuels ragots. Il semblait donc que ce temps était écoulé et qu'il pouvait emmener sa femme à la campagne, l'y abandonner et rentrer à la capitale pour vivre à sa guise : nul n'y trouverait plus à redire.

Il devait avoir surmonté la déception infligée par Félicie et se sentir d'humeur à trouver une nouvelle maîtresse. Son épouse légitime perdue dans la campagne anglaise, il allait pouvoir, comme tous les hommes de sa classe, fréquenter assidûment les lieux à la mode, peuplés de femmes disponibles.

Héloïse lui jeta un nouveau regard en catimini. Ah, ce

visage fermé, sévère, rébarbatif ! Quelle tête ferait-il si elle lui envoyait son bol de soupe à la figure ? Par chance pour lui — et pour elle ! — Giddings lui prit son bol avant qu'elle n'eût eu le temps de mettre à exécution ce petit projet de vengeance.

Le second plat du dîner comportait une escalope de veau, que Linney, le valet de Robert, prétendit couper pour son maître ; mais celui-ci, furieux, abattit son poing sur la table, renversant son verre. Le vin fit une fleur rouge sur la nappe blanche, gicla dans son assiette et jusque dans la saucière.

— Enfer ! Enfer ! Enfer ! rugit Robert.

Il voulut se lever, mais un valet, qui accourait avec un linge pour éponger le vin, faillit le faire tomber. Linney rétablit l'équilibre de son maître, puis, avec autant de déférence que de fermeté, l'obligea à se rasseoir, et se remit à lui couper sa viande avec le plus grand calme, comme si rien ne s'était passé. Après un petit moment de silence, il murmura :

— Vous vous sentirez beaucoup mieux, Sir, quand vous aurez mangé un peu de viande. Vous en avez besoin pour rétablir vos forces. Vous vous êtes beaucoup dépensé aujourd'hui. Trop, même, si je puis me permettre de vous le dire.

Il leva la tête pour s'adresser à Charles.

— Le capitaine a passé la plus grande partie de la journée en ville, Milord ; les dernières nouvelles, vous comprenez…

Robert s'emporta.

— Je vous remercie, Linney, mais quand j'aurai besoin d'un porte-parole, je vous le ferai savoir. Ma langue fonctionne encore, au cas où vous ne l'auriez pas remarqué, et je ne suis pas totalement impotent. Je suis encore capable de couper ma viande et de me mettre au lit tout seul.

Pour la première fois depuis qu'elle était entrée dans ce salon, Héloïse cessa de songer à son chagrin, pour s'aviser que Robert semblait bouleversé.

— Robert, que se passe-t-il donc ? lui dit-elle. Pourquoi avez-vous parcouru toute la ville ? Oh, je vous en prie, ne me dites pas que c'est à cause de mes…

— La nouvelle qui a mis Robert en émoi…, fit Charles, avec précipitation.

Il ne voulait pas voir évoquée devant les serviteurs la question de la dette de jeu, ce qui était très compréhensible, mais il provoqua ainsi un nouvel accès de colère de Robert.

— Enfer et damnation ! Quand cesserez-vous, tous les deux, de parler à ma place, comme si j'avais perdu ma langue en même temps que mon bras et ma jambe ?

— Je vous demande pardon, dit Charles, en coupant calmement sa viande. Si vous le voulez bien, répétez à ma femme la nouvelle que vous m'avez apprise à l'instant.

— C'est bien mon intention ! fit le capitaine d'un ton rogue. Voici donc la nouvelle : le gouvernement a finalement décidé d'envoyer des troupes sur le continent, pour soutenir les armées que la Prusse, la Russie et l'Autriche ont déjà rassemblées afin de mettre un terme définitif aux ambitions de Bonaparte. Bref, l'Angleterre est en guerre avec la France, une fois de plus.

Ce disant, il décocha à Héloïse un regard si féroce qu'elle ne put s'empêcher de lui dire :

— Je suis française, Robert, mais cela ne fait pas de moi votre ennemie.

Il eut un ricanement amer.

— Hélas pour moi, vous êtes la seule Française que

je serai amené à rencontrer dans les prochains mois. Wellington et Bonaparte vont s'affronter, les armes à la main. Tous les hommes dignes de ce nom se portent volontaires pour cette expédition nécessaire, et moi, pendant ce temps, qu'est-ce que je fais ? Je cours la ville pour une Française qui…

— Je crois que vous en avez assez dit, intervint Charles.

Robert opina, soupira, fit un gros effort pour retrouver son calme, puis il reprit :

— Lady Walton, vous êtes française, et ce n'est pas votre faute. Et puis, pourquoi ne pas l'admettre ? Linney a raison : je me suis beaucoup trop dépensé aujourd'hui. Je suis épuisé. Mais si vous aviez entendu tous ces fous, dans les clubs, pariant à qui mieux mieux sur les chances de Bonaparte ou de Wellington, comme si ce n'était rien de plus sérieux qu'un combat de coqs ! Et je ne vous parle pas des adieux de ceux de mes amis qui ont endossé l'uniforme tandis que je suis obligé de rester ici, pauvre homme incapable de se rendre utile…

Il regarda sa manche vide, repliée et épinglée sur son épaule, et soupira encore une fois.

— Je ne suis pas un compagnon de table bien agréable. Permettez-moi de regagner sagement mes appartements, cela vaut mieux que de gâcher votre soirée.

Il fit un signe à Linney qui l'aida à se lever. Debout, il prit appui sur la table pour s'incliner devant Héloïse.

— Lady Walton, j'ai fait la petite commission dont vous m'aviez chargé ; j'ai remis le paquet à Charles. Je vous prie de pardonner mon fichu caractère et mes vilaines manières. Je vous souhaite un bon voyage, en espérant que vous vous plairez à Wycke.

Dès qu'il fut sorti de la pièce, Héloïse s'adressa à Charles.

— Je ne crois pas que nous puissions partir en abandonnant votre frère, plaida-t-elle. Il pourrait retomber dans la mélancolie où je l'ai trouvé en arrivant ici.

En fait, égoïstement, elle pensait surtout à elle : si elle pouvait repousser son exil, ne fût-ce que de quelques jours, elle trouverait peut-être un moyen de démontrer à Charles qu'il n'avait aucun motif sérieux de se débarrasser d'elle. Même si elle n'obtenait qu'un sursis, elle passerait au moins quelques jours de plus en sa compagnie.

— Non, répondit-il avec une telle rudesse que tous ses espoirs se brisèrent aussitôt. Ma décision est prise. Nous quitterons Londres demain matin.

Alors Héloïse, abattue, essaya de se représenter son avenir solitaire et sans amour — tandis que les serviteurs s'affairaient autour d'elle, emportant la vaisselle de Robert et même sa chaise, qui fut placée contre un mur, avec les autres. Après son départ, Charles procéderait de la même façon, avec la même efficacité, pour effacer toute trace de son passage dans cette maison.

— Aurez-vous besoin d'aide pour préparer vos bagages ? lui demanda-t-il.

Elle tressaillit. Décidément, Charles tenait à la voir disparaître, et vite ! Elle ne doutait pas que si elle manifestait quelque velléité de résistance, il commanderait à son personnel de s'occuper d'elle. Elle eut une brève vision de Giddings, toujours impassible, l'emballant dans du papier brun, la ficelant et la fourrant dans une malle.

— Non, fit-elle en pliant sa serviette, qu'elle disposa à côté de son assiette encore à moitié pleine. Mais je m'inquiète réellement pour Robert.

Il lui était apparu que son exil serait peut-être plus facile à supporter si elle avait un ami.

— Je ne supporterais pas de le savoir tout seul dans ses appartements. Ils n'ont rien de très riant, il faut bien l'avouer. Pourquoi ne viendrait-il pas avec nous ?

Charles posa sa fourchette et son couteau. Si Robert venait à Wycke, rien ne serait possible. Il voulait Héloïse pour lui, rien que pour lui !

— Robert peut venir à Wycke aussi souvent qu'il lui plaira. Il est mon héritier, si vous vous en souvenez. Mais il n'a pas envie de nous accompagner.

Héloïse sentit un grand froid l'envahir. Charles ne pouvait mieux lui signifier qu'elle lui était indifférente qu'en lui faisant entendre qu'il ne comptait pas sur elle pour lui donner un héritier. Robert lui succéderait.

Affolée, elle chercha quelque chose, n'importe quoi qui puisse lui ménager une place, une toute petite place dans les bonnes grâces de son mari.

Et si elle persuadait Robert de faire le voyage de Wycke ? Le jeu en valait la chandelle : si elle se laissait exiler, en moins d'un mois, Charles aurait oublié son épouse légitime dans les bras de quelque maîtresse plus à même de le satisfaire.

— Je crois que j'ai fini, dit-elle en se levant.

Elle avait les jambes comme du coton quand elle quitta le salon pour gagner les appartements de Robert. Faiblement, elle gratta à sa porte.

Elle devait absolument le persuader de venir à Wycke.

12

— Seigneur ! s'exclama Héloïse en se penchant devant Robert pour regarder par la fenêtre de la portière. Quelle est la superficie des terres appartenant à Charles ?

— Il possède plus de la moitié du Berkshire, quelques propriétés aux environs de Londres et plusieurs autres dans tout le pays.

Héloïse se rassit et s'adossa à la banquette.

— Je voulais parler seulement de son domaine de Wycke. Voilà bien dix minutes, me semble-t-il, que nous avons franchi les grilles du parc.

— Nous roulons sur les terres de Walton depuis plus d'une heure.

— Alors, toutes ces fermes, tous ces champs… et le village que nous venons de traverser…

— Avez-vous remarqué l'enseigne de l'auberge ? *Aux Armes de Walton*. Même le pasteur du village dépend de votre mari.

Ainsi, Charles possédait un village. Il payait un pasteur. Il était un hobereau, un seigneur, comme le grand-père d'Héloïse, le cruel nobliau qui avait été décapité. A cette idée, elle frémit.

Elle savait que Charles était un noble d'importance. Il ne lui avait pas caché qu'il disposait d'une immense fortune.

Elle savait, mais jusqu'à ce moment, elle n'avait pas vraiment pris conscience de tout ce que cela impliquait.

Avec le sentiment d'être toute petite, insignifiante même, Héloïse se remit à contempler le paysage, afin de dissimuler son trouble à son compagnon de voyage. Charles, magnifique cavalier, s'éloignait de la voiture pour s'en aller caracoler vers une colline toute proche, coiffée d'un bouquet d'arbres. La maison se trouvait-elle là-haut, au milieu d'un bois ?

La panique la prit à l'idée que son mari allait l'abandonner ici, au milieu d'une campagne immense et presque déserte, et qu'ensuite elle n'aurait même plus personne à qui parler.

La route décrivait alors une large courbe et Héloïse put découvrir un autre aspect des vastes domaines de Wycke : un lac dont les eaux calmes brillaient comme un miroir sous le soleil et au milieu duquel, sur une petite île, se dressait un château médiéval, en ruines, parmi des arbres.

A son grand soulagement, la voiture s'éloigna de ces lieux pittoresques. Elle avait éprouvé de vives craintes à la vue de ce château si semblable à ceux qu'on décrit dans les contes, et où les méchants maris enferment leurs pauvres femmes sans défense.

La voiture s'engageait dans une large avenue toute droite, bordée d'arbres séculaires et de buissons bien taillés, menant à une demeure moderne qui semblait bien, cette fois, être Wycke, but de ce voyage. Il va sans dire que cette maison était immense.

— Enfer…, marmonna Robert.

Suivant son regard, Héloïse s'avisa que pour atteindre la porte d'entrée, il faudrait gravir un escalier comprenant une bonne vingtaine de marches.

Quand il franchit enfin l'entrée aux hautes portes-fenêtres pour pénétrer dans l'immense vestibule, le capitaine avait le teint gris comme la cendre.

— Walton, fit-il d'une voix éteinte à l'adresse de son frère qui sortait d'un salon, j'ai le regret de vous dire…

Il ne dit rien, car ses yeux devinrent blancs et il s'évanouit. Fort heureusement Linney, qui se trouvait derrière lui, le rattrapa et l'étendit avec précaution sur le sol dallé de marbre. Aussitôt, Héloïse s'agenouilla près de lui et entreprit de desserrer son col pour lui permettre de respirer mieux.

— De l'aide ! cria Charles.

Deux valets en livrée bleue parée d'argent accoururent.

— Portez le capitaine Fawley dans ses appartements.

Héloïse voulut suivre le petit cortège, qui se dirigeait vers une porte d'acajou située à la droite du grand escalier, mais Charles la retint par le bras.

— Laissez Linney s'occuper de lui. Vous avez autre chose à faire.

Pour la première fois depuis son arrivée, elle s'aperçut que le vestibule était rempli d'une foule de serviteurs, qui, tous, la dévisageaient avec une intense curiosité. Une femme aux cheveux gris, vêtue d'une sévère robe noire, s'avança pour déclarer :

— Le personnel souhaiterait présenter ses vœux de bienvenue à votre nouvelle épouse, Milord.

Elle accompagna ces mots d'une profonde révérence.

C'est alors qu'Héloïse prit conscience qu'elle n'avait peut-être pas la tenue qui convenait à la maîtresse des lieux. Dans le mouvement qu'elle avait fait pour s'agenouiller auprès de Robert, son chapeau s'était mis de travers, et quand elle s'était relevée, elle avait marché sur le bas de sa robe, qui s'était déchirée. Et puis, elle avait le visage luisant de sueur à cause de la chaleur qui avait régné dans la voiture durant tout le voyage, et qui sait même si la poussière ne s'y était pas collée. Elle se présentait dans un piteux état. Une fois encore, elle ne faisait pas honneur à son mari.

Celui-ci, qui ne semblait pas se formaliser de l'apparence de sa femme, se montra cependant fort aimable avec elle, puisqu'il la prit par le bras pour procéder aux présentations.

— Voici Mme Lanyon, notre gouvernante.

Puis il l'entraîna parmi les serviteurs, et derrière lui allait la gouvernante, qui donnait les noms et précisait les fonctions de chacun.

Héloïse s'efforça de retenir tous ces renseignements. Mais il y en avait tant, de ces serviteurs ! C'était une véritable armée que Charles avait à ses ordres ; et encore ne lui avait-on pas présenté les palefreniers et les jardiniers !

— Et maintenant, Milady, annonça Mme Lanyon d'une voix de stentor, je vais vous conduire à vos appartements. Vous aurez juste le temps de vous rafraîchir et de vous changer pour le dîner. Votre camériste nous accompagnera, bien entendu.

Elle prit la direction du grand escalier de chêne bruni en ajoutant :

— Nous avons exceptionnellement retardé l'heure du dîner, mais il va sans dire qu'en temps normal nous n'appliquons pas à Walton les horaires de la ville.

Héloïse opina humblement et échangea un regard discret avec Sukey. Elle eut l'impression désagréable que tout le personnel la regardait monter l'escalier. Elle croyait même entendre des chuchotements. Les commentaires devaient aller bon train.

— J'espère que ces appartements vous conviendront, Milady, fit Mme Lanyon après avoir ouvert une porte sur le palier du premier étage.

Elle s'effaça pour laisser entrer Héloïse qui, après un simple coup d'œil sur les lieux, s'empressa de répondre que ces lieux lui semblaient parfaits. Comment eût-elle osé contredire cette femme au regard si terrible ?

Elle dénoua les rubans de son chapeau, regarda encore autour d'elle et demanda avec timidité :

— Où puis-je procéder à mes ablutions ?

Mme Lanyon prit le chemin d'une porte, qui s'ouvrit sur une très jolie chambre, et poursuivit sa progression jusqu'à une autre porte, qu'elle poussa.

— Votre cabinet de toilette.

— C'est très joli ! s'écria Héloïse, conquise.

Une table de toilette en marbre rose y soutenait une cuvette et un broc ornés de motifs floraux, roses aussi ; sur une soucoupe reposait un gros savon taillé en forme de bouton de rose, à côté d'une pile de serviettes.

— Je me sentirai beaucoup mieux après ma toilette, dit Héloïse en déboutonnant son manteau de voyage. Je vous remercie, madame Lanyon.

— Dois-je vous faire apporter quelque rafraîchissement ?

— Un verre de limonade serait parfait.

— Vous ne voudriez pas plutôt du thé ?

— Non, de la limonade.

— De la limonade, marmonna la gouvernante. Fort bien… Si c'est ce que vous voulez…

— C'est ce que je veux, en effet, répondit Héloïse, qui résista au désir de taper du pied.

Elle avait passé une mauvaise journée. Charles s'était montré plus inaccessible que jamais ; elle avait à peine pu échanger quelques mots avec lui. Elle découvrait, au terme d'un voyage éreintant, que son mari était un véritable potentat, un seigneur aux pouvoirs sans doute exorbitants. Et pour couronner le tout, voilà que cette gouvernante exprimait sa réprobation, parce qu'elle ne voulait pas d'un thé ? C'en était trop !

Enfin Mme Lanyon consentit à se retirer. Héloïse eut un long soupir et se jeta sur le lit à la courtepointe rayée. Se laissant tomber en arrière, les bras en croix, elle ferma les yeux.

— Sukey, demanda-t-elle, avez-vous jamais vu un endroit pareil ? Avez-vous déjà vu autant de serviteurs ?

— Jamais, Milady, répondit la camériste. Voulez-vous que je verse l'eau pour vos ablutions ?

— Il vaudrait mieux. Je crois que nous n'avons pas de temps à perdre.

Elle se leva en soupirant, alla s'asseoir sur un sofa pour retirer ses bottines, puis se remit debout et traversa la chambre pour se rendre au cabinet de toilette en ajoutant :

— Jamais je n'oserais arriver en retard pour le dîner. Vous avez bien entendu ce qu'a dit la terrible Mme Lanyon : « Nous n'appliquons pas à Walton les horaires de la ville. » Vous avez bien compris ?

Sukey se mit à rire car sa maîtresse avait imité à la perfection l'air pincé de la revêche gouvernante.

— Que voulez-vous porter pour ce dîner ?

— N'importe quoi, ce qui vous paraîtra le moins chiffonné, le plus présentable.

Héloïse dégrafa sa robe et s'en dégagea.

— Oh, je me sens déjà mieux.

Elle se sentit mieux encore quand elle se fut rafraîchi le corps avec l'eau parfumée spécialement préparée pour elle. Quand elle revint dans sa chambre, enveloppée dans une vaste serviette, elle trouva, sur une petite table, un plateau chargé d'un verre de limonade et de biscuits tout juste sortis du four. Tout cela était délicieux.

— J'ai sorti votre robe de soie jaune, dit Sukey qui passait une porte communiquant avec une autre chambre.

Cette autre chambre était-elle celle de Charles ? songea Héloïse avec un petit tiraillement. Pouvait-elle décemment poser la question à Sukey ? Ne serait-il pas plus simple de s'en assurer par elle-même, plus tard, comme par inadvertance, pour ne pas donner de soupçons ?

— Comme il fait chaud, reprit la caméristе, j'ai pensé qu'il vous faudrait quelque chose de léger ; mais j'ai préparé aussi votre châle doré, si jamais le temps fraîchissait.

Elle s'empara de la brosse à cheveux et la brandit.

— Voulez-vous que je vous coiffe maintenant, afin de gagner du temps ? Vous pourrez continuer à grignoter pendant que je m'occuperai de vous.

— C'est une bonne idée, dit Héloïse en prenant place sur la chaise à bas dossier.

— J'ai peur de ne pas me rappeler les noms de tous les gens qui travaillent ici, marmonna Sukey, la bouche pleine d'épingles à cheveux.

— Et moi donc, avoua Héloïse en souriant.

— Et avez-vous déjà vu autant d'arbres ? Ce n'est pas que nous n'ayons pas d'arbres à Londres, mais au moins, là-bas, ils sont bien rangés le long des rues et ils donnent de l'ombre en été. Ici, il y en a tant que c'est presque inquiétant ; par mauvais temps, ce doit être sinistre.

— Vous n'aimez donc pas ce pays ?

Héloïse s'émut de voir sa caméristе aussi peu enthousiaste qu'elle. Elle n'avait pas le droit de la condamner à rester à Wycke si elle s'y sentait mal.

— Si vous voulez retourner à Londres…

— Bah ! Je m'habituerai bien ! répondit aussitôt Sukey, avec plus d'entrain. Vous savez, en disant ça, je ne voulais pas me faire plaindre. Et puis, tout compte fait, j'aime mieux vous servir, au milieu de nulle part, que de retourner à Londres. Là-bas, je serais obligée de redevenir bonne à tout faire, et, révérence parler, ce serait vraiment l'enfer.

— Vous ne redeviendriez pas bonne à tout faire, à présent que vous connaissez bien votre métier de camériste. Vous avez appris vite… enfin, il me semble.

Héloïse s'interrompit en voyant, dans le miroir, le regard dubitatif de Sukey. Elle reprit après un moment de silence :

— Je n'avais jamais eu de camériste avant vous. A Paris, je partageais ma chambre avec ma sœur, et nous nous aidions l'une l'autre pour nous peigner et nous habiller.

Préoccupée, elle se remit à grignoter un biscuit. Pour dire la vérité, elle n'avait aucune expérience des serviteurs et ne savait pas comment se comporter avec eux. Lorsqu'elle avait compris que Charles n'aimait pas la voir discuter avec Giddings comme s'il était « une vraie personne », elle avait tâché de se montrer plus distante, avec lui comme avec tout le reste du personnel ; ces gens lui avaient d'ailleurs facilité la tâche en se faisant aussi discrets que possible.

Il n'en restait pas moins qu'elle s'inquiétait de savoir si elle s'était bien comportée lors de son arrivée à Wycke. Elle n'en était pas certaine. Qu'elle avait été surprise de voir tout le personnel rassemblé dans le vestibule pour la regarder comme si elle était un monstre de foire ! Pourquoi Charles ne l'avait-il pas prévenue, en lui donnant quelques indications sur ce qu'elle devait dire ou faire ? N'avait-elle pas paru hautaine et méprisante ? Il lui semblait bien avoir aperçu des regards désapprobateurs, le moins terrible n'étant certainement pas celui de Mme Lanyon, la gouvernante.

— J'espère que vous ne m'abandonnerez pas, Sukey, dit-elle en prenant soudain la main de sa caméariste par-dessus son épaule.

Elle avait besoin d'une alliée dans ce monde étrange où son mari la précipitait, avant de l'y abandonner.

— Bien sûr que je vais rester, répondit Sukey en riant. Nous ne sommes pas ici jusqu'à la fin du monde, n'est-ce pas ? Ce vieux Giddings m'a dit que Sa Grâce vient souvent à Wycke, mais qu'elle n'y reste jamais longtemps. Rassurez-vous, nous serons bientôt de retour à Londres, et je recommencerai à vous habiller pour aller dans des soirées, comme vous aimez !

Charles ne restait jamais longtemps à Wycke. Héloïse soupira et reposa sur le plateau son biscuit à peine entamé.

Reverrait-elle jamais Londres ?

Juste au moment où il pensait que le pire de la journée était derrière lui, Charles découvrit que le dîner avait été prévu dans la grande salle à manger d'apparat.

Rien ne pouvait plus effrayer Héloïse que ce déploiement de solennité. Il serait placé au haut bout de la longue table, et elle à l'autre bout, à plus de vingt pas. Comment avoir une conversation un tant soit peu intime dans ces conditions ?

Il contint son irritation. Son personnel avait fait de son mieux pour accueillir son épouse avec honneur et il fallait reconnaître que le dîner était un régal.

Il devait aussi reconnaître que Mme Lanyon n'avait nullement tenté d'intimider Héloïse en la recevant de façon si guindée : c'était la manière de la gouvernante, l'atmosphère où elle se plaisait, et qu'elle avait imposée à Wycke. Lui n'avait jamais songé à lui demander d'en rabattre un peu sur ce point ; pas le temps. Quand il séjournait ici, c'était pour rencontrer son intendant et ses fermiers. Il y courait la campagne, ne rentrant à la maison que pour y étudier dans son bureau, y prendre des repas expéditifs, dormir. Il ne prêtait pas vraiment attention à l'étiquette instaurée par Mme Lanyon — pour le seul plaisir de celle-ci, en fait.

Il aurait dû, cependant, prévenir Héloïse de ces choses. Il y avait pensé, mais quand il s'était approché de la voiture pour cela et qu'il avait vu Robert déjà installé auprès de la jeune femme, il avait failli s'emporter, et, pour éviter de faire une scène pénible, il avait prétendu préférer aller à cheval par cette chaleur. Voilà pourquoi, au lieu de voyager avec sa femme en lui parlant de ce qui l'attendait à Wycke, il avait galopé toute la journée en ruminant sa déconvenue.

Héloïse avait réussi à convaincre Robert de venir : Charles aurait dû être content de voir son frère accepter enfin de visiter la maison dont on l'avait chassé, mais il n'en était rien. Il ne pensait qu'à ses projets contrariés. Il devrait partager son temps entre son épouse et son frère, puisqu'il faudrait bien initier celui-ci aux rites et aux usages de Wycke.

Il se leva quand Héloïse quitta la table du dîner, notant avec tristesse qu'elle ne s'attardait pas en sa présence.

Le séjour à Wycke ne s'annonçait pas des plus faciles, se dit-il en vidant d'un trait son verre de porto.

*
* *

Héloïse ôta le bouchon du flacon de parfum qu'elle avait trouvé sur sa table de toilette et respira. Elle reconnut des fragrances florales, avec un fond de musc très sensuel. Elle en déposa une goutte sur ses poignets, derrière ses oreilles, puis, se sentant d'humeur audacieuse, entre ses seins.

Elle avait déjà renvoyé Sukey, en lui disant qu'elle n'avait plus besoin d'elle, ce qui était vrai : pour séduire son mari, une femme préfère être seule.

Durant le dîner, si formel, elle avait eu tout le temps d'étudier Charles — lointain dans tous les sens du terme. Elle avait aussi élaboré un plan. Charles semblait vraiment chez lui ici, dans cette maison où tout fonctionnait avec la précision d'une horloge.

Il n'était pas homme à rompre des habitudes sans de bonnes raisons. C'est pourquoi elle pouvait espérer qu'il viendrait lui souhaiter une bonne nuit, comme tous les soirs.

Alors qu'elle picorait sans entrain dans son assiette, il avait fait honneur au dîner. Normal : c'était un homme dans la force de l'âge, doté de solides appétits, dont l'un au moins ne devait pas être souvent satisfait depuis qu'il était marié... Pour autant qu'elle puisse en juger. Ici, il se trouvait à des lieues du monde, donc sans maîtresse disponible, et il ne devait pas être homme, non plus, à harceler le personnel féminin.

Voilà pourquoi Héloïse avait demandé à Sukey de lui sortir sa plus jolie chemise de nuit, la plus fine, la plus transparente, sous le prétexte qu'il faisait bien chaud et qu'elle voulait porter quelque chose de léger pour dormir.

Voilà pourquoi, aussi, elle s'était aspergée de parfum.

Pour finir, elle s'allongea sur son lit et prit la pose qu'elle jugea la plus suggestive, la plus affriolante.

Nerveuse, elle attendit l'arrivée de Charles.

Elle éprouva quelque difficulté à résister à sa pudeur instinctive qui, lorsque Charles vint enfin frapper à la porte, lui enjoignait de se fourrer entre les draps. Elle se sentit plus vulnérable encore quand elle le vit entrer dans la chambre, s'avancer vers elle d'un pas décidé.

Il n'eut pas la réaction qu'elle avait espérée. Jetant à peine un regard sur sa poitrine aux mamelons bien visibles sous le fin tissu — elle l'avait vérifié devant son miroir — il reporta les yeux sur son visage pour lui dire, avec le plus grand sérieux :

— Je vous dois des excuses.

Il prit place sur la chaise à côté du lit et croisa les jambes, comme s'il ne s'était pas aperçu qu'Héloïse avait une tenue rien moins que décente. Comme elle l'interrogeait du regard, il poursuivit :

— Je veux parler de la réception, par l'ensemble du personnel. Mme Lanyon croyait bien faire. J'ai manqué à tous mes devoirs en ne vous avertissant pas du cérémonial qu'on observe ici. En fait, c'est Mme Lanyon qui fait la loi, elle règne ici depuis si longtemps…

Depuis trop longtemps, peut-être, songea-t-il. N'était-il pas nécessaire d'alléger le cérémonial, d'abroger certaines règles devenues désuètes ? Charles se rappelait fort bien l'atmosphère qui régnait ici du temps de son père, beaucoup plus détendue, tellement plus agréable.

— Il va sans dire, reprit-il, que vous avez tous pouvoirs pour introduire dans cette maison les changements que vous estimerez nécessaires ou souhaitables. Cela fait partie de vos prérogatives de maîtresse de maison.

Héloïse mordilla sa lèvre inférieure. Avant le mariage, Charles avait affirmé ne vouloir rien changer à la façon dont sa maison fonctionnait. Evidemment, il ne savait pas, à cette époque, qu'il ne supporterait pas de vivre dans la même demeure qu'elle. Maintenant, il lui donnait la permission de modifier tout ce qu'elle voulait, afin de rendre son exil plus confortable ; ainsi il aurait bonne conscience, au moment de l'abandonner. Qui sait même s'il ne se trouvait pas très généreux, en lui octroyant ce droit !

— Vous devez être très fatiguée. La journée a été longue et difficile.

Sur ces mots, il se leva, se pencha pour lui donner un baiser sur le front et prit le chemin de la sortie.

Longtemps après que la porte se fut refermée derrière lui, Héloïse se reprocha sa timidité. Quand il s'était penché sur elle pour le baiser rituel, elle aurait dû lui mettre ses bras autour du cou et lui rendre son baiser ! Pas sur les lèvres certes, elle ne se sentait pas encore assez effrontée pour cela — et puis, s'il avait refusé ce baiser, elle aurait pu mourir d'humiliation et de chagrin. Pas sur la bouche donc, mais sur la joue, un petit baiser affectueux sur la joue…

Elle fronça les sourcils. Charles ne lui avait-il pas dit plusieurs fois qu'il n'aimait pas les effusions sentimentales ?

Mon Dieu, que la vie était donc compliquée avec cet homme ! Furieuse soudain, Héloïse s'agenouilla sur son lit et jeta un oreiller sur la porte que Charles venait de passer pour la fuir. Puis elle mit son visage dans ses mains et pleura. Les obstacles qui la séparaient de son mari ne pourraient-ils donc jamais être surmontés ?

L'humeur de Charles, le lendemain matin, était encore plus massacrante que la veille.

Héloïse lui avait paru si jolie, si tentante, la veille,

allongée sur ce lit, vêtue seulement de linge transparent et de dentelles ! Il avait dû se contenir pour ne pas se jeter sur elle. Par chance pour lui, elle avait un regard apeuré qui lui rappelait assez quelle catastrophe il provoquerait s'il donnait libre cours à son désir charnel. Il n'en restait pas moins qu'il avait été troublé. Pour dissimuler la manifestation très physique de son désir, il avait dû s'asseoir et croiser les jambes, joindre aussi les mains en son giron pour plus de sûreté, ce qui lui donnait — il en avait conscience — un air pompeux, pour ne pas dire ridicule.

Et puis, le discours qu'il avait si soigneusement préparé et poli après le repas s'était complètement évaporé dans son esprit ; il n'en était resté que quelques bribes, qu'il avait jetées à la hâte, comme pour se débarrasser d'une corvée. Avait-il été convaincant, au moins ? Il en doutait.

Il avait passé presque toute la nuit à se tourner et se retourner dans son lit en se rappelant le joli spectacle que lui avait offert Héloïse parmi ses oreillers, à gémir de ne pas l'avoir auprès de lui, à réfléchir, sans résultat, au moyen de la convaincre, enfin, de se donner à lui.

Il lui vint une idée tandis qu'il se rasait. Pendant un jour ou deux il aurait Héloïse rien que pour lui, puisque c'était le laps de temps qui serait nécessaire à Robert pour se remettre des fatigues du voyage. Pendant qu'il lui ferait visiter la maison, il lui proposerait de lui apprendre à conduire le cabriolet du domaine, un véhicule léger, à deux roues, permettant de transporter deux personnes seulement. Pour ce faire, ils devraient s'aventurer dans la campagne. Il lui prendrait les mains pour lui montrer comment tenir les rênes ; ainsi s'habituerait-elle à son contact ; peu à peu, elle cesserait de s'effaroucher au moindre frôlement. Quand ils en seraient à ce stade, il glisserait un bras autour de la taille d'Héloïse, ou sur ses épaules. Alors il lui dirait qu'elle avait un bien joli chapeau, et il se pencherait pour lui donner un baiser sur la joue…

Ayant élaboré de tels projets, un homme moins maître de lui-même qu'il ne l'était eût descendu l'escalier en sifflotant pour aller prendre son petit déjeuner. Et il eût donné un grand coup de poing à Giddings, qui l'informait que son intendant l'attendait dans le cabinet de travail et s'impatientait…

Pourquoi diable avait-il oublié qu'il passait rituellement le premier jour à Wycke dans les comptes du domaine ? Pourquoi la routine l'empêchait-elle, toujours, de se montrer spontané ? Lui faudrait-il toujours retomber dans l'ornière ?

Dès qu'elle franchit le seuil du salon, Héloïse vit que son mari avait le visage des mauvais jours ; mais, comme il n'oubliait jamais le savoir-vivre, il se leva pour l'accueillir et bougonna une manière de bonjour. A l'évidence, il avait espéré prendre son petit déjeuner seul, tranquillement. Une fois de plus, elle le dérangeait.

La pièce était bien plus agréable que celle où ils avaient dîné la veille : d'abord parce qu'elle était plus petite, ensuite parce qu'elle jouissait de portes-fenêtres donnant sur une fontaine monumentale. Et puis, on prenait place où on voulait autour de la table ronde. Si Charles ne s'était pas isolé derrière son journal, Héloïse se fût volontiers assise à côté de lui, tout près.

— J'ai pensé que vous aimeriez visiter la maison ce matin, lui dit-il alors qu'elle se tenait devant la desserte pour se servir de chocolat. Malheureusement, je dois me consacrer aux comptes du domaine, mais sinon, je me serais fait un plaisir de vous servir de guide.

— Ce n'est pas grave.

Il lui faudrait sans doute des mois et des mois pour explorer cette horrible bâtisse, des mois et des mois pour la détester de plus en plus. Elle avait donc tout son temps.

— Je vais rendre une petite visite à Robert, reprit-elle pour meubler le silence, voir s'il va bien. Puis je me promènerai dans les jardins.

— J'aurais une autre suggestion, se hâta de répondre Charles.

Il lui semblait important de débarrasser sa femme de cette habitude qu'elle prenait d'aller toujours vers Robert au lieu de s'adresser à lui.

— Demandez donc à Mme Lanyon de vous montrer la maison. Elle la connaît beaucoup mieux que moi, et ce serait un excellent moyen de vous mettre dans ses petits papiers ; c'est important, vous savez, car vous aurez souvent affaire à elle.

Evidemment, songea Héloïse, puisque Mme Lanyon serait sa geôlière ! Cassant un biscuit avec plus de force que nécessaire, elle considéra le conseil de Charles. Il lui serait déjà pénible de vivre en exil ; si, en plus, elle devait affronter constamment une femme qui la détestait, son sort deviendrait véritablement invivable.

— Vous avez raison, soupira-t-elle.

— Parfait ! Je vais vous arranger cela. Et puis, un de ces jours, je vous apprendrai à conduire le cabriolet. Le domaine est si vaste qu'il vous faut un véhicule rapide. Quand vous l'aurez bien en main, vous vous sentirez libre d'aller où bon vous semblera.

Tout en parlant, Charles s'inquiétait de voir Héloïse si peu enthousiaste, méfiante même, comme si elle le suspectait de quelque ruse machiavélique. S'apprêtait-elle à refuser cette offre pourtant dénuée de toute arrière-pensée ? Il fallait lui donner d'autres motifs d'accepter.

— Il serait dommage de vous cantonner à la maison et à ses alentours immédiats, alors qu'il y a de si beaux paysages à voir dans notre campagne. Vous pourriez également faire quelques courses jusqu'au village, à condition, bien entendu, que votre camériste vous accompagne.

Héloïse n'avait plus faim du tout. Une grosse boule s'était formée dans sa gorge. L'émotion la poignait.

Charles pouvait n'éprouver aucune affection pour elle, il ne l'abandonnerait pas à Wycke avant de s'assurer qu'elle pût s'y trouver à son aise. Il avait prévu d'améliorer ses relations avec la terrible Mme Lanyon, condition indispensable pour que sa vie ne soit pas un enfer, et il lui donnait même le moyen de s'éloigner assez de la maison pour se sentir libre, ou presque.

Ainsi, même s'il possédait un immense territoire et régnait sur un village, il ne se conduisait pas en tyran. Son sens du devoir lui imposait de veiller au bonheur de tous ceux qui dépendaient de lui, ses fermiers comme sa femme. Comment, dans ces conditions, ne pas l'aimer ?

Elle soupira. Il fallait sans doute être une femme remarquable pour susciter l'intérêt de cet homme. Elle se demanda pourquoi elle avait eu cette ambition.

A quoi lui servait-il de porter des chemises de nuit presque transparentes et de s'inonder de parfums capiteux ? Pourquoi aller le retrouver au petit déjeuner, alors qu'il aimait mieux être seul pour lire son journal ? Elle reviendrait à la routine instaurée à Londres ; selon l'engagement qu'elle avait pris avant leur mariage, elle se tiendrait loin de lui pour ne pas l'ennuyer.

— Ne vous donnez pas la peine de m'apprendre à manœuvrer ce cabriolet, déclara-t-elle. Robert s'acquittera volontiers de cette tâche, et respirer un peu d'air pur lui fera beaucoup de bien. Je suis même certaine qu'il brûle d'envie d'explorer le domaine, mais qu'il n'ose pas l'avouer. S'il a le prétexte de me donner quelques leçons de conduite, il pourra voir tout ce qu'il voudra.

Charles cherchait quelque objection valable à ces arguments si logiquement énoncés quand Héloïse se leva et sortit de la pièce sans un regard en arrière. Elle avait réussi, une fois de plus, à lui glisser entre les doigts !

— Et maintenant, nous arrivons à la galerie des portraits, annonça Mme Lanyon.

Wycke et la famille qui habitait cette maison, génération après génération, après l'avoir construite au temps de la reine Elizabeth 1re, n'avaient pas de secrets pour elle ; et elle n'aimait rien tant — elle l'avait confié à Héloïse — que de faire visiter cette demeure si intéressante à tous points de vue.

Elle expliqua encore, avec fierté, comme si elle en était la propriétaire, que Wycke figurait dans les guides de voyage, et que nombre de touristes sollicitaient l'honneur d'une visite, qu'elle accordait toujours.

— Voici le premier comte, dit-elle en s'arrêtant devant le portrait d'un homme portant pourpoint et fraise.

Héloïse lui trouva une grande ressemblance avec Charles.

Puis Mme Lanyon la présenta à toute une ribambelle de comtes et de comtesses, qui la regardaient avec plus ou moins de dédain.

— La dernière comtesse de Walton, dit Mme Lanyon, arrachant ainsi Héloïse à ses méditations.

— Laquelle ? osa-t-elle demander.

La gouvernante parut ne pas comprendre

— Je veux dire : la mère du comte actuel, ou sa belle-mère ?

Mme Lanyon prit un air très sévère et lâcha d'une voix caverneuse :

— La mère de Milord, cela va sans dire. Elle était la petite-fille du duc de Bray.

Héloïse examina le portrait d'une femme assez frêle. Ses boucles brillantes, qui s'échappaient de son chapeau, avaient la même couleur que les cheveux de Charles. Elle avait aussi les mêmes beaux yeux bleus, mais sa bouche s'étirait finement, comme si elle se retenait de sourire, et c'était une expression qu'Héloïse n'avait jamais surprise chez son fils.

— Mon grand-père, dit Héloïse qui avait soudain envie de se faire valoir, a été un des premiers à être guillotiné pendant la Révolution.

Son père pouvait bien être un modeste fonctionnaire, elle avait, par sa mère, du sang aussi bleu que celui des ancêtres de Charles.

— Quelle horreur ! gémit Mme Lanyon.

— C'est la triste vérité. Il faut dire qu'il avait accablé ses paysans d'impôts injustes, causant ainsi une grande misère. Forcément, on lui en a voulu… Mais je ne crois pas que Charles commettrait une telle injustice.

Ayant fini de lui faire visiter la maison, Mme Lanyon confia Héloïse au chef jardinier. Un peu étourdie par la copieuse leçon d'histoire qu'elle venait de recevoir, consciente aussi d'avoir parlé à tort de son grand-père guillotiné, elle apprécia de pouvoir sortir un moment et d'aborder des sujets moins controversés.

A son grand étonnement, elle découvrit que la famille Walton, et en particulier les femmes, se rappelaient encore à son souvenir. Tel massif était l'œuvre de la première comtesse ; une roseraie était due à la troisième. Elle n'en goûta pas moins la beauté de ces jardins et comprit pourquoi ils attiraient tant de visiteurs. Tout y était magnifiquement arrangé. Héloïse avait l'impression délicieuse de visiter un musée en plein air.

Apercevant une silhouette assise sur la terrasse orientée au sud, Héloïse échappa à son guide.

— Robert ! s'écria-t-elle en gravissant deux à deux les marches de pierre. Comment allez-vous aujourd'hui ? Mieux, j'espère.

— Je respire, lui répondit-il. Ne comptez pas sur moi pour faire plus d'efforts. Je vous le dis tout net, ne comptez pas m'entraîner quelque part, car je ne quitterai pas cette terrasse, qui est la mienne, soit dit en passant.

— Que voulez-vous dire ? s'enquit Héloïse, en s'asseyant sur un banc, les yeux brillant de curiosité.

— Je veux dire, tout simplement, que les portes-fenêtres derrière moi donnent accès à mes appartements. Je suis un peu à l'écart et personne n'est censé me déranger ici. C'est très bien ainsi.

— Oh ! Vous voulez que je vous laisse tranquille ?

Sans attendre de réponse, elle redescendit l'escalier et, sans savoir où elle allait, fila droit devant elle, les larmes aux yeux. Elle irait se cacher, se terrer en un endroit où elle serait vraiment seule, puisque personne ne supportait sa présence. Etait-elle vraiment de trop sur cette terre ?

Elle courut longtemps et ne s'arrêta, essoufflée, que lorsqu'elle ne put aller plus loin. Elle avait atteint le bord du lac aperçu la veille, en arrivant.

Elle contempla, sur la petite île, le château en ruines, où elle avait pensé que Charles voulait l'emprisonner. Et après tout, pourquoi pas ? Au moins, elle ne gênerait personne.

Même Robert, qu'elle prenait pour un ami, venait de lui faire savoir, sans ambages, qu'il se portait mieux quand il ne la voyait pas.

Très bien ! Puisque c'était ainsi, elle ne le dérangerait plus. Elle se comporterait avec lui comme avec Charles, c'est-à-dire qu'elle ne rechercherait plus sa compagnie. Pour commencer, elle ne lui demanderait pas de lui apprendre à conduire le fameux cabriolet censé la rendre libre de ses mouvements. Un palefrenier ferait fort bien l'affaire.

Finalement, elle n'avait besoin de personne.

Charles pouvait s'en retourner à Londres dès qu'il le voudrait.

Et elle… non, elle ne l'oublierait pas. Elle passerait chaque heure, chaque minute de son exil à se demander ce qu'il faisait.

Elle se demanderait, surtout, qui il voyait.

13

Charles s'arrêta sur le seuil de la salle à manger d'apparat, plus belle que jamais ce soir-là. Sur l'immense table, une profusion de fleurs fraîchement coupées embaumait l'air. Déjà un serviteur allumait les chandelles. Quand il aurait fini, les cristaux, l'argenterie et les porcelaines resplendiraient sur la nappe de damas ; leur éclat serait magnifié encore par les vastes miroirs qui ornaient les murs.

— C'est splendide, comme toujours, dit Charles à la gouvernante, qui attendait ce compliment.

Moins d'une semaine après son arrivée, elle lui avait rappelé qu'il convenait de recevoir les personnalités du voisinage ; encore une tradition qu'il eût volontiers abandonnée. Il avait cependant envoyé les invitations, non sans avertir :

— A l'avenir, c'est avec Lady Walton que vous réglerez ce genre de question.

Par chance pour elle, Mme Lanyon s'était retenue de faire le commentaire qui lui eût valu un renvoi immédiat, mais elle avait plissé les lèvres d'une façon qui traduisait fort bien ce qu'elle pensait.

En vérité, Héloïse n'avait pris aucune part à la préparation de ce dîner de gala. Chaque fois que la gouvernante l'avait interrogée, elle lui avait répondu qu'elle pouvait faire comme bon lui semblait, qu'elle s'en remettait à sa compétence.

Charles souffrait de voir sa femme le détester tant qu'elle ne faisait même pas semblant de s'intéresser à sa vie sociale, mais il ne pouvait lui en vouloir. Etre exposée à la curiosité des voisins devait être une rude épreuve pour une jeune femme timide comme elle, une épreuve qu'elle voyait arriver avec angoisse. S'il avait pu trouver un prétexte pour annuler ce dîner sans offenser les invités, il en aurait usé sans hésiter. Mais il valait mieux expédier la corvée le plus rapidement possible, afin d'en être débarrassé. En outre, il préférait qu'Héloïse fût jugée un peu gauche plutôt que sauvage.

Il ne s'était jamais autant agacé des multiples obligations qui lui incombaient de par son rang. Il était venu à Wycke pour se rapprocher de son épouse, pas pour s'adonner à des mondanités qui l'éloignaient d'elle, au contraire.

Dieu merci, il avait déjà réglé un grand nombre d'affaires plus ou moins urgentes. Ce dîner de gala passé, il pourrait consacrer tous ses soins à Héloïse et la conquérir, enfin.

Alors qu'il parcourait le corridor menant dans le salon rouge, il se demanda pourquoi Héloïse avait prié le chef palefrenier de lui apprendre à conduire le cabriolet. Pourquoi ne sollicitait-elle plus Robert ? Quelle mouche l'avait piquée ?

Charles se plaça devant une fenêtre qui dominait l'allée par où arriveraient bientôt les invités et poursuivit le cours de ses méditations. S'il fallait en croire Linney, Robert ne sortait pas de ses appartements, alors que son état de santé était fort satisfaisant. Pourquoi reprenait-il ses habitudes d'ermite ?

Charles résista à la tentation d'ouvrir la fenêtre. S'il faisait chaud à l'intérieur, il faisait plus chaud dehors. L'air trop lourd annonçait un orage. Il espérait qu'il n'éclaterait pas pendant la soirée ; il serait obligé, sinon, d'offrir l'hospitalité à ses invités.

— Dois-je porter les diamants Walton ? s'enquit Héloïse, une pointe d'anxiété dans la voix. Ne va-t-on pas penser que je suis une orgueilleuse ?

On ne s'habille pas, à la campagne, aussi formellement qu'en ville. Même Héloïse savait cela. C'est pourquoi elle avait choisi, pour ce soir, sa robe la plus simple ; mais, étant donné qu'elle n'avait pas d'autres bijoux que ceux de la famille Walton, elle devrait ne rien porter si elle y renonçait.

Aucun bijou… mais Charles ne voudrait sans doute pas la voir paraître comme une pauvre fille sans éclat.

Au fond, n'était-ce pas le cas, avec ou sans joaillerie. Elle n'avait pas de beaux yeux émeraude comme Félicie. Elle n'avait pas le visage sensuel de Mme Kenton.

Avec un cri de détresse, Héloïse se détourna du miroir. Elle ne voulait plus se voir.

— Ne soyez pas si nerveuse, Milady, lui dit Sukey avec entrain. Rappelez-vous que vous serez, ce soir, la dame la plus hautement titrée. Tout le monde en sera conscient.

Elle avait raison. Toutes ces femmes qu'elle avait vues, en leurs portraits, parées des diamants Walton, la jugeraient peut-être présomptueuse, mais elle était comtesse aussi bien qu'elles, puisque Charles l'avait épousée. La jolie Félicie n'était pas comtesse. La belle Mme Kenton non plus.

La pauvre petite Héloïse l'était.

Et puis, ces pierres trop grosses, trop jaunes, trop froides, étaient tout ce qu'elle pouvait arborer comme preuves de son mariage. Ayant dû abandonner l'espoir de donner bientôt un héritier à Charles — leur étreinte brutale n'avait pas eu de suite heureuse —, elle n'avait que ces bijoux de famille pour se persuader qu'elle était bien l'épouse de Charles Fawley, comte de Walton.

Ayant pris sa décision, elle se rendit près de la table où reposait le coffret à bijoux.

— Je porterai les diamants, dit-elle, tous !

Ainsi parée, elle descendit vers le salon rouge ; c'était là, lui avait appris Mme Lanyon, que Charles recevait toujours ses invités.

Il était magnifique dans sa tenue de soirée. D'ailleurs, quand n'était-il pas bien habillé ? En toutes circonstances, il avait toujours les vêtements qu'il fallait, et il se comportait toujours de la façon la plus correcte possible. En vérité, c'était un homme parfait ; trop peut-être ? Héloïse eut envie de l'ébouriffer un peu, de gâter cette excellence au miroir de laquelle elle se sentait plus ordinaire. Quand les invités arriveraient, qu'ils la verraient à côté de lui, ils se diraient que les Walton formaient un couple bien mal assorti et ils se demanderaient pourquoi Charles, si distingué, avait choisi d'épouser une femme si quelconque.

Charles s'arrêta de respirer quand il vit Héloïse traverser le salon rouge pour le rejoindre près de la cheminée. Elle était ravissante, tout simplement. La robe très simple qu'elle avait choisie convenait beaucoup mieux à sa physionomie que bien des créations sophistiquées conseillées par une couturière qui passait pourtant pour compétente en la matière. En outre, avec tous ces diamants qui scintillaient à son cou, à ses poignets et à ses oreilles, elle apparaissait en tout point comme une véritable comtesse de Walton.

Il s'apprêtait à la complimenter quand il la vit joindre les mains pour les tordre nerveusement. Il s'était habitué à l'accablement qu'elle manifestait en toutes occasions, mais cette nouvelle marque de déplaisir le blessa profondément : elle ne supportait décidément pas de se trouver à côté de lui !

Navré, il se détourna d'elle, et il lui fallut quelques secondes pour se reprendre en main. Puis il découvrit qu'il se trouvait près d'une desserte. Alors, il fit la seule chose qui fût capable d'atténuer le malaise d'Héloïse : il emplit un petit verre de madère, qu'il lui porta.

Héloïse le vida d'un trait, en se demandant en quoi elle avait déplu ; cette fois encore, Charles n'avait pas tardé à faire grise mine à sa vue, avant de se détourner d'elle. Avait-elle commis une faute de goût en portant les diamants ? Venait-il de se rappeler, en les voyant, qu'elle avait failli en perdre une partie, et sa rancœur s'était-elle ravivée ? Ou pensait-il, tout simplement, qu'elle était trop mal habillée ? Si tel était son avis, quels regards les invités n'échangeraient-ils pas, quels commentaires ne feraient-ils pas dès qu'ils auraient quitté la maison ! Et si elle remontait dans sa chambre, pour se changer ? Il était peut-être encore temps... Non ! la porte s'ouvrait, Giddings accueillait quelqu'un ; d'autres voitures arrivaient, leurs roues faisant crisser le gravier de l'allée.

Le cœur battant, Héloïse tendit son verre à un valet.

— Pouvez-vous m'en donner un autre, je vous prie ? murmura-t-elle en évitant de croiser le regard, forcément désapprobateur, de son mari.

Le salon ne tarda pas à se remplir. Une trentaine d'invités se trouvaient là, qui tous connaissaient Charles depuis de longues années. Une seule de ces personnes intimidait moins Héloïse : elle s'appelait Miss Masterson et accompagnait son père, un colonel à la retraite venu en grand uniforme. Discrète et même timide, elle se plaça dans un coin, un peu à l'écart de l'agitation ; même les serviteurs qui circulaient avec les plateaux ne la voyaient pas.

Héloïse se promit de chercher à nouer des relations amicales avec cette jeune personne, qui lui ressemblait à maints égards, quand Charles serait retourné à Londres. Certes il faudrait, pour cela, qu'elle entre dans la maison du colonel et de sa femme, qui avait une tête aussi rébarbative que celle d'un bulldog…

Pour le moment, ledit colonel s'entretenait avec Charles. Il lui parlait comme à la parade, c'est-à-dire haut et fort.

— J'espérais avoir l'honneur de rencontrer votre jeune frère. C'est un soldat, n'est-ce pas ? J'aurais aimé parler avec lui des affaires récentes. Wellington a reçu le commandement des armées alliées. Vous le savez, je pense. Pas de chance que nous soyons de nouveau en guerre avec le pays de votre charmante épouse, mais comme on dit, c'est la vie. Et puis, qu'y pouvons-nous ?

Il se tourna vers Héloïse.

— Vous aussi voulez voir Bonaparte mis aux fers, je suppose. Vous êtes pour les Bourbon ? A la bonne heure ! D'ailleurs, Walton ne vous aurait pas épousée si vous n'étiez pas royaliste, cela tombe sous le sens.

— Vous vous trompez, lui répondit-elle, agacée de le voir élaborer des théories fumeuses sur son mariage. Je ne suis pas royaliste, loin de là.

Peut-être aurait-elle dû expliquer mieux sa position, dire qu'elle détestait le gros Louis et son inepte gouvernement autant qu'elle avait haï Bonaparte et sa brutale efficacité. Elle s'en avisa un peu plus tard, quand elle entendit le colonel outragé murmurer à l'oreille de sa femme, alors que la compagnie se rendait en cortège vers la salle à manger :

— Quelle horreur ! Walton a introduit une Bonapartiste parmi nous !

L'épouse réussit à le faire taire, mais elle dut le surveiller ensuite pendant tout le repas pour l'empêcher de faire un esclandre.

Lord Danvers, assis à la droite d'Héloïse au bas bout de la table, engagea la conversation en lui demandant si elle aimait chasser. Elle commit l'erreur fatale de répondre qu'elle ne chassait pas, pour la bonne raison qu'elle ne montait pas à cheval.

— Vous ne montez pas ? s'étonna-t-il en la regardant comme si elle venait de confesser un crime.

Elle tenta de se justifier.

— Dans mon pays, il est très mal vu de garder un cheval, par les temps qui courent ; c'est même considéré comme un acte antipatriotique. En effet, les chevaux, comme nos fils et nos frères, appartiennent à l'armée française.

Cette tirade lui valut un regard malveillant du colonel Masterson. Hélas, il ne fallait plus espérer devenir l'amie de sa fille, il ne le permettrait pas.

Après ce petit incident, la conversation s'enlisa. Héloïse s'ennuya, et pourtant elle redoutait le moment où elle devrait se lever, signalant ainsi aux dames qu'il était temps de se retirer dans le salon de musique. A table, chacun restait assis à sa place et seuls les convives les plus proches pouvaient l'attaquer ; elle avait le pressentiment qu'elle aurait à subir une véritable curée lorsqu'elle serait seule avec les dames.

Elle ne se trompait pas. Lady Danvers ouvrit le feu.

— Jouez-vous du piano, Lady Walton ? demanda-t-elle d'une petite voix flûtée. Ou de la harpe, peut-être ? A moins, bien sûr, que vous n'ayez préparé quelque chose de typiquement français pour divertir ces messieurs quand ils nous rejoindront ?

Elle gloussa, pour bien signifier que sa dernière question comportait un sous-entendu égrillard.

— Non, répondit Héloïse.

Elle ne montait pas à cheval, elle ne jouait d'aucun instrument de musique, elle n'avait même pas su séduire son mari au moyen de quelque polissonnerie, comme le laissait entendre cette femme abominable.

Avec une lueur de triomphe dans le regard, Lady Danvers alla s'asseoir à côté de Lady Masterson pour lui glisser quelques propos à l'oreille, à la suite de quoi Lady Masterson eut pour Héloïse un regard encore plus hostile que devant.

— Peut-être notre hôtesse a-t-elle d'autres talents, suggéra la femme du pasteur, avec bienveillance. Nous sommes toutes bonnes à quelque chose, n'est-ce pas ? On peut savoir mettre les pauvres à l'aise quand on les visite dans les asiles, ou préparer de jolis bouquets, ou broder… Que sais-je encore ?

Celle-ci était une aimable personne, qui avait tenté de secourir Héloïse, et qui la regardait d'un air suppliant pour l'inciter à saisir la perche qu'elle lui tendait ; en pure perte. Alors la femme du pasteur, navrée, se tut.

— Vous voulez donc dire, reprit Lady Danvers, que vous ne savez rien faire du tout ?

— Je n'ai rien dit de tel ! lança Héloïse avec agacement. Je suis une artiste.

— Une artiste ? reprit Lady Danvers, le sourcil haut. Vous voulez dire que vous vous amusez avec de la peinture ?

— Non, je dessine.

Les dames se regardèrent. Elles avaient déjà moins envie

de se moquer. Avec impatience, elles attendaient la suite, une preuve de ce que leur hôtesse venait d'avancer.

— Hélas, je ne puis vous montrer aucun dessin. Tout ce que j'avais réalisé a été perdu… brûlé en fait, avant mon départ de France.

— Comme c'est décevant, fit Lady Danvers, sarcastique. Nous aurions tant aimé avoir un aperçu de votre talent.

Elle échangea un sourire entendu avec Lady Masterson.

Héloïse sentit son sang bouillir dans ses veines : ces mauvaises langues la soupçonnaient de mentir.

Lydia Bentinck prit la parole. Elle était venue avec ses deux sœurs ; toutes trois étaient encore célibataires, malgré un âge déjà avancé.

— Moi, dit-elle avec autorité, je dis qu'on n'a pas besoin de savoir monter à cheval, peindre ou jouer de la musique pour être une dame de qualité. Il suffit d'avoir de bonnes manières. Voilà ce que je pense !

Puis elle se tourna vers Lady Danvers pour lui assener cette péroraison assassine :

— Et les bonnes manières, croyez-moi, font cruellement défaut de nos jours.

Les joues de Lady Danvers s'embrasèrent sous l'effet de la colère, mais elle était si outrée qu'elle ne put trouver aussitôt la réplique cinglante dont elle rêvait. Pendant qu'elle cherchait ses mots, Diana Bentinck demanda à Héloïse :

— Quel genre de dessins faites-vous ?

— Des portraits.

— Oh, mais c'est absolument charmant ! Accepteriez-vous de me dessiner en compagnie de mes deux sœurs ? Cela me ferait tellement plaisir ! A moins, bien sûr, que cela vous prenne trop de temps.

Héloïse était sur le point de refuser, pour ne pas indisposer Charles, mais elle changea d'avis en avisant le sourire mauvais de Lady Danvers.

— Je serai ravie de brosser votre portrait, dit-elle avec assurance. Veuillez prendre place, je vous prie, pendant que je vais chercher le matériel nécessaire.

Quand elle revint dans le salon de musique, une des autres dames invitées, une certaine Mme Goulding, s'était installée au piano et massacrait allègrement une sonate de Haydn.

Elle s'assit devant ses modèles. Les trois sœurs Bentinck se chamaillaient gentiment sur la façon dont elles voulaient être croquées, disputant si elles devaient se ranger par âge ou par taille ou tenter de constituer un groupe en prenant des poses intéressantes.

Pendant ce temps, le fusain d'Héloïse courait sur le papier. Quand les trois sœurs s'immobilisèrent enfin, elle se leva pour leur montrer le dessin terminé.

Les trois têtes grises se penchèrent pour examiner les quelques traits jetés sur le vélin couleur crème. Elles virent Lydia debout derrière ses deux sœurs assises, Diana tendant la main, la paume en l'air ; Grace, elle, paraissait réfléchir, la tête penchée et les sourcils un peu froncés. Ce dessin très enlevé rendait à la fois la querelle qui venait d'avoir lieu et l'affection sans faille que se portaient les sœurs Bentinck. L'impression d'ensemble était celle d'une harmonie familiale tout à fait plaisante.

— Je n'arrive pas à croire que vous ayez fait ce dessin si vite ! s'écria Diana Bentinck.

— Je suis désolée de vous avoir croquées sur du simple papier à lettres, répondit Héloïse en souriant.

— Cela ne fait rien ! répondirent les trois sœurs en chœur.

Puis Diana ajouta :

— Ce papier porte les armoiries des Walton. Voilà qui constituera un souvenir charmant de la très agréable soirée que nous aurons passée chez vous.

La femme du pasteur s'approcha. Presque timidement, elle demanda :

— J'aimerais tant avoir, moi aussi, mon portrait par vous, Lady Walton.

— Certainement, dit Héloïse en reprenant son fusain.

Par chance, elle n'avait pas le temps d'étudier ces personnes assez attentivement pour les associer à quelque espèce du monde animal. Elle réussit donc, au prix d'un effort minime, à brider son imagination et à s'en tenir à la représentation littérale de ses sujets.

Vite expédié, le portrait de la femme du pasteur suscita maintes exclamations tandis qu'il passait de mains en mains, et un tel enthousiasme qu'Héloïse se vit bientôt obligée d'en attaquer un troisième. Toutes ces dames voulaient se faire portraiturer.

Héloïse s'absorba si bien dans son travail qu'elle ne vit pas les messieurs pénétrer dans le salon de musique. Encore quelques traits de fusain, et elle pouvait tendre son portrait à Miss Masterson.

— C'est vraiment moi ? s'écria la jeune fille. Je crois que vous m'avez flattée.

— Pas du tout, affirma Charles.

Héloïse sursauta. Il était derrière sa chaise, elle n'avait pas senti sa présence.

— Ma femme, reprit-il, ne flatte jamais ses modèles. En revanche, elle a le don de représenter la psychologie des gens aussi bien que leur apparence physique, parfois de façon très incisive, un peu trop peut-être…

Héloïse ne savait comment interpréter le commentaire

de Charles. Voulait-il la mettre en garde contre sa propension à la caricature ?

— Il faut absolument que vous fassiez un portrait de mon fils après celui de ma belle-fille, intervint Lady Masterson avec des trémolos dans la voix. J'y tiens !

Héloïse hésita. Elle aurait dû être ravie d'avoir vaincu si vite l'hostilité d'une de ses principales adversaires dans cette soirée, mais elle craignait d'indisposer Charles. Elle lui jeta un petit regard pour quêter son avis, mais il garda un visage impassible.

Déjà le jeune Thomas Masterson prenait la pose sur les indications de sa mère. Héloïse n'eut d'autre choix que de préparer une nouvelle feuille de papier à lettres.

Pourquoi n'avait-elle pas tourné sa langue sept fois dans sa bouche avant de se vanter ? C'était toujours pareil : elle ne réfléchissait pas et tombait dans tous les pièges qu'on lui tendait. Il n'en avait pas été autrement pour la trop fameuse partie de cartes. Cette fois, Lady Danvers avait réussi à lui faire perdre son sang-froid, et elle n'avait rien trouvé de mieux que d'exercer son petit talent pour prouver à ces dames qu'elle n'était pas aussi incapable qu'elles voulaient le croire. Evidemment, Charles n'aimerait pas cela.

Les doigts crispés sur son fusain, Héloïse soupira et étudia le visage du garçon qui attendait son bon vouloir. Elle traça le premier trait.

Fasciné, Charles observait les doigts qui couraient sur le papier. C'était la première fois qu'il voyait Héloïse à l'œuvre. Par bonheur, ce soir, elle travaillait d'une manière qui enchanterait leurs invités, et il sentait son cœur se gonfler d'admiration. Elle aurait pu se venger des vexations subies en accentuant les disgrâces physiques de ces gens qui brûlaient de poser pour elle sans se douter de ce qu'ils risquaient ; au contraire, elle montrait ce qu'il y avait de meilleur en eux, sans flagornerie. Elle avait même réussi à faire un portrait agréable de la si terne Miss Masterson, transformant son regard vide en une rêverie pleine de poésie.

Héloïse avait un talent extraordinaire. Charles voulait lui faire un compliment, le seul dont il pouvait être sûr qu'il lui ferait vraiment plaisir. Il chercha la meilleure façon de tourner son éloge… Tant qu'il y était, il faudrait aussi lui demander pardon pour l'avoir obligée à brûler ses dessins, à Paris ; quel abus de pouvoir, de sa part… Pourrait-elle jamais le lui pardonner ?

Le cœur battant, Charles se demanda s'il ne venait pas de trouver, enfin, la clé qui lui ouvrirait le cœur de sa femme.

Dès lors, ses invités lui parurent tarder horriblement à prendre congé…

Enfin ce moment tant attendu arriva.

— Cette soirée n'a pas dû être toujours très facile pour vous, commença-t-il.

Il avait à la mémoire la rudesse du colonel Masterson et il se doutait que les dames — Lady Danvers en particulier — avaient dû se montrer incisives, pour ne pas dire davantage, dans le salon de musique.

— Mais enfin, ajouta-t-il, l'aventure s'est bien terminée, et je crois que, tout compte fait, nos invités garderont un souvenir plaisant de cette soirée.

Cette remarque blessa Héloïse. Que disait Charles, au fond ? Qu'elle avait failli le déshonorer, une fois de plus, mais que les invités avaient été bien bons de passer sur ses insuffisances et sa médiocrité !

— Puis-je me retirer ? demanda-t-elle d'une voix blanche.

— Si vous voulez, soupira-t-il, refrénant son envie de débiter son petit discours.

Il accompagna Héloïse dans le vestibule et la regarda monter l'escalier. Il lui donnerait quelques minutes avant de la suivre, et alors…

— Un mot, Walton !

La voix râpeuse de Robert tira Charles de ses rêveries. Il se tourna vers son frère qui arrivait de ses appartements, en clopinant aussi vite qu'il pouvait.

— Vous avez honte de moi, n'est-ce pas ? dit-il alors qu'il était encore à demi dissimulé dans l'ombre de l'escalier.

— Je vous demande pardon ? répondit Charles, piqué au vif. Je ne vois pas de quoi vous voulez parler, mais venez dans mon cabinet de travail, nous serons mieux pour deviser.

Il y entra et attendit en se servant un verre de cognac. Quelle mauvaise querelle son frère lui cherchait-il ? En plus, ce n'était pas le moment.

— Je veux savoir pourquoi vous m'avez exclu de votre soirée, fit Robert en le rejoignant. A quoi bon me traîner jusqu'à Wycke si c'est pour me laisser me morfondre dans la solitude lorsque vous recevez le voisinage ?

Il s'avança jusqu'au milieu de la pièce et jeta un coup d'œil sur le portrait accroché au-dessus du bureau.

— Mais c'est ma mère ! s'indigna-t-il. Pourquoi ce tableau se trouve-t-il dans votre bureau, et non dans la galerie avec tous les portraits de nos ancêtres ?

— Parce que vous avez visité la galerie de portraits ? demanda froidement Charles.

Un peu penaud, Robert finit par avouer qu'il avait demandé à un valet de lui faire visiter la maison, quand il avait été sûr que ni Mme Lanyon ni Giddings ne pourraient le savoir et le rapporter à Charles.

— Je suis heureux que vous ayez exploré votre domaine, fit celui-ci en souriant. Cela dit, je me serais fait un plaisir de vous conduire moi-même partout où vous auriez voulu.

— Vraiment ? Il n'empêche que vous me cachez à vos invités, comme si vous aviez honte d'avoir un frère comme moi.

— Je n'ai rien fait de tel ! proclama Charles, indigné à son tour. Je ne me suis occupé de rien dans la préparation de cette soirée. C'est Mme Lanyon qui…

Il s'interrompit, sourcils froncés. La gouvernante avait-elle sciemment tenu Robert à l'écart ? Se pouvait-il qu'elle fût de mèche avec la branche Lampton de la famille ?

— De toute façon, ça n'a aucune importance, grommela Robert en se laissant tomber dans un fauteuil. En fait, tout est la faute de mon fichu caractère… N'en parlons plus.

Charles lui porta un verre de cognac et prit place derrière son bureau.

— Pourquoi êtes-vous toujours si raisonnable ? reprit Robert. Vous ne pourriez pas vous emporter après moi, de temps en temps, au lieu de rester poli, glacial même ? Peut-être que je me sentirais moins… moins…

Charles soupira.

— C'est une question d'éducation, vous savez. Mes tuteurs ont fait un excellent travail en m'élevant selon les principes irréprochables de ma mère. Toutefois…

Il fit tourner son fauteuil afin de regarder le portrait accroché au-dessus du bureau.

— … quand je regarde le portrait de votre mère, je me rappelle un temps où la vie s'écoulait de façon plus agréable à Wycke. Ce n'est qu'à partir du jour où ils l'ont chassée d'ici que la maison est devenue ce mausolée si froid, si solennel, si inhospitalier. Naturellement, mes tuteurs m'ont dit que votre mère m'avait abandonné.

Il prit une longue gorgée de cognac avant d'ajouter :

— J'avais huit ans. Je n'avais connu qu'elle, ma propre mère étant décédée alors que j'étais encore tout petit. Le souvenir que j'ai gardé d'elle est celui d'une femme bonne et douce, aussi bien pour mon père que pour moi. Soudain, elle a disparu et on n'a plus parlé d'elle. C'était comme si elle n'avait jamais existé. Comment une femme pouvait-elle ainsi tourner le dos à un enfant qui venait de perdre son père ?

— Elle ne vous a pas tourné le dos ! protesta Robert. Vos tuteurs l'ont renvoyée dans sa famille et ensuite ils ont fait de leur mieux pour la déconsidérer.

— C'est un crime que je ne leur pardonnerai jamais.

Il crispa ses doigts sur son verre de cognac, au risque de le briser. Puis il reprit :

— Quel dommage que nous n'ayons pas été élevés ici ensemble. Nous aurions grimpé aux arbres, pêché dans le lac, joué aux Croisés et aux Sarrasins dans les ruines du vieux château. Si votre mère était restée, elle nous aurait envoyés à l'école, au lieu de quoi j'ai vu défiler ici une longue cohorte de précepteurs, tous plus ennuyeux les uns que les autres.

— Je ne soupçonnais pas que vous aviez souffert de la situation, dit Robert en regardant le fond de son verre presque vide. Je pensais même que la controverse initiée par vous contre les Lampton avait un rapport avec l'héritage.

— L'héritage ? L'argent ? Certainement pas ! Ces gens ont toujours été scrupuleusement honnêtes quand il s'agissait de gérer mes finances. Ils ne m'ont pas dérobé un seul penny, mais m'ont privé d'un trésor bien plus important...

Ses yeux se reportèrent sur le portrait souriant de la dame.

— ... un trésor irremplaçable : mon enfance.

Après un long moment de silence empreint d'émotion, Robert grommela :

— J'ai pris l'habitude de vous haïr, mais il faut bien qu'enfin je le reconnaisse : vous avez toujours été très généreux avec moi.

Charles évacua le compliment d'un petit geste de la main.

— Je n'ai fait que vous rétablir dans vos droits, en vous rendant ce qui n'a jamais cessé de vous appartenir. Ce que je ne comprends pas, c'est que notre père ait rédigé son testament en dépit du bon sens.

Il avait l'impression d'arriver, enfin, au jour tant espéré depuis qu'il avait appris l'existence de son frère, c'est-à-dire le jour des retrouvailles. Tandis que le niveau du cognac baissait de façon régulière dans la bouteille, les deux hommes parlaient, se confiaient. Ils évoquaient la femme que tous deux avaient appelée « maman », se remémoraient les événements tragiques qui avaient conduit à l'exil de celle-ci. Ils imaginaient la vie qu'ils auraient pu avoir si des esprits se croyant bien intentionnés ne les avaient pas séparés pour de longues années.

Quand Charles remonta à l'étage et entra dans la chambre de sa femme, elle dormait paisiblement.

— Oh, mon amour, murmura-t-il en se penchant pour baiser sa joue. Grâce à vous, j'ai retrouvé mon frère.

Avec délicatesse, il déplaça une mèche de cheveux qui

barrait le front de la jeune femme, avant de rentrer dans sa chambre, sur la pointe des pieds.

Si, au matin, elle ne descendait pas pour le petit déjeuner, il lui ferait porter un billet lui demandant de le rejoindre dans son cabinet de travail aussi vite que possible. Sa longue conversation avec Robert lui avait appris que celui-ci n'avait cessé de lui supposer des intentions malignes dans toutes les actions qu'il avait autrefois entreprises, et que les malentendus s'accumulant ainsi, la détestation mutuelle avait prospéré. S'ils avaient pu se parler plus tôt, ils auraient gagné beaucoup de temps.

Il ne perdrait pas autant de temps avec Héloïse.

Il ne commettrait pas la même erreur.

Il parlerait avec elle dès le lever du jour.

Héloïse, le cœur battant, regardait le billet qu'un serviteur venait de lui apporter. Charles lui demandait de le rejoindre dans son bureau dès qu'elle s'éveillerait. Poussant de côté le plateau de son petit déjeuner, elle sortit du lit.

Charles devait être très agacé contre elle pour lui faire porter ce genre de billet dès son réveil. La soirée d'hier, sans doute, en était la cause : n'avait-elle pas fait montre de ses talents de dessinatrice, alors qu'elle savait fort bien qu'il n'aimait pas cela ?

Ne voulant pas l'agacer davantage en le faisant attendre, elle passa dans son cabinet de toilette afin de procéder à ses ablutions. Il s'agissait de ne pas perdre de temps.

Sukey poussa un cri d'effroi en voyant sa maîtresse verser elle-même l'eau dans le bassin.

— Je suis pressée, lui dit Héloïse. Soyez gentille de me sortir une robe du matin ; la verte serait très bien.

Elle descendait l'escalier, un peu plus tard, quand elle

s'arrêta brusquement au milieu des marches. Pourquoi aller retrouver Charles ? Elle imaginait très bien ce qu'il avait à lui dire : qu'il était prêt à rentrer à Londres, et qu'il n'avait aucunement l'intention de la ramener avec lui.

Elle vivait dans la crainte de ce moment depuis son arrivée à Wycke. Cramponnée des deux mains à la rampe de l'escalier, elle donna libre cours à ses larmes.

Puis, étouffant un sanglot, elle souleva sa robe et finit de descendre les marches ; mais, au lieu de se rendre dans le cabinet de travail, elle prit, en courant, un corridor qui conduisait à l'arrière de la maison et sortit dans les jardins.

Elle continua à courir, parce qu'elle avait mal, parce qu'elle se sentait seule, parce qu'elle avait le sentiment d'avoir gâché la chance magnifique que lui avait offerte la vie. Elle courut sur les pelouses, dans les buissons, puis, au-delà des jardins, dans les prairies et dans les bois. Elle atteignit le lac et courut encore sur la berge, longtemps, ne s'arrêtant que lorsqu'elle fut à bout de souffle. Alors elle se laissa tomber sur l'herbe et se remit à sangloter.

Combien de temps resta-t-elle là, recroquevillée tel un animal blessé, pleurant toutes les larmes de son corps ? Longtemps sans doute. Lorsqu'elle leva les yeux, elle se vit perdue dans une obscurité profonde. Etonnée, elle se releva, tourna, regarda autour d'elle.

En sentant les premières grosses gouttes de pluie chaude s'écraser sur son visage, elle comprit que la nuit n'était pas encore tombée comme elle l'avait cru un peu trop vite, mais que l'orage qui menaçait depuis la veille allait enfin éclater. Il suffisait de voir les nuages noirs comme l'encre qui couraient dans le ciel pour s'en convaincre. La pluie tombait de plus en plus fort ; comme des balles de fusil, les grosses gouttes crépitaient et creusaient de petits trous dans le sol.

Héloïse songea qu'elle devait se mettre à l'abri, mais elle n'avait pas le courage de rentrer à la maison, n'ayant pas envie de se retrouver, misérable, devant le bureau de Charles, les vêtements trempés, les cheveux pendant comme des queues de rat, et tout cela pour s'entendre signifier, avec l'air de dédain qu'il savait si bien prendre quand il n'était pas content, la sentence, à savoir que Milord ne désirait plus la voir, qu'il rentrait à Londres et l'abandonnait à son triste sort.

Accablée, Héloïse rebroussa chemin et suivit la berge du lac en direction d'un ponceau de bois qu'elle se rappelait avoir vu en courant : il menait à l'île sur laquelle se dressait le château en ruines. Voilà quel serait son refuge, où elle attendrait aussi longtemps qu'il faudrait, en tout cas jusqu'à la fin de l'orage.

Quand elle rentrerait à Wycke, Charles serait sans doute déjà parti. Au moins n'aurait-elle pas à souffrir de l'entendre prononcer sa condamnation sans appel.

Trébuchant sur une vaste pièce de maçonnerie à moitié dissimulée par un massif d'orties, elle comprit qu'elle approchait de son but. Elle s'arrêta, ouvrit le rideau de ses cheveux collés sur son visage et leva les yeux vers la tour qui, dans les ténèbres fantasmagoriques de l'orage, élevait sa structure branlante parmi l'amoncellement de pierres écroulées, tout ce qui restait d'anciennes fortifications. Si dégradée qu'elle fût, cette tour comportait encore une porte, qui disparaissait sous l'accaparement du lierre.

Héloïse empoigna l'anneau de fer qui servait de loquet et tourna de toutes ses forces, puis donna un coup d'épaule dans la porte qui céda, de très peu, en faisant gémir ses gonds et en raclant la dalle.

Elle se glissa à l'intérieur, contente d'avoir trouvé un abri. Si l'atmosphère de la tour était humide et malodorante, il n'y pleuvait pas. L'obscurité y régnait ; mais un peu de lumière indiquait une ouverture, et Héloïse se dirigea vers elle, en tâtonnant. Elle trouva ainsi l'entrée d'un escalier de bois, ménagé dans l'épaisseur d'un mur.

Elle s'assit sur la première marche et croisa les bras sur sa poitrine. Elle avait froid. Que faisait-elle là, dans cette ruine, alors qu'elle aurait pu se prélasser devant un bon feu, dans son joli salon, une tasse de chocolat en main ? Elle ne serait pas moins malheureuse pour autant, mais plus à l'aise, oui, certainement.

Un long frisson la parcourut. Elle commençait à claquer des dents. La pluie avait pénétré ses vêtements et ses petits souliers. S'il la voyait, Charles dirait qu'elle était une idiote d'avoir cherché refuge ici au lieu de rentrer à la maison : encore un motif de mépris. Dans les petites choses comme dans les grandes, elle ne commettait que des erreurs.

Eh bien, oui, elle était une idiote ! Pourquoi nier l'évidence ? On le lui ressassait depuis toujours, ses parents à satiété, sa sœur souvent, Charles à mots couverts. Héloïse renifla sans élégance. Son erreur la plus grave, lui semblait-il, consistait à être tombée amoureuse d'un homme beaucoup trop bien pour elle. Si l'on en était au chapitre des bévues, lui aussi en avait commis une, et de taille, en épousant une femme très au-dessous de sa condition.

Elle touchait au comble de la misère : elle n'avait pas même le droit de se dire malheureuse, pour se faire consoler, puisque son mari ne l'aimait pas. Elle n'avait d'ailleurs pas à se plaindre, puisque l'amour n'entrait pas en ligne de compte dans le pacte bancal qu'ils avaient scellé.

Héloïse passa une main sur son visage ruisselant, ne

sachant si la pluie ou les larmes l'avaient mouillé ainsi. Un coup de vent entra par la porte restée entrouverte. Elle fit retraite dans l'escalier, monta de quelques marches, s'assit plus haut. Le vent la poursuivit.

Elle leva la tête. Ne serait-il pas judicieux de trouver refuge à l'étage supérieur, qui lui semblait un peu plus éclairé ? Elle se releva péniblement, s'accrocha à la barre de fer qui courait le long du mur et monta lentement, posant un pied après l'autre sur les marches de bois, apparemment peu solides. Elle pensa plusieurs fois redescendre, s'enhardit toutefois et finalement parvint à une grande pièce comportant encore quelques meubles couverts d'une poussière épaisse, et prenant sa lumière d'une fenêtre à vitraux que la saleté n'avait pas rendue complètement opaque.

Restée sur le seuil de la pièce, Héloïse se félicitait d'avoir eu le courage de se hisser jusqu'à ce havre quand elle sentit le sol ployer sous elle. Puis un long craquement courut tout le long de l'escalier qu'elle venait de monter. La marche sur laquelle elle se trouvait céda sous son poids, et si elle ne s'était pas accrochée des deux mains à la rampe de fer, elle eût été précipitée dans le vide.

Tremblant, cette fois de peur plus que de froid, elle retira sa jambe du piège de bois où elle s'était enfoncée, puis posa ses deux pieds au plus près du mur. Il était temps de redescendre si elle ne voulait pas être bloquée ici.

Hélas, il était trop tard. L'escalier eut une sorte de soubresaut et émit un gémissement aussi poignant que celui d'un animal blessé.

Puis, il y eut un tout petit moment de silence.

Alors, dans un vacarme assourdissant, toutes les marches

se détachèrent les unes après les autres, en projetant un grand nuage de poussière malodorante.

Quand Héloïse put y voir, elle eut la confirmation de ce qu'elle redoutait : elle ne pouvait plus redescendre, elle était prisonnière du premier étage de la tour.

14

Charles tira sa montre de son gousset et fronça les sourcils avec inquiétude : trois heures s'étaient écoulées depuis que Sukey avait remis son billet à Héloïse, et celle-ci n'était toujours pas venue à lui.

— Vous m'avez fait demander, Milord ?

Charles leva les yeux vers Giddings, apparu sur le seuil du cabinet de travail. Il ferma sa montre d'un geste sec.

— Oui. Faites servir le déjeuner dans le salon bleu, et envoyez quelqu'un pour savoir si Milady consentirait à descendre.

Peut-être était-elle souffrante, mais si tel était le cas, elle aurait répondu au billet pour le lui dire, repousser l'entretien ou le prier de monter dans sa chambre.

Il ne pouvait se garder de penser que ce long silence était un message en lui-même. Il s'était montré présomptueux en croyant pouvoir rétablir des relations normales avec son frère puis avec sa femme, le même jour.

Il se dirigea vers une fenêtre. Il s'était mis à pleuvoir peu de temps après que Robert avait pris place dans la voiture pour retourner à Londres.

Il comprenait que son frère eût besoin de temps pour se faire aux nouvelles relations qu'ils avaient établies au petit matin, après des heures et des heures d'une conversation souvent laborieuse. Quand celui-ci lui avait déclaré souhaiter rentrer « à la maison » sans attendre, il avait éprouvé au cœur un petit pincement de joie : Robert, enfin, considérait Walton House comme « sa maison ».

On frappa à la porte. Charles se retourna.

— Je vous demande pardon, Milord, déclara Giddings, mais Sukey ne paraît pas savoir où se trouve actuellement Milady. Il semble que Milady se soit habillée en hâte ce matin, dès son réveil, en fait, aussitôt après que Milady a reçu le billet envoyé par Votre Grâce.

Charles eut l'impression qu'une main d'acier s'insinuait dans sa poitrine et lui broyait le cœur. Héloïse disparaissait le matin même que son frère rentrait à Londres : il ne pouvait s'agir d'une coïncidence.

— Milord a-t-il encore besoin de moi ?

— Quoi ? Non, non, vous pouvez disposer, Giddings.

Charles se trouvait dans cette même pièce — il s'en souvenait très bien — quand il avait appris la nouvelle qui avait bouleversé sa vie, jusque-là paisible et heureuse. Il n'était alors qu'un enfant. Debout de l'autre côté de ce bureau, il avait entendu son oncle maternel lui annoncer qu'il ne reverrait plus « maman », plus jamais. Il leva les yeux vers le portrait de cette femme qui avait disparu et qu'il n'avait jamais revue. Il éprouvait, aujourd'hui comme jadis, le même sentiment d'abandon et d'injustice.

Sa belle-mère avait un oiseau en cage, qu'elle abritait dans le petit salon affecté maintenant à Héloïse. Charles, quand il se trouvait dans la salle d'études, entendait chanter cet oiseau, mais certain matin, il n'avait rien entendu. « Maman » avait quitté Wycke, emportant son oiseau avec elle, et un silence de mort s'était abattu sur la grande bâtisse.

Et maintenant, Héloïse disparaissait, de la même

manière, sans prévenir, aussi mystérieusement. Elle lui manquerait. Jusqu'à la fin de sa vie, il ressentirait un vide immense, que rien ne pourrait combler.

Il ne comprenait pas.

Pourquoi l'avait-elle trahi ?

Pourquoi Robert l'avait-il trahi ?

Prenant une longue inspiration, Charles se rassit et se força à examiner la situation avec sang-froid, si toutefois c'était possible.

Si la jalousie lui avait donné à craindre qu'Héloïse pût fuir avec un autre homme — en grande partie à cause de cette « tradition » familiale sur laquelle il avait beaucoup glosé — une autre partie de son esprit, la plus saine, la raisonneuse, lui montrait l'inanité de cette hypothèse. Certes, le mariage s'était conclu dans la hâte pour ne pas dire dans la précipitation, Héloïse l'avait par la suite regretté et le lui avait dit, mais il ne la croyait pas capable de rompre aussi facilement ses vœux. Elle avait trop de conscience pour cela. Il suffisait de se rappeler les reproches dont elle s'était accablée après avoir reçu, lors de la mascarade, le baiser d'un homme en qui elle n'avait pas reconnu son mari !

Non.

Si Héloïse était partie avec Robert, en admettant que tel était bien le cas, ce n'était pas parce qu'elle avait une liaison avec lui.

Impossible, vraiment.

Héloïse ne briserait son mariage que si elle était tombée amoureuse d'un autre homme. Or rien n'indiquait que ce fût le cas.

Quant à Robert…

Charles ne croyait plus son frère capable de conspirer contre lui. Ce qu'il pouvait croire, en revanche, c'était qu'il avait accepté de remmener Héloïse à Londres, celle-ci l'ayant supplié de la soustraire à un mari qu'elle persistait à se dépeindre sous l'apparence d'un cruel tyran domestique. Il faudrait avoir un cœur de pierre pour ne pas entendre un tel appel au secours, venant d'une femme éperdue.

Eh bien ! Il lui donnerait quelques jours de répit avant de lui imposer de nouveau sa redoutable présence ! Il saurait faire preuve de patience et de compréhension. Mais il retournerait à Londres, de toute façon. Il le fallait, pour elle bien sûr, pour lui aussi, car il ne connaîtrait pas de repos tant qu'il ne lui aurait pas dit…

Il lui dirait que…

Charles prit conscience d'une vérité dont la force coupa le souffle.

Il était tombé amoureux de sa femme. Oui, tombé, c'était le mot qui convenait.

Il laissa échapper un gémissement rauque.

La femme dont il était tombé amoureux ne supportait même pas de se trouver dans la même pièce que lui… pire, dans la même maison.

Alors, que faire ?

Eh bien, pourquoi ne pas déjeuner, comme si de rien n'était ? se dit-il avec dérision. Agir, toujours, comme si rien ne l'atteignait, n'était-ce pas ce qu'il faisait le mieux ? On le lui avait souvent reproché, et Héloïse ne s'en était pas privée.

Il se rendit donc dans le salon où l'attendait son déjeuner, s'assit à table. Avec méthode, avec calme, il entreprit de consommer les mets préparés pour lui, en tâchant de ne penser à rien d'autre.

Quand il se leva, presque une heure plus tard, il se rendit près d'une fenêtre. Pendant un long moment, il regarda la pluie tomber, les gouttes dévaler les vitres. Au-delà, il n'y voyait pas grand-chose. Le domaine semblait fondre sous le déluge, disparaissant peu à peu dans la grisaille. La brume envahissait tout, en particulier là-bas, sur l'île…

En fait, ce n'était pas de la brume, mais de la fumée, qui montait, toute droite, toute blanche vers le ciel gris.

Qui avait l'audace, se demanda Charles, de faire du feu sur ses terres ? Par ce temps ?

Son cœur se mit à battre plus vite. Il ne connaissait qu'une personne assez déraisonnable pour se promener sous une pluie battante. Il ne comprenait pas ce qu'elle faisait sur l'île, mais il ne se demanda pas pourquoi il était si certain que c'était elle qui avait créé ce panache de fumée.

Un appel au secours !

Ouvrant la porte-fenêtre, Charles sortit sur la terrasse, sauta par-dessus le parapet, et se lança dans une course effrénée. Il courut sur les pelouses, puis dans la prairie, puis le long du lac.

A toute allure il franchit le ponceau et courut encore jusqu'à la tour en ruine.

C'était de là que montait la fumée.

— Héloïse !

Il força la porte entrouverte, entra dans la salle basse et obscure.

— Héloïse !

— Charles ?

La réponse venait d'en haut. Il pénétra dans la cage d'escalier, s'arrêta devant le monceau de bois accumulé, leva la tête. Sur ce qui restait du palier, il aperçut sa jeune femme.

— Mais que faites-vous là-haut ?

En fait, ce n'était pas difficile à comprendre : Héloïse avait pris cet escalier branlant, au péril de sa vie. Par chance il ne s'était écroulé qu'après l'ascension, mais elle restait prisonnière à l'étage.

Depuis combien de temps se trouvait-elle ainsi prise au piège ? Depuis combien de temps tremblait-elle ainsi de froid et de peur, très pâle, les cheveux collés sur le visage, les vêtements tout mouillés, tandis qu'il examinait la situation, tranquillement dans son cabinet de travail, pire, qu'il prenait un excellent déjeuner en essayant de l'oublier ?

Tout honteux, il lança :

— Je vais vous délivrer séance tenante.

Il tâtonna autour de lui et trouva ainsi un coffre, dont il se rappelait qu'il contenait le matériel de cricket. Il le tira au bas de ce qui restait de l'escalier. Puis il s'empara d'une table, autrefois utilisée pour les pique-niques sur l'île, et la hissa sur le coffre. Enfin il disposa trois chaises sur la table, deux puis une, et il entreprit l'escalade de cet échafaudage précaire.

— Prenez garde ! cria Héloïse en voyant que l'assemblage vacillait dangereusement.

— Je ne risque rien, répondit-il, et vous non plus. Donnez-moi la main.

Elle tendit la main, la retira bien vite et recula en secouant la tête.

— Je ne peux pas.

Il s'apprêtait à la rassurer de nouveau quand il sentit que son échafaudage allait s'écrouler. Dans un effort désespéré, il se projeta en l'air, s'accrochant au rebord du palier ; les meubles hâtivement entassés s'effondrèrent dans un fracas assourdissant.

Charles se hissa à la force de ses bras avant de se mettre péniblement sur les genoux et de se redresser. Héloïse lui passa les bras autour du cou.

— Dieu merci, fit-elle d'une voix enrouée par l'émotion, vous êtes sain et sauf ! J'ai bien cru que vous alliez tomber. Vous n'avez pas mal ?

Charles regarda ce visage mouillé de larmes, ces yeux agrandis par l'angoisse. Héloïse s'était inquiétée ; pour elle-même, ce qui était bien normal, mais pour lui aussi, il en avait la conviction.

Conscient qu'il s'autorisait du désarroi de la jeune femme pour pousser ses avantages, il l'enlaça à son tour et la serra contre lui.

— Je vais bien…

En fait, il ne s'était jamais senti aussi bien depuis bien longtemps.

— … Et vous ? Etes-vous blessée ?

— Juste une égratignure au mollet droit, quand ma jambe est passée au travers de l'escalier.

— Laissez-moi regarder.

Il attira Héloïse sur ses genoux pour l'examiner, il s'aperçut seulement alors qu'elle était enveloppée dans une vaste pièce de brocart. Il souleva sa robe ; le sang avait abondamment coulé tout le long de sa jambe et jusque sur ses pieds, qui étaient nus.

Nus…

— Qu'est cela ? fit-il en soulevant un pan du brocart.

— C'est un rideau. J'espère que vous ne m'en voudrez pas, mais j'étais toute mouillée et j'avais froid, et puis je ne savais pas si quelqu'un viendrait bientôt me délivrer, alors j'ai décroché ce rideau pour me tenir chaud, et comme ça ne suffisait pas, j'ai regardé partout autour de moi, j'ai trouvé du petit bois et tout ce qu'il fallait pour allumer du feu, j'ai réussi à faire une flambée, mais comme je n'avais pas assez de bois, j'ai cassé une chaise en morceaux, une petite et qui ne m'avait pas l'air en bon état, mais tout de même…

Tandis qu'Héloïse, retrouvant ses habitudes, parlait à perdre haleine, Charles regarda autour de lui. Quelques vêtements féminins étaient suspendus aux dossiers de chaises alignées devant la cheminée : il reconnut une robe, puis un jupon, puis des bas… Tout cela dégoulinait sur le plancher, où une mare s'était formée.

Les mains de Charles s'immobilisèrent.

— Etes-vous complètement nue sous ce rideau ? s'enquit-il d'une voix rauque.

En rougissant, elle hocha la tête.

— C'est pourquoi je n'osais pas descendre vers vous. Vous comprendrez que sans épingles ni ceinture pour assurer ce vêtement de fortune, j'aurais risqué d'être très indécente.

En effet, elle avait jeté ce manteau improvisé sur ses épaules et en tenait les deux pans fermés avec ses mains, non sans de grandes difficultés.

— Vous avez les pieds tout froids, observa-t-il.

Il avait obligé ses mains à descendre alors qu'elles ne demandaient qu'à remonter le long des jambes d'Héloïse. Il nota qu'elle avait des chevilles très fines, qu'il pouvait presque les encercler avec les doigts d'une seule main. Il se forçait à ces constatations anodines cependant que son esprit songeait à tout autre chose, et cela créait chez lui une tension si forte qu'il avait envie de hurler.

Le reste du corps d'Héloïse n'était d'ailleurs pas froid, se dit-il, comme sa main, échappant à sa volonté, remontait lentement et caressait un genou. Il allait l'autoriser à remonter plus haut encore quand, faisant appel à tout ce qui lui restait de courage, il repoussa Héloïse en disant :

— L'urgence est de vous réchauffer.

Ayant accroché sa jaquette au dossier d'une chaise, il reprit :

— Mon gilet est humide aussi, mais je pense que ma chemise est raisonnablement sèche.

Il dénoua sa cravate et défit son gilet, qui rejoignirent la jaquette.

Héloïse sentit sa bouche s'assécher quand elle le vit passer sa chemise par-dessus sa tête.

— Tenez, lui dit-il en la lui tendant, mettez ceci. Vous serez un peu plus à l'aise et… mieux protégée que dans ce grand rideau.

Héloïse se leva, sans cesser de le regarder. Les flammes qui dansaient dans l'âtre accentuaient les traits de son visage et le dessin de ses muscles sur ses épaules et sur sa poitrine. Ses cheveux étaient dépeignés, ses souliers couverts de boue et son pantalon plein de taches. Pour la première fois, il semblait négligé. Pour la première fois, il était moins impressionnant.

Les yeux d'Héloïse ne parvenaient pas à se détacher de cet homme à demi nu, si bien qu'au lieu de prendre la chemise qu'il lui tendait, elle s'avança encore un peu pour poser la main sur son torse. Elle effleura une toison qu'elle jugea un peu rêche. Ce corps était si différent du sien ! Elle caressait cette poitrine tout en muscles qui tressaillaient sous sa main, cette poitrine qui était dure et douce en même temps.

Elle ne put se livrer bien longtemps à cette exploration. La main de Charles se posa sur la sienne et l'immobilisa.

— Que faites-vous ? demanda-t-il d'une voix rauque.

Choquée par sa propre témérité, Héloïse voulut retirer sa main, mais il la maintint sur sa poitrine. Puis il déclara, rêveur, comme s'il s'étonnait, ou plutôt, s'émerveillait :

— Vous avez donc du désir pour moi ?

Elle ne pouvait le nier, mais n'osait l'avouer, de peur de subir une fois de plus l'humiliation d'être rejetée. Elle détourna le visage, en se mordant la lèvre. Comment expliquer son geste inconsidéré ?

— Vous ne devez pas être timide avec moi, lui dit Charles en la prenant par le menton pour l'obliger à le regarder. Je suis votre mari. Si vous éprouvez du désir pour moi, je ne serai que trop heureux de vous satisfaire.

En souriant, il se pencha pour lui donner un baiser.

Il avait une bouche très douce. Pour la première fois, Héloïse recevait un baiser selon ses rêves. Pour la première fois, Charles l'embrassait comme elle imaginait qu'un amant devait embrasser son amoureuse.

C'était bien son rêve qui se réalisait. Tandis que Charles lâchait sa main pour l'attirer contre lui, elle comprit qu'il lui donnait la permission de caresser ce corps enfin accessible. Charles était si grand, si fort, et en même temps si tendre, si plein de prévenances. Quand il la souleva pour la déposer sur un vieux tapis devant la cheminée, elle ne protesta pas.

Mais lorsqu'il souleva le rideau qui l'enveloppait et qu'il se redressa pour admirer sa nudité, elle s'inquiéta. C'était trop. Il allait trop vite. Elle ramena un coin du rideau sur son corps, et balbutia :

— Je ne peux pas... Nous ne pouvons pas... Pas ici... Il fait grand jour... Quelqu'un pourrait nous découvrir...

— Les recherches ne commenceront que lorsqu'on s'apercevra que nous ne sommes pas là pour le dîner. Nous avons donc des heures devant nous.

Il se pencha pour lui donner un nouveau baiser, mais il la sentit réticente. Elle ne s'abandonnait plus comme l'instant d'avant. Ne voulant pas gâcher la chance inouïe que lui donnait le destin de conquérir enfin sa femme, il admit devoir faire quelques concessions à sa timidité. Il se leva et s'en alla arracher l'autre rideau à la fenêtre. Puis il retourna s'allonger près d'Héloïse et enveloppa leurs deux corps dans le brocart poussiéreux.

— Voilà, dit-il en souriant. C'est mieux comme ça, n'est-ce pas ?

Il n'était pas sans éprouver quelque regret, car il aurait aimé pouvoir admirer sa femme pendant qu'il lui faisait l'amour ; mais il concevait aussi qu'il devait faire ce sacrifice provisoire, pour que sa femme franchît l'étape qui leur permettrait d'établir des relations normales. D'ailleurs, elle lui mit ses bras autour du cou et lui donna un baiser fervent, qui exprimait la gratitude autant que l'amour. Il soupira de contentement.

Héloïse avait eu grand-peur quand elle avait vu Charles se lever précipitamment, comme s'il s'agaçait d'elle et la quittait déjà après avoir esquissé le rapprochement qu'elle espérait depuis si longtemps. Elle avait éprouvé un soulagement non moins immense quand il était revenu avec l'autre rideau. Les larmes aux yeux, elle s'était promis de ne plus faire de caprices, de ne plus rien refuser à son mari, de se donner toute à lui, enfin.

Elle appliqua immédiatement cet excellent principe quand, un peu choquée tout de même, elle dénombra les parties de son corps que Charles avait envie de caresser avec ses lèvres, avec sa langue, avec ses doigts. Elle s'en étonna d'abord puis s'en émerveilla, et enfin s'abandonna au désir que suscitaient ces effleurements. Oubliant toute réserve, toute pudeur, elle rejeta le rideau qui l'encombrait désormais, et se colla en gémissant de plaisir contre Charles, dont les doigts s'aventuraient au plus intime de sa féminité.

— Ah, oui, lui dit-il à l'oreille. Vous aimez cela.

Il n'obtint en retour qu'un gémissement rauque, réponse qui le satisfit amplement.

Il avait espéré qu'Héloïse se donnerait toute à lui après une période plus ou moins longue d'apprivoisement. Or voilà qu'elle s'abandonnait déjà, lui donnait tout alors qu'il ne méritait rien, rien d'autre que du mépris et de la détestation. Il lui suffisait de se rappeler de quelle façon indigne il lui avait pris sa virginité. Ce souvenir le remplissait d'horreur.

— Je n'ai pas été très gentil, la dernière fois, murmura-t-il. Je vous promets que cela ne se produira plus.

Elle était si belle, ainsi étendue, rêveuse et étonnée après avoir connu ce qui devait être son premier orgasme.

Mais le moment était venu d'une union parfaite. Avec une délicatesse infinie, Charles pénétra Héloïse. Elle ouvrit les yeux, soupira, puis lui mit ses mains autour du cou et, chose incroyable pour lui, commença à se mouvoir au rythme qu'il lui imposait, d'abord très lent, puis de plus en plus rapide à mesure que leur excitation croissait.

— Charles !

L'entendre ainsi prononcer son nom au moment suprême remplit Charles d'une joie démesurée qui lui fit perdre le contrôle de soi, et il céda en gémissant. Puis, le corps et l'esprit en paix, il retomba doucement sur Héloïse, qui haletait encore.

Il fallut à la jeune femme un certain temps pour reprendre contact avec la réalité. Charles l'avait comblée. Il lui avait donné un plaisir intense, insensé. Jamais, dans ses rêves les plus délirants, elle n'avait imaginé que son corps pût vibrer de cette manière extraordinaire.

Elle se tourna sur le côté. Son mari semblait endormi. Normal, se dit-elle en souriant, il n'avait pas ménagé ses forces. Elle se rappela les propos de Mme Kenton : « Il aime avoir le contrôle de la situation. » Ce souvenir ternit son bonheur : ce qu'ils venaient de faire n'était-il, pour lui, qu'une performance, qu'il aurait tout aussi bien pu accomplir avec une autre ?

Accablée par le doute, elle se retourna et ramena sur elle le rideau poussiéreux. Elle avait froid, elle se sentait malheureuse ; mais pourquoi ? se demanda-t-elle, agacée contre elle-même. Ne venait-elle pas d'obtenir ce qu'elle avait cherché à avoir, quelques jours plus tôt, quand, pour accueillir son mari, elle avait pris une pose lascive, sur son lit, à peine couverte par une chemise de nuit arachnéenne ? Elle devrait triompher ! Alors, pourquoi ces larmes ?

Elle se sentit plus malheureuse encore quand Charles sortit de son assoupissement, un grand sourire de satisfaction aux lèvres. Elle était alors assise devant le feu, enroulée dans son rideau remonté jusqu'au menton. En sifflotant, il brisa une autre chaise, qu'il jeta dans le feu et que les flammes dévorèrent en ronflant. Elle s'irrita de le voir s'occuper de ces trivialités, même si, l'instant d'avant, elle souffrait du froid sans avoir le courage de ranimer le feu. Elle écouta, en ricanant intérieurement, les anecdotes qu'il se mit ensuite à lui raconter à propos de la tour et des fêtes qu'on avait données sur l'île autrefois. A quoi rimait cette conversation ? Pourquoi se conduisait-il avec elle, à présent qu'il avait obtenu ce qu'il voulait, comme si elle était une dame en visite ? Certes, s'il l'avait prise de nouveau dans ses bras, elle eût regimbé en se disant qu'il en faisait décidément trop… Elle ne se comprenait plus. Elle ne savait pas ce qu'elle voulait, ce qui lui aurait fait plaisir. Elle se sentait pleine de larmes qui menaçaient de déborder.

Elle éprouva une vive impression de soulagement lorsque, la nuit commençant à tomber, elle entendit des bruits de pas à proximité de la tour. Charles se dirigea alors vers une fenêtre pour informer ses serviteurs de ce qui s'était passé et leur demander d'aller chercher une échelle, seul instrument de délivrance possible.

En attendant leur retour, Héloïse se hâta de se rhabiller, en s'abritant sous son rideau, rempart de sa pudeur. Elle remit, non sans frissonner, ses vêtements encore très humides.

Charles, inquiet, se demandait ce qu'il pouvait faire pour atténuer le malaise de sa femme. Il souffrait de la voir ainsi, de nouveau réservée et distante. Il comprenait bien ce qui l'affectait : elle se sentait coupable d'avoir pris du plaisir avec un homme qu'elle n'aimait pas. Héloïse ne s'était mariée que pour échapper aux griffes de Mauriac, ce qui n'était déjà pas un début propice à l'établissement d'une relation conjugale harmonieuse. Ensuite, il l'avait déçue — le mot était faible — si bien qu'elle s'était peu à peu éloignée de lui. Cet après-midi, le malentendu s'était aggravé au lieu de s'atténuer, Héloïse n'étant pas de celles qui peuvent faire l'amour juste pour le plaisir, sans éprouver aucun sentiment pour leur partenaire. Sa conscience le lui reprochait, partant elle reporterait sa culpabilité sur lui et leur union n'en irait que plus mal encore.

Charles avait envie de lui dire qu'ils avaient succombé à une attraction mutuelle qui pouvait être le prélude à un véritable mariage ; et que l'amour, enfin reconnu, pouvait les unir. Hélas, la jeune femme ne semblait pas en état d'entendre ce discours, encore moins de le comprendre. A l'évidence elle avait l'impression qu'il avait profité de sa faiblesse passagère, et ce grief s'ajouterait aux autres, pour leur malheur commun.

S'il déplorait ces illusions délétères, il ne se sentait cependant pas coupable. Ils étaient amants, désormais, et il ne servirait à rien de le nier. Héloïse ne pourrait plus affirmer qu'elle ne ressentait que dégoût et répulsion sous les caresses de son mari. Leur mariage pouvait s'établir sur ces bases, certes fragiles, mais véritables ; car, si elle ne l'aimait pas, lui l'aimait, plus qu'il ne s'en était jamais cru capable.

Voilà à quoi il réfléchissait, tandis qu'il aidait Héloïse à descendre l'échelle. Puisqu'il aimait, il le dirait, le répéterait à temps et à contretemps. Il serait le meilleur mari possible, le plus tendre, le plus dévoué.

Pour le lui démontrer sans tarder, il la prit dans ses bras au pied de l'échelle et, sans se soucier de son air effaré, se moquant complètement des regards en coin de ses serviteurs, il lui donna un baiser ardent. Puis il ignora encore ses protestations quand il prétendit la prendre dans ses bras pour la porter jusqu'à la maison.

— Ne discutez pas, lui murmura-t-il en riant. Vous n'aurez pas la force de faire tout ce chemin. Songez que vous ne vous êtes pas restaurée depuis ce matin et que vous avez passé une grande partie de l'après-midi à faire l'amour. Allons, reconnaissez que je vous ai épuisée !

Elle s'abandonna dans ses bras, avec cette petite moue dubitative qu'il aimait tant ; mais elle ne dit plus un mot jusqu'au moment où il la déposa sur un sofa, dans le salon de ses appartements. Et là, quand il la vit prendre son souffle pour se lancer dans une de ces longues tirades dont elle avait le secret, il lui coupa l'herbe sous les pieds.

— Sukey ! dit-il à la camériste accourue au service de sa maîtresse, vous préparerez un bain chaud pour Milady et vous soignerez la plaie qu'elle s'est faite à la jambe. Puis vous la mettrez au lit et vous lui porterez un bouillon, du beurre et des tartines, ainsi qu'une grosse part de cette tourte aux pommes dont elle a raffolé au dîner d'hier ; j'espère qu'il en reste. Ah ! n'oubliez pas le pot de chocolat.

Il se pencha pour lui donner encore un baiser fervent, en ajoutant :

— Je reviendrai quand j'aurai moi-même pris mon bain, que je me serai rasé et que j'aurai mis des vêtements propres.

Giddings venait aux ordres. Il attendait sur le seuil.

— Pas de visiteurs pendant les deux jours qui viennent, lui dit Charles. Non ! Mettons trois jours.

— Certainement, Milord, répondit le majordome.

Charles se retourna vers Héloïse pour lancer :

— Et ne me regardez pas comme ça ! J'ai rempli mes obligations concernant le domaine, j'ai reçu les personnalités du voisinage pour leur présenter la nouvelle comtesse, alors, maintenant, je peux bien profiter un peu de ma femme, non ?

Héloïse apprécia beaucoup les attentions de Charles au cours de toute la semaine qui suivit, de même qu'il semblait beaucoup aimer celles qu'elle avait pour lui ; mais elle ne pouvait se débarrasser de l'idée qu'il s'agissait d'un répit et que ce moment de bonheur ne durerait pas. Elle avait l'impression désespérante de marcher au bord d'un précipice où elle devrait sauter un jour ou l'autre.

Elle crut ce moment fatal arrivé certain matin, au petit déjeuner. Charles lisait le journal qui lui était régulièrement envoyé de Londres.

— Mon Dieu ! s'exclama-t-il en parcourant les colonnes de la première page. Une grande bataille a eu lieu.

Il abaissa la feuille de papier pour s'adresser à Héloïse,

mais elle eut le sentiment qu'il ne la voyait pas tandis qu'il murmurait :

— Ce fut, à ce qu'on dit, une bataille décisive… pertes importantes de part et d'autre…

— Qui… qui a gagné ?

— Personne, en vérité. Wellington a perdu tant d'hommes qu'il ne peut pas s'enorgueillir d'avoir remporté une authentique victoire. Rien que le régiment de Robert…

Charles soupira, replia son journal.

— Il faut que je retourne à Londres.

Héloïse sentit un grand froid l'envahir. Charles la quittait, comme il l'avait prévu, comme elle l'avait toujours su.

Elle ne pouvait le laisser sortir ainsi de sa vie, aussi facilement. Elle ne se laisserait pas abandonner sans résistance ! Une semaine auparavant, elle s'était enfuie, alors que l'orage menaçait, pour ne pas avouer à son mari qu'il était tout pour elle, le centre de son existence, et qu'elle ne concevait plus de vivre sans lui. Maintenant, la perspective de vivre — survivre… — seule lui semblait plus insupportable que l'humiliation de le supplier de lui faire une place, une toute petite place auprès de lui.

— Je vous en prie, murmura-t-elle. Permettez que je vous accompagne.

Voyant son regard étonné, elle sentit son cœur se briser.

— Oui, reprit-elle d'une voix vibrante d'émotion, j'avais promis de ne jamais vous importuner. Je le sais, je ne l'oublie pas. Mais je vous promets que si vous me permettez de vivre à vos côtés, vous n'aurez pas à le regretter. Je me ferai discrète. Je pourrais même vous aider…

Le haussement de sourcils s'accentua.

— … J'ai bien réussi à aider Robert, ce que nul n'avait

pu faire avant moi ! Alors, est-ce que je ne pourrais pas me rendre encore utile, à Londres, au lieu de me morfondre ici, au milieu de nulle part ? Je vous en prie, Charles, donnez-moi une chance. Ne me laissez pas ici toute seule.

15

— Vous laisser ici ? fit Charles. Pourquoi ferais-je cela ?

— Mais... mais parce que c'est pour cette raison que vous m'avez amenée ici, non ? A Londres, je causais beaucoup trop d'ennuis.

— Parce que vous aviez eu des ennuis, corrigea-t-il, il convenait de vous éloigner momentanément de Londres. J'espérais que notre séjour à Wycke nous permettrait de résoudre notre malentendu et d'inaugurer une véritable vie de couple.

— Vous n'avez jamais eu l'intention de m'abandonner ici ? s'enquit Héloïse, les yeux pleins de larmes.

— Jamais je ne vous ai menti, répondit-il avec un brin de sévérité.

— Vous étiez fâché contre moi.

— J'étais fâché le jour de notre départ, mais ce n'était pas votre faute.

— Je suis pourtant sûre que si. J'avais promis de ne jamais vous mettre dans l'embarras, et je me suis mise dans une telle situation que...

— C'est moi le responsable, et moi seul. J'aurais dû veiller sur vous au lieu de vous abandonner dans cette société qui se dit « bonne », une jungle en vérité. Je savais que des personnes mal intentionnées essaieraient de m'atteindre en s'en prenant à vous, et je n'ai rien fait pour vous protéger. Pourrez-vous jamais me pardonner ?

— Vous… vous pardonner quoi ? Je me demande ce que je devrais vous pardonner !

L'émotion étreignit Charles. Sa femme faisait preuve d'une telle générosité, quand il s'était montré si mesquin avec elle ! D'autres n'auraient cessé de lui faire des scènes, ou alors auraient pris un amant, pour se consoler sinon pour se venger.

Héloïse, au contraire, ne cessait de se reprocher des errements somme toute bénins. Au fond, elle n'avait pas confiance en elle. Lorsqu'elle était venue se proposer à Charles pour remplacer Félicie qui le quittait, elle lui avait dit qu'il ne manquerait pas de la trouver très vite irritante, au point qu'il finirait par la battre.

Elle n'avait aucune idée de ses qualités.

Mais lui, qu'avait-il fait, jusque-là, pour lui montrer en quelle estime il la tenait ?

Rien.

Tout cela allait changer.

— Fort bien ! déclara-t-il. Maintenant que nous avons résolu ce petit malentendu — un de plus —, nous ferions bien de nous préparer à partir d'ici. Je crois que nous n'avons pas de temps à perdre.

Héloïse quitta le salon en toute hâte, comme si cette affirmation comportait une sorte de menace. N'était-ce pas encore parce qu'elle ne lui faisait pas vraiment confiance ? se demanda Charles, chagriné.

Comme avec Robert, il faudrait certainement beaucoup de temps et d'efforts pour aplanir toutes les difficultés.

Héloïse avait déclaré un jour qu'elle le trouvait « froid, fier et inabordable ». Elle n'avait pas tort. Au vrai, il avait horreur d'exprimer ses sentiments : telle était l'éducation qu'on lui avait donnée. Mais il s'efforçait de corriger ce travers, et il se montrait déjà plus démonstratif envers Héloïse. Il espérait qu'elle s'en rendait compte.

Lutter contre sa propre réserve et contre le manque de confiance qui affectait Héloïse… vaste programme, mais qui ne suffisait pas.

En montant dans la voiture à côté de sa femme, Charles crut comprendre que si elle désirait rentrer à Londres avec lui, ce n'était sans doute pas pour ne pas être séparée de lui. Ne s'était-elle pas justifiée de son désir d'aider Robert ?

Quand il songeait à la mélancolie de la jeune femme durant son séjour à Wycke, il ne s'étonnait pas qu'elle eût envie de regagner Londres. L'aversion d'Héloïse pour cet endroit était un autre inconvénient qu'il faudrait corriger, se dit-il comme la voiture franchissait les grilles du parc, puisqu'il fallait y venir plusieurs fois par an afin de rencontrer les fermiers aussi bien que les voisins. Il n'avait pas l'intention d'abandonner Héloïse à Londres, seule et sans défense, chaque fois qu'il devrait consacrer un peu de temps à son domaine campagnard.

En outre, c'est à Wycke que devraient naître les héritiers : la tradition familiale l'exigeait. Il désirait également les voir grandir ici. Les yeux mi-clos, il se représenta la famille dont il rêvait, trois ou quatre enfants courant autour de leur mère, sous le grand chêne que lui-même avait escaladé tant et tant de fois. Héloïse serait une bonne mère. De cela, il avait la conviction.

Charles prit la main d'Héloïse et l'attira à ses lèvres pour y déposer un baiser. Que faire pour qu'elle accueillît avec le sourire ce genre d'initiative, normale dans un couple, au lieu de lui jeter un regard méfiant, comme en ce moment ?

Il faudrait changer les règles en usage à Wycke, et ce avant leur prochaine visite. Ces derniers jours, il s'en était peu à peu persuadé. Il ne savait pas encore s'il devrait aller jusqu'à congédier Mme Lanyon, mais il craignait que cela ne fût nécessaire. La sévère gouvernante avait une dent contre Robert ; cela ne faisait plus de doute. Elle ne manquait pas de qualités et avait maintes fois fait la preuve de son efficacité, mais elle était singulièrement dépourvue d'indulgence. Une femme plus sensible eût aidé Héloïse à s'accoutumer à son nouveau rôle, au lieu de lui prouver sans cesse qu'elle n'était pas à sa place, qu'elle n'avait pas « la manière ».

Un long soupir d'Héloïse tira soudain Charles de ses réflexions. Ah, si Robert se trouvait dans cette voiture, à sa place, elle ne s'ennuierait pas comme avec lui, elle ne cesserait de bavarder et de rire ! Il se tourna vers elle, lui vit un visage morne, les épaules affaissées, comme si elle portait tout le malheur du monde. Hormis les rares moments où elle s'oubliait dans ses bras, elle allait ainsi, triste en permanence, comme accablée par un destin injuste.

Accablé lui-même, Charles se tourna de l'autre côté pour regarder par la fenêtre. Voilà qu'il doutait de sa capacité à rendre sa femme heureuse. Même si elle se satisfaisait de tout ce qu'il pourrait lui offrir, elle ne connaîtrait jamais une passion semblable à celle qui enflammait Félicie pour son graveur sans le sou. Ses parents ne s'étaient-ils pas enfuis pour préserver leur amour, qu'ils plaçaient au-dessus de leur réputation ?

Même s'ils parvenaient à un degré raisonnable de compréhension mutuelle, ce ne serait jamais le grand amour, l'amour qui brûle.

Enfin… Il ne parviendrait sans doute pas à toucher le cœur d'Héloïse, mais il pourrait au moins lui montrer qu'il n'était pas un homme indigne d'intérêt.

Il s'éclaircit la gorge.

— Quand nous serons de retour à Londres, nos rapports ne seront plus ce qu'ils étaient il y a encore peu de temps.

Héloïse se tourna lentement vers lui. Il ajouta en souriant :

— Inutile de vous inquiéter. Je ne pense qu'à votre bonheur.

Il devrait rencontrer Percy Lampton et Mme Kenton, leur dire sa façon de penser et les dissuader de manigancer encore. Alors, et alors seulement, il pourrait rendre à Héloïse la liberté dont elle avait joui auparavant.

La haine des Lampton pouvait se reporter sur Héloïse, mais tel n'était pas le plus grand danger qu'elle courait. Après les pertes considérables essuyées par l'Angleterre à Waterloo, certains esprits cocardiers pourraient avoir l'idée de s'en prendre à elle parce qu'elle était française. Il devrait enquêter sur ce point et, faute d'être tout à fait rassuré, il ne permettrait pas à n'importe qui d'approcher sa femme de trop près. Voilà ce qu'il fallait lui faire entendre.

— Il serait judicieux, peut-être, de ne pas vous montrer trop en société, du moins dans les premiers temps.

Y avait-il rien de plus agaçant, songea Héloïse, que de s'entendre dicter une conduite qu'on a déjà résolu d'adopter ? Elle voulait faire preuve d'une telle modération dans ses divertissements qu'elle n'aurait pratiquement plus à sortir de la maison, si ce n'était avec son mari. Elle lui était reconnaissante de l'autoriser à occuper une petite place dans sa vie mais, quand il la chapitrait ainsi, encore et encore, sur ce qu'elle pouvait faire ou non, sur la façon dont elle devait se comporter ici ou là, elle sentait se lever en elle le vent de la rébellion.

Il n'avait pas échappé à Charles que, plus ils se rapprochaient de Londres, plus Héloïse semblait tendue.

— Y a-t-il quelque chose qui vous inquiète ? lui demanda-t-il après avoir beaucoup hésité.

— Evidemment ! lui répondit-elle avec un sourire forcé. Je m'inquiète à propos de Robert. C'est pour lui que nous revenons à Londres, après tout.

Charles fut heureux de sortir de la voiture qui arrivait enfin devant Walton House. Il savait bien qu'Héloïse n'était pas amoureuse de Robert, mais l'entendre exprimer des inquiétudes pour lui l'emplissait d'une jalousie féroce.

Héloïse regarda son mari entrer dans la maison après elle. Il semblait heureux d'avoir enfin quitté la voiture où ils avaient dû cohabiter si longtemps. Certes, il avait tenté de se montrer plus prévenant — pour ne pas dire un peu moins distant — en lui prenant la main de temps à autre et en lançant quelques mots censés donner lieu à une conversation. Mais il se comportait en fait comme si elle était une enfant et lui son tuteur. Il n'avait pas manqué de lui faire comprendre qu'elle ne pouvait pas agir à sa guise, qu'il veillait sur lui, pour son bien, naturellement.

Dès qu'il fut entré, Charles se dirigea à grands pas vers les appartements de Robert ; mais, au moment de frapper à la porte, il se retourna, le visage crispé, comme s'il se rappelait soudain qu'il avait une femme dont il devait s'occuper.

— Vous pouvez regagner vos appartements, lui dit-il, pendant que je prends des nouvelles de mon frère. Je ne puis vous dire quand je vous retrouverai. Attendez-moi.

— Cela va sans dire, murmura-t-elle, consternée par tant de froideur.

Pourquoi avait-elle cru qu'il apprécierait finalement sa présence ? Pourquoi avait-elle pensé — l'outrecuidante ! — qu'elle pourrait le seconder, l'assister dans ses rapports difficiles avec son frère ? Moins il la voyait, mieux il se portait. Elle venait d'en avoir une nouvelle confirmation.

— Je m'occuperai donc de défaire mes bagages, soupira-t-elle.

Il lui tourna le dos, sans un mot de plus. Lorsqu'il poussa la porte donnant accès aux appartements de Robert, il devait déjà l'avoir oubliée.

Au moment de monter chez elle, Héloïse se mordit la lèvre. Pourquoi tant de rancœur ? N'était-ce pas faire preuve d'injustice, voire de mesquinerie, que reprocher à Charles de penser à son frère, quand celui-ci était dans une mauvaise passe ?

Le rouge de la honte au front, elle monta lentement l'escalier.

— Il y a un colis pour vous, Milady, lui dit Sukey aussitôt qu'elle la vit entrer.

Héloïse se dirigea vers la table, sur laquelle était posé un paquet rectangulaire. Elle ne se rappelait pas avoir fait quelque commande avant de partir. Perplexe, elle déchira le papier brun, et un fort volume relié en cuir lui apparut.

Elle ouvrit au hasard et poussa un cri d'étonnement : c'était un de ses dessins qu'elle découvrait. Filant vers la fenêtre, elle tourna fébrilement les pages.

— Tous mes dessins sont là, dit-elle à Sukey, qui regardait par-dessus son épaule.

Oui, tous les dessins autrefois confiés à M. Ackermann se trouvaient là, réunis sous cette reliure soignée ; ils avaient reçu un traitement digne de l'œuvre d'un véritable artiste.

Passant à la page de titre, elle lut ces mots qu'une main exercée avait tracés à la plume : *Une collection d'aquarelles originales peintes par Lady Héloïse, femme très aimée de Charles Fawley, neuvième comte de Walton.*

La femme très aimée ? Héloïse passa un doigt prudent sur ces mots, comme pour en vérifier la réalité. Le doute s'instillait en elle : ce langage fleuri n'étant pas du tout celui qu'utilisait Charles, il ne pouvait avoir inspiré l'auteur de cette page. Il devait lui avoir dit : « Ecrivez ce que vous voulez. »

Tout de même, qu'elle avait de la chance, celle qui pouvait se dire la « femme très aimée » de Charles…

Une demi-heure plus tard, celui-ci la rejoignait. Il la trouva assise sur son lit, le livre dans les mains, des larmes ruisselant sur son visage. De nouveau, il sentit une main d'acier lui broyer le cœur. La déception l'accabla, alors qu'il avait été si sûr de faire un immense plaisir à Héloïse.

— Vous n'aimez pas ce travail ? s'enquit-il timidement.

— Si j'aime ce travail ? répondit-elle en levant vers lui ses yeux humides. Oh, Charles, bien sûr que je l'aime… Beaucoup… Avez-vous…

Elle s'interrompit, secoua la tête. S'il n'avait pas inspiré les jolis mots du titre, elle aimait mieux ne pas l'entendre le lui confirmer. Elle préférait se cramponner à ses illusions.

Non sans avoir hésité, Charles s'approcha du lit.

— Je voulais vous montrer à quel point j'étais désolé de vous avoir forcée à détruire vos autres dessins. J'ai eu tort, je le reconnais.

Il la dévisageait anxieusement. Pourquoi ne répondait-elle rien à cet aveu ? Il avait pensé lui faire plaisir, et cela n'avait servi qu'à lui rappeler quelle brute il pouvait être…

— Je n'étais pas vraiment moi-même quand je vous ai donné cet ordre indigne. A cette époque, j'étais dans un état d'esprit… Je veux dire…

Conscient de la pauvreté de ses explications, il chercha les mots qui pourraient convaincre Héloïse, une fois pour toutes, qu'il n'était pas le tyran dont il avait donné l'image pendant quelques jours à Paris. Il reprit avec difficulté :

— Vous avez un talent remarquable. Je vous admire. Sachez que je n'ai aucune envie de vous brimer sur ce point, sur aucun autre d'ailleurs. Quand je pense à cette scène que je vous ai faite… disant que je ne voulais pas voir montrer vos dessins autour de vous… J'ai radicalement changé d'avis à ce sujet. Maintenant que je vous connais mieux, je suis persuadé que vous ne ferez jamais rien qui puisse me mettre dans l'embarras ou flétrir le nom des Walton.

— Pas délibérément ! s'écria Héloïse. Mais la sottise me fait commettre des impairs. Tenez, par exemple, je n'aurais pas dû me donner en spectacle devant vos voisins, à Wycke. Je me suis couverte de ridicule.

— Pas du tout ! protesta-t-il en couvrant d'un bond la distance qui le séparait encore d'elle pour prendre ses mains dans les siennes. J'ai été fier de la façon dont vous avez dompté Danvers et Masterson, ces harpies à la langue trop bien pendue. Rien qu'avec un crayon et quelques feuilles de papier, vous les avez conquises. N'est-ce pas extraordinaire ?

— Vous le pensez vraiment ?

Charles s'assit sur le lit et pressa les mains d'Héloïse sur son cœur.

— Quand apprendrez-vous que je pense toujours ce que je dis ? lui demanda-t-il sur le ton d'un tendre reproche. La prochaine fois que nous retournerons à la campagne, je compte bien que vous prendrez un peu de temps pour croquer quelques-uns de mes paysans. Il est urgent que j'orne de quelques œuvres d'art résolument modernes cette vieille maison.

Il regarda, d'un air dégoûté, les huiles qui encombraient les murs de la chambre.

— Vos dessins ont, en plus, l'avantage d'être amusants. Ils mettent de bonne humeur.

— Je dessine des gens, non des paysages.

D'un sourire, il balaya l'objection.

— Bien sûr que si, mais vous ne vous en doutez pas. Vous avez le chic pour capturer l'atmosphère d'un endroit. Tenez, je vais vous en donner un exemple.

Il feuilleta le volume relié et mit sous les yeux d'Héloïse le dessin que lui avait inspiré leur première soirée au théâtre.

— Il me suffit de regarder ceci pour revivre cette soirée, d'une façon si aiguë que j'en respire les parfums, les odeurs.

— Ce sont les gens qui créent cette atmosphère.

Il secoua la tête avec énergie.

— Héloïse, vous avez beaucoup plus de talent que vous ne vous en attribuez. Je sais bien que le lieu n'est pour vous qu'un support pour vos personnages. Mais moi, je vois qu'en quelques coups de crayon, vous représentez les rideaux, dans la loge de Lensborough, d'une façon si juste qu'on a envie d'en caresser le velours. Si vous le voulez, vous saisirez non seulement l'apparence de ma maison de Wycke, mais son essence. Essayez, et vous verrez. Je suis même certain que si vous entrepreniez un dessin de la tour, vous sauriez rendre ce qu'elle a de spécial pour vous, pour moi…

Leurs regards se croisèrent, s'accrochèrent. Ils se souvenaient. Quand le livre glissa sur le sol, ni l'un ni l'autre ne songea à le rattraper. Déjà, ils s'enlaçaient.

— Je vais tirer le cordon pour nous faire monter une collation, dit Charles plus tard, beaucoup plus tard. Inutile de nous habiller pour le dîner, nous le prendrions seuls. Robert n'est pas en état de paraître devant vous, mon amour.

Roulant sur le côté, Héloïse prit appui sur un coude.

— Nous avons été naïfs de croire que Robert souffrirait tout seul ici, sans nous, continua Charles en riant. Tandis que les cloches sonnaient dans tout Londres pour célébrer notre victoire sur Bonaparte, définitive mais si coûteuse en vies humaines, ceux qui ne pouvaient endurer seuls leur deuil se sont rassemblés ici, et ils ont accompli des efforts louables pour se consoler en vidant ma cave. Vous serez sans doute étonnée d'apprendre que Lord Lensborough est encore quelque part dans cette maison et qu'il attend de pouvoir marcher droit pour en sortir.

Héloïse ne répondit pas. Elle avait la tête ailleurs. Charles avait loué son travail, il l'avait rejointe dans son lit en plein jour et pour couronner le tout, il l'avait appelée « mon amour ». Pendant ce temps, au rez-de-chaussée, Robert et ses compagnons de beuverie se lamentaient, à leur façon, sur la perte de tant de jeunes hommes fauchés sur le champ de bataille. Elle trouvait anormal, injuste d'éprouver un si grand bonheur quand son beau-frère était plongé dans l'affliction.

— J'irai lui rendre visite dès demain matin, déclara-t-elle.

Cette nuit était pour Charles, rien que pour lui.

— Demain matin sera assez tôt, répondit-il avec

une force qui lui fit battre le cœur. Les appartements de Robert ne sont pas un lieu convenable pour une dame, en ce moment. Cela dit, il sait que nous sommes de retour, ce qui l'incitera peut-être à plus de tempérance. Quant à ses amis, ils se diront qu'il est temps de regagner leurs pénates.

Le bonheur d'Héloïse fondit comme neige au soleil à ces mots : Charles ne se réjouissait pas de souper au lit avec elle, il ne se souciait que de Robert.

Il lui demanda :

— Cela ne vous ennuie pas que j'aie quelques obligations à accomplir demain matin ?

Comme si elle était une enfant gâtée qu'il fallait amuser !

— Je n'ai pas besoin qu'on s'occupe de moi constamment, repartit-elle fièrement. Quand je suis arrivée à Londres, n'ai-je pas trouvé bien des moyens de me distraire ?

Elle rougit en s'avisant qu'elle venait de dire une sottise et corrigea ses propos :

— Je n'aurais pas dû dire cela, qui vous rappelle sans doute de mauvais souvenirs. Vous n'avez plus rien à craindre de ce point de vue : je ne fréquenterai plus ni les tripots ni les mascarades. De toute ma vie je ne toucherai plus une seule carte à jouer. Je vous l'ai promis, comme vous le savez.

— Même si vous vous parjuriez mille fois, ce n'est pas pour autant que je vous réexpédierais sur le continent. Et puisque nous en sommes à ces questions, permettez-moi de vous rappeler que si vous vous mettez dans quelque situation délicate, il faudra me le dire aussitôt. Quoi que vous ayez fait, je vous aiderai toujours.

— Puisque je viens de vous dire, fit Héloïse sèchement, que je fuirai les ennuis !

— Nous verrons bien.

Irritée de voir que son mari n'avait pas confiance en elle, Héloïse lui tourna le dos et fit semblant de dormir.

Au cours des jours suivants, Héloïse se sentit animée par le désir très vif de montrer à Charles qu'elle était capable de se conduire raisonnablement.

Elle avait pris l'habitude de dormir jusque assez tard dans la matinée. En effet, si elle le voyait peu au cours de la journée — il était extrêmement occupé par ses affaires —, il ne manquait jamais de venir la retrouver dans son lit tous les soirs.

Une fois qu'elle avait procédé à sa toilette et qu'elle s'était habillée, elle aimait se promener dans le parc, chaperonnée par Sukey et un valet. Quand elle rentrait dans ses appartements, elle y trouvait toujours un petit cadeau envoyé par son mari, preuve qu'il appréciait à leur juste valeur les efforts qu'elle faisait pour se réformer. Après une journée consacrée à ses activités de dame appartenant à la bonne société, elle s'adonnait, pendant quelques heures en soirée, à la lecture de quelque poète ou à la confection d'un bouquet, quand elle ne se livrait pas à son activité favorite, le dessin. Dès le dîner, elle commençait à regarder la pendule. Quand Charles rentrerait enfin à la maison ? Elle n'avait plus qu'à l'attendre. Alors, elle s'ennuyait, s'impatientait.

Dans ces moments d'après dîner, elle aurait trouvé le temps moins long si elle avait pu avoir Robert auprès d'elle ; las, chaque fois qu'elle descendait chez lui, elle le trouvait en compagnie de quelques jeunes gens en uniforme, aux visages fort sérieux, occupant tous les sièges que comptait la pièce principale, ayant tous un verre en main et un cigare à la bouche. Les conversations cessaient quand elle entrait, ce qui la mettait mal à l'aise ; elle avait l'impression de déranger. Si elle s'agaçait en remontant vers ses appartements, elle se raisonnait en se disant que Robert avait renoué avec ses amis et qu'il fallait s'en féliciter. Avec eux, il pouvait discuter des affaires politiques et militaires en cours, mieux qu'avec elle qui n'avait pas de lumières sur ces sujets.

Il n'en restait pas moins vrai qu'elle s'ennuyait ferme au cours de ces soirées solitaires. Le dernier roman à la mode, offert par Charles, resta longtemps ouvert à la même page… Quand elle tendait à regretter le temps d'avant, lorsqu'elle courait les soirées en compagnie de Robert, elle se représentait les dangers qui l'y menaçaient. Avait-elle envie de rencontrer Mme Kenton, ou Percy Lampton ? Certes pas.

Sortant de ses réflexions, elle reportait le regard sur son livre et parcourait des phrases qu'elle se rappelait vaguement avoir déjà lues plusieurs fois, mais dont le sens persistait à lui échapper. Ce roman ne l'intéressait pas, les personnages décrits lui semblaient fades, l'intrigue convenue. Oui, mais il lui avait été offert par Charles. Elle aimait à se le rappeler. Charles était généreux.

« … si généreux qu'une femme, si elle a un peu de bon sens, ne peut que lui pardonner ses… faux pas … », avait dit Mme Kenton.

Ah, cette femme ! Le poison de ses insinuations continuait à agir, même après tout ce temps.

Héloïse ferma bruyamment son livre et regagna sa chambre. Elle dessinerait jusqu'au retour de Charles. Seule la pratique de son art avait le don de la calmer quand elle se sentait énervée.

Enervée, elle l'était ; ça oui, très énervée.

Après un long moment devant sa feuille de papier, le fusain en main, elle se rendit à l'évidence : elle n'avait pas d'inspiration. Aucun sujet ne lui venait à l'esprit ; pas étonnant, puisqu'elle ne sortait plus ! Elle ne rencontrait plus ces personnages pittoresques qui lui avaient donné l'occasion de ses meilleures caricatures. Le vide de sa nouvelle existence l'accabla. N'était-elle pas en train de s'étioler ?

Quand Charles rentra, beaucoup plus tôt que d'habitude, elle en éprouva une telle gratitude qu'elle courut à lui pour se jeter dans ses bras, avec la certitude heureuse qu'il ne la repousserait pas, puisque tel n'était plus le cas depuis leur retour de Wycke. Au contraire, il mettait une sorte d'acharnement, chaque soir, à la dévêtir entièrement pour la caresser partout, de la bouche aussi bien que des doigts, la rendant folle d'un plaisir qui l'épuisait et la revigorait en même temps.

Un peu plus tard, elle le regardait alors qu'il dormait à côté d'elle, et elle avait de vilaines pensées qui lui plissaient le front. Ah, si seulement elle n'avait pas connu Mme Kenton ! Son bonheur aurait été sans nuages : elle aurait vécu dans l'illusion qu'il lui faisait l'amour parce qu'il avait de l'amour pour elle. Mais elle avait rencontré Mme Kenton, et donc elle savait que son mari était une sorte d'athlète au lit, qu'il pratiquait l'amour physique comme un sport et qu'il s'y montrait excellent, quelle que fût sa partenaire.

Si elle suivait le cours de ses réflexions quand elle les avait mises sur cette pente dangereuse, elle en venait à se dire que les cadeaux dont il la comblait quotidiennement ne signifiaient pas grand-chose. Mme Kenton, toujours elle, ne lui avait-elle pas révélé qu'il était toujours extrêmement généreux avec ses maîtresses ?

Il ne lui avait jamais rien donné avant le jour où ils s'étaient mis à partager le même lit. Héloïse en tira une conclusion choquante : loin d'être un témoignage d'amour, ces cadeaux ressemblaient plus à un paiement pour les services qu'elle lui rendait.

Bref, il ne la traitait pas différemment que toutes ses autres maîtresses.

En approfondissant la question, elle découvrit même qu'il la traitait moins bien. Les maîtresses, on les sort, pour les divertir autant que pour les montrer. C'est au théâtre qu'Héloïse avait rencontré Nell, et dans les jardins de Vauxhall. Si tout le monde s'accordait à dire que Lord Lensborough était un homme dur, il n'en avait pas moins fait un don magnifique à Nell, une calèche assortie de deux chevaux qui suscitait l'admiration générale.

Héloïse s'assit, remonta ses genoux sous son menton et continua de ressasser son désenchantement. Avant le mariage, Charles lui avait affirmé qu'elle évoluerait dans les plus hautes sphères de la société. Tel n'était pas le cas ; loin de là. Elle ne sortait nulle part, elle ne voyait personne. C'était comme s'il avait honte d'elle.

Elle le regarda à peine, et avec répugnance, le lendemain matin, quand il se leva pour filer à ses « importantes affaires » ; des affaires, songea-t-elle avec un petit rictus ironique, qu'il aurait aussi bien pu traiter à la maison, mais il fallait, pour cela, qu'il eût confiance en sa femme… et à condition qu'il s'agît réellement de politique comme il le prétendait. Héloïse soupira. Qui sait s'il ne passait pas tout son temps avec des amis, ou même s'il n'exhibait pas une nouvelle maîtresse dans quelque lieu huppé ?

— Héloïse ? murmura Charles. Je vois que vous n'êtes pas contente ce matin et que j'en suis sans doute la cause.

En fait, c'était pareil tous les matins. Il s'en inquiétait, y pensait souvent au cours de la journée. La veille, il avait décidé qu'il y avait là un abcès à percer sans attendre davantage.

— Nous ne pouvons pas continuer ainsi.

Par chance, ses obligations envers son parti lui laisseraient quelque répit au terme de l'après-midi, et ce pour quelque temps. Il en profiterait pour se consacrer entièrement à sa femme ; il ambitionnait de lui prouver qu'un mariage, de raison au départ, pouvait fort bien se transformer en union amoureuse.

— Quand je reviendrai ce soir, j'aimerais que nous ayons une conversation sérieuse.

Héloïse ferma les yeux et accueillit avec une sombre ironie la souffrance qui lui perçait le cœur. Elle le savait, elle l'avait toujours su ! Elle n'avait été qu'une remplaçante, une intérimaire après la défection de Félicie. Elle avait rempli son rôle tant bien que mal. Maintenant, Charles s'apprêtait à en user avec elle comme avec une maîtresse qui a fait son temps. Il s'était lassé d'elle. Il le lui dirait ce soir.

Avait-il déjà jeté son dévolu sur quelque beauté ? Etait-ce pour aller la retrouver qu'il disait parfois, le soir, que les affaires de l'Etat requéraient ses soins ? Belles affaires, en vérité ! Et elle, pauvre folle, qui l'accueillait bras ouverts, dans son lit, quand il rentrait à des heures indues ! Elle aurait dû savoir qu'il ne resterait pas fidèle très longtemps, quand elle s'était évertuée à le conquérir. En fait, elle le savait, mais n'avait pas voulu le croire. D'ailleurs, s'il l'avait trouvée un tant soit peu désirable, il eût fait le premier pas.

— En attendant, j'aimerais vous donner quelque chose.

Il alla chercher sa jaquette accrochée au dossier d'une

chaise, fouilla dans une poche et en tira une petite boîte rectangulaire, qu'il lui présenta.

— J'aurais voulu vous l'offrir hier soir en arrivant, mais, comme vous le savez…

Il sourit au souvenir de la jeune femme se précipitant dans ses bras et l'attirant dans le lit.

— Inutile de me rappeler le bon temps, lui jeta-t-elle avec aigreur.

Déçu, il se rapprocha du lit sur lequel Héloïse restait obstinément assise, le menton sur les genoux, poste d'observation d'où elle lui jetait un regard rien moins qu'aimable. Il s'émut de la voir si tendue, car il savait trop bien pourquoi : elle avait honte de s'adonner au plaisir avec lui, sans l'aimer.

— J'ai donc ceci pour vous, dit-il, en brandissant l'écrin.

Jusqu'alors il ne lui avait offert que des cadeaux sans grande valeur, des babioles destinées seulement à lui rappeler qu'il pensait à elle tandis qu'il vaquait à ses affaires. Mais il n'avait jamais oublié l'incident à propos des diamants Walton, quand elle lui avait reproché de la tenir pour personne négligeable en lui donnant des vieilleries. Même si elle avait admis par la suite son erreur, il voulait corriger maintenant l'impression désagréable laissée par ces bijoux de famille en lui achetant une parure flambant neuve, en l'occurrence des perles. Pourquoi des perles ? Parce qu'elles étaient le symbole de la pureté. Héloïse était la plus pure des femmes. Il voulait voir, sans attendre, ces perles magnifiques reposer sur sa poitrine et pendre à ses oreilles, accroissant l'éclat de ses magnifiques cheveux bruns.

Il ouvrit l'écrin, révélant les bijoux qui scintillaient sur leur lit de velours noir. Or les yeux d'Héloïse s'agrandirent d'horreur.

— Comment osez-vous ? s'écria-t-elle en reculant comme s'il agitait un serpent. Je refuse que vous me traitiez ainsi ! Inutile d'insister ! Oh, oui, je le sais, j'ai promis que je ne vous empêcherais jamais de vous amuser comme bon vous semblerait, mais il faut tout de même que je vous prévienne : je n'accepterai pas l'arrangement ignoble que vous vous apprêtez à me proposer. Est-ce clair ?

Charles crut défaillir en entendant ces paroles terribles, dont la portée ne pouvait lui échapper : selon Héloïse, leur union n'avait plus lieu d'être. Parce qu'il lui offrait des perles ? Incrédule, il regarda les bijoux comme pour y chercher un défaut, comme s'ils pouvaient lui expliquer ce qu'il ne comprenait pas. Qu'avait-il fait de mal, cette fois ?

Il n'allait pas tarder à le savoir. Rejetant ses couvertures, Héloïse sortit du lit, et, sans se soucier de sa nudité, elle s'avança vers lui, les yeux brillant de colère.

— Je suis votre épouse ; votre épouse !

Elle balaya l'écrin du revers de la main, l'envoyant sur le lit.

— Si vous croyez que vous pouvez me chasser de votre vie au moyen de quelques perles — alors que Mme Kenton a eu des rubis, il faut s'en souvenir ! — vous vous trompez lourdement. De toute façon, vous l'avez toujours traitée mieux que moi ! Elle, vous la promeniez dans tous les salons et les salles de spectacle de la ville, alors que moi, vous ne m'avez sortie que ce qu'il fallait pour ne pas donner lieu à des supputations dont votre honneur aurait pu souffrir ! Ensuite, vous m'avez traitée comme une recluse, et je me suis morfondue entre les murs de votre maison ; belle prison certes, mais prison tout de même !

Et maintenant que vous vous êtes lassé de moi, vous pensez, vous pensez réellement que je vais céder la place, comblée par ces malheureuses perles, des bijoux qu'une mère offrirait à sa fille sur le point de faire ses premiers pas dans le monde ? Je vous le dis tout net : il n'en est pas question ! Sachez que je ne m'exilerai pas à Wycke, que je ne disparaîtrai pas pour vous permettre de vous divertir avec des femmes plus amusantes que moi. C'est bien simple, je vous interdis de prendre une maîtresse, et si vous osez quand même, je... je...

Abasourdi, Charles regardait Héloïse qui discourait et gesticulait, lui offrant le spectacle de sa glorieuse nudité. Mais s'il l'admirait, il ne perdait pas de vue pour autant qu'elle était furieuse contre lui, et il tâchait d'entendre ce qu'elle avait à lui dire. Quand elle s'arrêta, à bout de souffle ou à bout d'arguments, il lui demanda :

— Que ferez-vous, Héloïse, si vous découvrez que j'ai pris une maîtresse malgré l'interdiction très claire que vous venez de me signifier ?

— Oh ! gémit-elle, en reculant d'horreur, les yeux instantanément emplis de larmes.

Ne venait-il pas d'avouer qu'il avait déjà une maîtresse, sinon qu'il avait l'intention d'en avoir une ?

— Je ferai quelque chose de terrible, balbutia-t-elle. Vous pouvez en être certain. Attendez-vous au pire.

— Dieu merci, soupira-t-il en la prenant dans ses bras pour l'attirer contre lui.

Elle l'aimait donc ! Il fallait aimer beaucoup pour ressentir une jalousie si féroce à l'idée d'être rejetée au profit d'une autre. La jalousie : un sentiment dont il connaissait bien les ressorts, pour l'avoir expérimenté ces derniers temps.

— Non, fit-elle en tentant de se libérer, vous n'achèterez pas mon consentement avec quelques baisers ! Je ne vous laisserai pas agir à votre guise. Et d'abord, je vous hais !

Levant les poings, elle lui martela la poitrine.

— Non, vous ne me haïssez pas, répondit-il en riant de bonheur. Ce n'est pas de la haine que vous ressentez pour moi, mais de l'amour. J'en ai la conviction. Vous venez de m'en administrer la preuve.

Héloïse éclata en sanglots. Il la berça comme une enfant, puis la souleva et la porta dans le lit, en lui disant :

— Ne pleurez pas, mon amour. Ecoutez-moi bien : je n'ai pas de maîtresse et je n'ai pas l'intention d'en avoir une. C'est une promesse solennelle que je vous fais là.

Elle hoqueta et lui décocha un regard incrédule.

— Vous n'avez pas de maîtresse ?

— Bien sûr que non ! Qui vous a mis en tête cette idée saugrenue ?

— Moi... vous... Ne m'avez-vous pas épousée pour sauver la face, parce que Félicie vous avait brisé le cœur ? Vous me supportez. Je sais... je sais bien que vous ne m'aimerez jamais comme vous l'avez aimée.

— Voilà qui est fort bien dit. Je ne vous aimerai jamais comme votre sœur, puisque je ne l'ai jamais aimée, elle.

— Comment ? s'écria Héloïse, les yeux ronds. Que me chantez-vous là ? Ce n'est pas vrai. Quand Félicie s'est enfuie avec son Jean-Claude, vous avez eu le cœur brisé. Inutile de le nier.

— Eh bien, je le nie, parce que ce n'est pas vrai. La vérité, je vais vous la dire, ou plutôt vous la rappeler car vous l'aviez vous-même découverte au moment de cette péripétie : mon cœur n'a pas souffert de la défection de Félicie, mais mon orgueil, oui.

Charles s'assit sur le lit et prit la main d'Héloïse.

— Voyez-vous, Félicie était une jeune personne amusante, gaie, pleine de vie. Je n'avais jamais rencontré une femme comme elle auparavant. Quand je me trouvais en sa compagnie, elle me donnait l'illusion que je comptais vraiment pour elle, qu'elle me trouvait des qualités en tant qu'être humain, puisqu'elle ne cachait pas qu'elle haïssait l'aristocratie et toutes ses pompes. Elle n'avait aucune vergogne non plus à avouer qu'elle aimait les jolies choses et qu'elle comptait sur moi pour la couvrir de cadeaux, tâche dont je m'acquittais avec une remarquable constance…

Il hocha la tête. Un nuage passa dans ses yeux.

— … Il faut dire que j'étais particulièrement vulnérable à cette époque…

Il ramena les couvertures sur Héloïse et les lui remonta jusque sous le menton. Ce qu'il avait à lui dire maintenant était très sérieux, il ne voulait pas être distrait.

— … J'avais beaucoup souffert d'une série de chocs. Je venais de découvrir que non seulement j'avais un frère, mais que mes tuteurs, des gens en qui j'avais une confiance absolue, s'étaient fort mal conduits envers lui et plus encore envers sa mère. J'ai voulu alors couper les ponts avec tous ces gens, mais ce fut pour m'apercevoir que je ne pouvais me soustraire à leur influence pernicieuse…

Il eut un rire amer.

— … Je pouvais cesser de les voir, et je ne me suis pas privé de le faire ; mais il m'était impossible de m'affranchir de l'éducation et des habitudes qu'ils m'avaient données. Je me conduisais en toutes circonstances avec froideur, si ce n'est avec morgue. J'avais besoin de décorum, même dans mon quotidien. Pour me racheter en même temps que je rachetais les crimes de mes tuteurs, j'ai accueilli mon frère chez moi, et découvert avec horreur qu'il me vouait une haine inextinguible. C'est pourquoi j'ai cru ne pouvoir trouver mon salut que dans la fuite. Je suis parti pour Paris, pour y chercher… A vrai dire, je ne savais pas ce que j'allais chercher à Paris. Mais j'ai cru, oui, pendant un certain temps — pourquoi ne pas l'avouer ? — que Félicie était celle que je cherchais, et que, grâce à elle, je trouverais le bonheur. Elle me donnait l'impression, l'illusion plutôt, que je pourrais oublier tout ce que j'avais été pour reconstruire ma vie sur d'autres bases. Ce que votre sœur a emporté avec elle, Héloïse, ce n'est pas mon cœur, mais mes rêves.

Il s'arrêta de chiffonner le couvre-lit et regarda Héloïse droit dans les yeux.

— Mon cœur vous appartient, Héloïse. C'est une pauvre petite chose malmenée par la vie. J'en ai conscience. Mais sachez qu'il ne bat que pour vous.

La jeune femme s'assit brusquement. Sur son visage se peignait, non plus l'incrédulité, mais la stupéfaction.

— Mais quand… comment… Vous ne m'avez amenée à Londres que pour m'abandonner aussitôt. Je me suis sentie livrée à moi-même. Vous vous êtes contenté de me donner une longue liste de ce que je pouvais faire ou ne pas faire, m'indiquant les gens à qui j'étais censée ne jamais parler, comme si j'étais une demeurée qu'il fallait surveiller de près.

Charles lui prit le visage dans ses mains et soupira.

— Savez-vous que j'ai beaucoup souffert de voir que vous ne me compreniez pas ? Vous me faisiez penser à un petit oiseau. Puis j'ai vu ce dessin que vous aviez réalisé, où vous vous représentiez, chargée de la chaîne d'un intolérable mariage. Alors je me suis juré que notre union ne ressemblerait en rien à cela. Je sais bien que j'ai dit beaucoup de sottises dans les débuts de notre vie commune, mais sachez-le, je ne voulais pas vous mettre en cage. Avec moi, vous seriez toujours libre d'aller et venir comme bon vous semblerait, et si vous veniez à moi, ce serait parce que vous en aviez le désir, non parce que je vous y aurais obligée.

— Et moi qui pensais que vous m'ignoriez, que vous me teniez pour quantité négligeable ! Mon cœur s'est brisé mille fois à cette idée. Je vous aimais et je croyais que vous ne m'aimiez pas du tout.

— Vous avez pourtant dit que vous ne m'aimiez pas, fit observer Charles. Vous l'avez précisé au moment même où vous me proposiez de vous épouser.

— C'est possible, admit Héloïse, mais quand je suis venue vous voir, je pensais que votre cœur appartenait à Félicie. Or, dès que j'ai su que vous acceptiez de m'épouser, je n'ai pu supporter l'idée que vous pourriez éprouver du désir pour une autre femme… Puis il y eut l'incident avec Mauriac. J'ai cru qu'il allait vous tuer. J'ai eu si grand-peur… Alors j'ai compris que je vous aimais. Je vous aurais suivi au bout du monde…

Le visage soucieux, comme si elle revivait ces instants dramatiques, elle caressa la joue de Charles.

— … Je me disais que l'important était de vous sauver, même si vous ne m'aimiez pas. Je pensais pouvoir supporter cette situation. Naïve que j'étais ! Dès les premiers jours de notre vie commune à Londres, vous voyant si froid, si réservé à mon égard, j'ai pensé que je devais absolument susciter votre intérêt.

Charles hocha la tête.

— Et c'est pour susciter mon intérêt que vous vous êtes mise à passer tant de temps avec Robert, si je comprends bien. Et moi, de mon côté, j'essayais de vous prouver à quel point j'étais tolérant, en vous laissant faire tout ce que vous vouliez !

— Ne soyez plus tolérant, supplia Héloïse. Votre tolérance m'a rendue si malheureuse !

Il se composa un visage sévère, mais ne put s'empêcher de sourire.

— Eh bien, puisque vous le demandez avec tant de ferveur, je vous promets que dorénavant, je serai le plus intolérant des hommes…

Il se pencha pour un baiser sur les lèvres.

— … jaloux…

Il obligea Héloïse à s'allonger.

— … possessif. En fait, je ne vous laisserai plus sortir de mon champ de vision. Quand je pense aux tourments que j'ai endurés parce que je croyais que vous vouliez me quitter !

— Quand avez-vous cru cela ? Je n'en ai jamais eu l'intention.

Non, vraiment… Quand il avait cru qu'elle rentrait à Londres avec Robert, elle s'était retrouvée prisonnière au premier étage de la tour. Quand il l'avait soupçonnée de gagner quelque argent en vendant ses dessins pour fuir avec Robert, elle ne cherchait qu'à rembourser une dette de jeu. Même en France, quand il craignait de la voir s'enfuir pour échapper à leur mariage, elle l'aimait déjà, et trop discrète, elle ne le lui disait pas.

Il s'était trompé sur toute la ligne.

Héloïse n'avait jamais envisagé de le quitter. Cette révélation bouleversante lui fit monter les larmes aux yeux. Il cligna frénétiquement des paupières, puis cacha son émotion en enfouissant son visage dans les cheveux d'Héloïse.

Que dire ?

— Je vous aime, murmura-t-il.

— Je vous aime, répondit Héloïse.

Il avait tant souhaité l'entendre dire cela…

— Et tu me promets bien que tu ne m'abandonneras jamais pour prendre une maîtresse ?

— Jamais je n'oserais ! s'écria-t-il en roulant sur le dos, entraînant Héloïse qu'il gardait dans ses bras. Je sais bien que tu ne le permettrais pas.

— Comment pourrais-je t'en empêcher si tu le désirais vraiment ?

— Tu parles sérieusement ? Tu ne me feras pas croire que tu ignores la réalité de ton pouvoir sur moi.

— Du pouvoir, moi ? Sur toi ?

— Tu m'as bien entendu. Tu fais de moi ce que tu veux depuis le premier moment que tu as posé les yeux sur moi. Je suis comme une cire molle entre tes doigts.

— Des preuves !

— Facile. J'avais décidé de rompre toute relation avec ta famille, et tu m'as persuadé de t'épouser. Je m'étais juré de ne pas quitter mon appartement parisien avant l'expiration du loyer, et dès le lendemain je filais avec toi vers l'Angleterre. Et attends, le pire est encore à venir ! J'avais toujours cru que l'amour était une émotion débilitante, bonne seulement pour les esprits faibles, et voilà que maintenant, à cause de toi, j'ai un cœur qui fonctionne et qui me fait souffrir à l'occasion. Personne d'autre que toi n'aurait pu accomplir ce qu'il faut bien appeler un miracle.

— Cela t'énerve ?

Charles éclata d'un rire joyeux.

— Pas du tout ! Bien au contraire, je n'ai jamais été aussi heureux. Tu es ma vie, Héloïse, toute ma vie. Tu en es la lumière. Sans toi, je serais resté l'homme le plus froid, le plus insensible de tout Londres, et aussi le plus solitaire. Le plus affligeant, c'est que je ne m'en serais même pas rendu compte… Mais voilà, tu es apparue…

Il s'arrêta. Son regard s'était troublé.

— Oh, et puis, assez parlé ! Donne-moi plutôt un baiser.

— De tout mon cœur, soupira Héloïse. De tout mon cœur…

A paraître le 1er avril 2010

LA CAPTIVE DU CAPITAINE, ***de Margaret McPhee - n°471***

Portugal, 1810. Depuis que les hommes du capitaine français Pierre Dammartin ont tué son père et l'ont faite prisonnière, Josie prépare sa vengeance. Mais voilà qu'au premier regard, elle est subjuguée par le charme irrésistible de Dammartin, dont le charisme inné et la prestance ébranlent toutes ses défenses. Elle devrait pourtant le haïr, lui qui a fait d'elle une orpheline ! Désemparée, Josie vacille dans sa détermination...

OFFENSE À UNE LADY, ***de Juliet Landon - n°472***

Canterbury, 1359. Canterbury, 1359. Veuve et sans attaches, Mérielle St Martin savoure son indépendance. Hélas, le décès tragique de sa sœur Laurel vient bouleverser cette existence insouciante et Mérielle n'a alors plus qu'une idée en tête : partir s'occuper de sa nièce orpheline. Mais, pour se rendre jusqu'à Winchester, où se trouve l'enfant, elle ne peut se passer d'une escorte armée. Dans l'urgence, elle n'a d'autre choix que de recourir au chevalier Rhyan Lombard. Un homme qui la traite sans égards et dont elle n'apprécie ni les manières rudes ni la compagnie austère...

LA PROMESSE D'ISEULT, ***de Michelle Willingham - n°473***

Irlande, 1102. Anéantie par la disparition de son fils, Iseult Mac Fergus a perdu goût à la vie. Rien ne semble pouvoir la distraire de son chagrin, pas même la perspective de son mariage avec un prince irlandais. Jusqu'au jour où son futur mari décide de faire réaliser son portrait par l'esclave Kieran, célèbre pour ses talents de sculpteur. Un esclave certes, mais aussi fier qu'ombrageux, et doté d'une mâle beauté qui frappe Iseult en plein cœur...

MADEMOISELLE SAUVAGE, *de Kate Kingsley - n°474*

Louisiane, 1831. Orpheline depuis peu, Claire Fortier a choisi d'aller vivre avec son oncle, à La Nouvelle Orléans. Hélas, dès son arrivée, la bonne société ironise sur ses origines indiennes. Notamment Philippe Girard, riche parieur et débauché notoire, qui la poursuit de ses assiduités bien qu'il ait déjà une maîtresse officielle ! Face à lui, Claire se sent irrésistiblement attirée. Une fascination qui, elle le sait, risque de compromettre davantage encore sa réputation de sauvageonne...

LES NOCES ÉCOSSAISES, *de Sophia James - n°475*

Ecosse, 1360. En arrivant à Belridden, Grâce nourrit l'espoir que son mari, Lachlan Kerr, le séduisant maître des lieux, saura l'apprécier pour ses qualités, et pas seulement pour la fortune qu'elle apporte dans la corbeille de mariage. Comme elle se trompe ! Sitôt installée, elle constate non seulement que Lachlan se défie d'elle et ne voit en elle qu'une indésirable Anglaise, mais, pis encore, qu'il a une amante. D'abord anéantie, Grâce relève bientôt la tête : pour conquérir sa place dans le lit et dans le cœur de son époux, elle est désormais prête à tenter l'impossible...

POUR L'AMOUR D'UN GENTLEMAN, *d'Elizabeth Lane - n°476*

San Francisco, 1906. Dix ans qu'Annie Gustavson n'a pas revu Quint Seavers, l'homme qu'elle aime depuis toujours sans avoir jamais osé le lui avouer. Et pour cause, puisqu'il était fiancé à sa sœur Hannah... Or, en dix ans, tout a changé : Hannah en a épousé un autre et maintenant, plus rien ne s'oppose à ce qu'Annie ouvre son cœur à Quint. Mais après tout ce temps, n'est-il pas déjà trop tard ? Annie veut croire que non et décide d'aller le retrouver...

A paraître le 1er mars

Best-Sellers n° 413 • suspense

Les disparues de la nuit - Lisa Jackson

En moins de deux ans, quatre jeunes filles ont disparu du campus de l'université de Bâton Rouge, en Louisiane. Fugues ou assassinats ? Les médias s'interrogent, mais personne ne semble vraiment se préoccuper de leur sort. Personne, excepté Kristi Bentz, une étudiante en journalisme, qui comprend que quelque chose se passe sur le campus. Car toutes les disparues suivaient un cours sur le vampirisme. Un cours auquel elle vient justement de s'inscrire.

Best-Sellers n°414 • paranormal

La citadelle des ténèbres - Gena Showalter

Depuis sa plus tendre enfance, Ashlyn Darrow est harcelée par des voix surgies du passé qui font de sa vie un cauchemar. Prête à tout pour se libérer de ce don maléfique, elle se rend à Budapest pour rencontrer des spécialistes en la matière, des êtres étranges dotés, dit-on, de singuliers pouvoirs. Mais à peine arrivée dans l'antique château où ils mènent leurs travaux, elle tombe éperdument amoureuse de Maddox – un homme aussi séduisant qu'inquiétant que ses pairs disent immortel et habité d'un dangereux démon.

Best-Sellers n°415 • thriller

Sous le regard de l'ange - Andrea Ellison

Lieutenant à la brigade des homicides de Nashville, Taylor Jackson ne se laisse pas facilement décontenancer. Mais l'effroyable sauvagerie du nouveau meurtre sur lequel elle doit enquêter l'effraie, et la bouleverse même profondément, lorsqu'elle découvre avec stupeur que la victime, une mère de famille irréprochable en apparence, participait au tournage de films pornographiques et de vidéos de couples filmés à leur insu. Pire encore pour Taylor : l'une de ces vidéos la montre elle-même en situation, ce qui non seulement menace sa carrière et son couple, mais fait bientôt peser sur elle les pires soupçons.

Best-Sellers n°416 • thriller

Le secret des marais - Amanda Stevens

Le travail est devenu un refuge pour Evangeline Theroux, jeune inspectrice de police à la Nouvelle-Orléans. Terrassée par la mort soudaine de son mari, effrayée de ne pas être à la hauteur avec son bébé de cinq mois, elle se jette à corps perdu dans une enquête de premier plan sur le meurtre d'un célèbre avocat. Pourtant, les jours passant, ses recherches piétinent et elle accepte l'aide de Declan Nash, agent du FBI. Mais lorsqu'un terrifiant coup de théâtre place soudain son petit garçon au centre de l'affaire, tout change. Désormais prête à tout pour protéger son enfant, Evangeline décide de tout risquer, y compris sa carrière, pour découvrir la vérité, sans imaginer que celle-ci la touche de près et va bientôt remettre en question sa propre identité.

Best-Sellers n°417 • roman

Un parfum de Lilas - Sherryl Woods

Bouleversée par l'échec de sa dernière pièce, qui précède de peu la fin de sa relation amoureuse avec son mentor, la dramaturge Bree O'Brien quitte Chicago et le théâtre où elle a commencé à se faire un nom pour regagner Chesapeake Shores, sa ville natale. Dans ces lieux qu'elle aime tant, elle est persuadée qu'un nouveau départ l'attend. Mais ce retour, en plein cœur de l'été, n'est pas aussi serein que Bree l'espérait. Car il fait aussitôt ressurgir des fantômes de ce passé qu'elle a en vain tenté de fuir. Des fantômes au premier rang desquels se trouve Jake Collins, qu'elle n'a jamais réussi à oublier.

Best-Sellers n°418 • roman

Un printemps à Blossom Street - Debbie Macomber

Blossom Street, c'est une petite rue de Seattle, encore préservée et pleine de charme. Un endroit où il fait bon vivre, et où le quotidien a un parfum de bien-être. Debbie Macomber nous y fait partager la vie de quatre femmes que tout sépare et oppose, mais qui vont se retrouver indissolublement liées les unes aux autres. De cette alchimie, que soulignent des scènes dramatiques et cocasses, intenses et émouvantes, douces-amères et drôles, ironiques et chaleureuses, naissent ces petits riens de la vie qui se transforment en un récit extraordinairement attachant.

Best-Sellers n°419 • historique

L'héritière des Romanov - Susan Wiggs

Russie et Angleterre, 1533

Issue d'une famille princière de Russie, Juliana Romanov a vu les siens se faire massacrer par des traîtres boyards qui se sont emparés du pouvoir. Sauvée par des Gitans, elle se réfugie avec eux en Angleterre, où ils vivent de charité et de larcins. Or un jour, au cours d'une partie de chasse royale, elle est prise en flagrant délit de vol par le roi Henri VIII en personne ! Certaine de sa condamnation prochaine, Juliana est abasourdie lorsqu'on lui propose, à la place, d'épouser Stephen de Lacey, baron de Wimberleigh. Mais elle ignore encore que son futur époux est un rival du roi auquel ce dernier a voulu imposer une union dégradante…

Composé et édité par les
éditions Harlequin
Achevé d'imprimer en janvier 2010

CPI

à Saint-Amand-Montrond (Cher)
Dépôt légal : février 2010
N° d'imprimeur : 91564 — N° d'éditeur : 14741

Imprimé en France